suhrkamp taschenbuch 562

Hermann Hesse, am 2. 7. 1877 in Calw/Württemberg als Sohn eines baltendeutschen Missionars und einer württembergischen Missionarstochter geboren, 1946 ausgezeichnet mit dem Nobelpreis für Literatur, starb am 9. 8. 1962 in Montagnola bei Lugano.

Überdrüssig der allzulangen Seßhaftigkeit und Gebundenheit an sein erstes, 1907 in Gaienhofen am Bodensee gebautes Haus, begab sich Hesse, damals 34jährig und Vater von drei Kindern, auf die längste Reise seines Lebens. Das Reiseziel war Indien, das Land, in welchem seine Großeltern und Eltern zur Verbreitung des protestantischen Christentums missioniert hatten. Hesses Mutter war dort geboren. Sein Großvater, Dr. Hermann Gundert, hatte die Länder Indiens im Ochsenkarren bereist, ihre Sprachen gelernt, indisch-englische Wörterbücher und Grammatiken herausgegeben und das Neue Testament ins Malayalam übersetzt. Was Hesse in seiner Kindheit mittelbar durch Erzählungen seiner Eltern, durch exotische Mitbringsel in den Haushalten seiner Familie und von durchreisenden Missionaren an indischer Atmosphäre in sich aufgenommen hatte, konnte er nun erstmals durch unmittelbare Anschauung vertiefen. Überdies hatte er seit seinem 27. Lebensjahr mit Aufmerksamkeit alles verfolgt und rezensiert, was aus diesem, in Europa damals noch so gut wie unbekannten Kulturkreis in deutschen Übersetzungen greifbar wurde. Nun galt es also seine theoretischen Erkenntnisse über die Traditionen des geistigen Indien mit der Erfahrung der Realitäten zu konfrontieren. So ernüchternd diese Konfrontation zunächst ausfallen mußte, war ihre Nachwirkung und Verarbeitung doch so intensiv und fruchtbar, daß sie Hesse dazu befähigte, das missionarische Erbe seiner Vorfahren in einem umgekehrt wirkenden Religionsverständnis fortzusetzen und mit Büchern wie »Siddhartha«, »Die Morgenlandfahrt« und »Das Glasperlenspiel« einen west-östlichen Dialog anzuregen, einen gleichberechtigten Austausch zwischen den zentrifugalen abendländischen und den zentripetalen asiatischen Polaritäten und Religionen, die sich für Hesse nicht ausschließen, sondern ergänzen.

Neben den Aufzeichnungen von dieser Indonesienreise, die 1913 u. d. T. »Aus Indien« erschienen sind, und die hier erstmals wieder vollständig vorgelegt werden, enthält unser Band auch die wichtigsten essayistischen und fiktionalen Texte Hesses, die sich mit »indischen« Themen befassen, sowie ein noch unveröffentlichtes Reisetagebuch.

Hermann Hesse
Aus Indien

Aufzeichnungen, Tagebücher, Gedichte
Betrachtungen und Erzählungen

Suhrkamp

Neu zusammengestellt und ergänzt von Volker Michels

Die 55 Abbildungen dieses Bandes stammen aus dem Bildnachlaß Hermann Hesses (Deutsches Literaturarchiv Marbach/Neckar und Schweizerische Landesbibliothek, Bern), aus dem Nachlaß Hans Sturzeneggers (Museum zu Allerheiligen, Schaffhausen) sowie aus dem Archiv der Basler Mission. Den Mitarbeitern dieser Institutionen gilt unser Dank.

suhrkamp taschenbuch 562
Dritte Auflage, 26.–37. Tausend 1982
Suhrkamp Taschenbuch Verlag
Alle Rechte vorbehalten, insbesondere das
des öffentlichen Vortrags, der Übertragung
durch Rundfunk und Fernsehen
sowie der Übersetzung, auch einzelner Teile.
Satz: LibroSatz, Kriftel
Druck: Ebner Ulm · Printed in Germany
Umschlag nach Entwürfen von
Willy Fleckhaus und Rolf Staudt

Inhalt

Aufzeichnungen von einer indischen Reise

Hermann Hesse, 1912, portraitiert von Hans Sturzenegger

Gegenüber von Afrika

Heimathaben ist gut,
Süß der Schlummer unter eigenem Dach,
Kinder, Garten und Hund. Aber ach,
Kaum hast du vom letzten Wandern geruht,
Geht dir die Ferne mit neuer Verlockung nach.
Besser ist Heimweh leiden
Und unter den hohen Sternen allein
Mit seiner Sehnsucht sein.
Haben und rasten kann nur der,
Dessen Herz gelassen schlägt,
Während der Wandrer Mühsal und Reisebeschwer
In immer getäuschter Hoffnung trägt.
Leichter wahrlich ist alle Wanderqual,
Leichter als Friede finden im Heimattal,
Wo in heimischer Freuden und Sorgen Kreis
Nur der Weise sein Glück zu bauen weiß.
Mir ist besser, zu suchen und nie zu finden,
Statt mich eng und warm an das Nahe zu binden,
Denn auch im Glücke kann ich auf Erden
Doch nur ein Gast und niemals ein Bürger werden.

Nachts im Suezkanal

Seit zwei Stunden wird das Schiff von Moskitos belästigt; es ist sehr warm, und die heitere Stimmung vom Mittelmeer hat sich erstaunlich rasch verloren. Viele fürchten sich einfach vor der berüchtigten Hitze im Roten Meer, die meisten aber kehren von kurzen Ferien und Besuchen in der Heimat zurück oder reisen zum ersten Male aus, und für sie alle beginnt jetzt erst die Heimat unterzusinken, und mit der Wärme, dem Sand, den frühen Sonnenaufgängen und den Moskitos überfällt sie der Osten, den sie alle nicht lieben, obwohl und weil sie draußen ihr Geld verdienen. Nur im Restaurant der zweiten Klasse zechen ein paar junge Deutsche, die meisten Passagiere sind schon in den Kabinen. Der ägyptische Quarantänebeamte, der unser Schiff seit Port Said begleitet, marschiert mißmutig auf und ab.

Ich versuche zu schlafen. Ich lege mich in meiner winzigen Kabine aufs Bett, über mir saust schnurrend der elektrische Fächer, im kleinen runden Fensterloch steht schwarzblau die heiße Nacht, knisternd singen die kleinen Stechmücken. Seit Genua war keine Nacht an Bord so still; seit Stunden kein Geräusch als das leise Rollen eines Eisenbahnzuges von Kairo, der auf dem langen öden Damm auftauchte, in gespenstischer Nachbarschaft vorüberschnob und wunderlich im Röhricht der weiten kahlen Landschaft verschwand.

Noch ehe der Schlummer kommt, schreckt mich das plötzliche Verstummen der Maschine auf. Wir liegen still. Ich kleide mich an und gehe aufs Oberdeck. Ringsum eine unerhörte Stille, vom Sinai her kommt der abnehmende Mond, bleiche Sandhaufen schauen im vorübergleitenden Blick entfernter Scheinwerfer tot und glanzlos auf, im unendlichen schwarzen Wasserstreifen blinken grelle giftige Reflexe, unterm schweren matten Mond zucken hundert Seen, Sümpfe, Lachen, Binsenteiche gelb und lieblos aus der traurigen Ebene. Unser Schiff fährt nicht mehr, kein Ruf oder Pfiff, es liegt regungslos, verzaubert, aber voll tröstender Wirklichkeit in der Wüste.

Auf dem Hinterdeck treffe ich einen kleinen, eleganten Chinesen aus Schanghai. Er lehnt aufrecht an der Brüstung und verfolgt die Scheinwerfer mit seinen dunklen, klugen Augen, und er lächelt dazu so hübsch wie immer. Er kann das ganze Shi-King[1] auswendig, er hat alle chinesischen Examina gemacht und jetzt auch noch einige englische, er spricht über das Mondlicht über dem Wasser zart und nett in geläufigem Englisch und macht mir Komplimente über die schönen Landschaften Deutschlands und der Schweiz. Es fällt ihm nie ein, China zu rühmen, aber wenn er Lobendes über Europa zu sagen hat, klingt es bei aller Höflichkeit so überlegen, wie wenn der große Bruder nett ist und dem kleineren zu seinen starken Armen gratuliert. Wir wissen alle, daß in China gerade in diesen Tagen die große Revolution neu beginnt[2], die vielleicht dem Kaiser den Kopf kosten wird, und unser kleiner feiner Mann aus Schanghai weiß sicher weit mehr als wir und ist vielleicht gar nicht zufällig gerade jetzt unterwegs. Aber er ist still und arglos wie ein Berggipfel in der Sonne und strahlt in seiner höflich verschanzten Heiterkeit alle irgend unbequemen Fragen mit einer gewinnenden Sonnigkeit zurück, die uns alle verwirrt und mich entzückt.

Am Ufer erscheint ein lichter kleiner Fleck. Es ist ein weißer Hund, er läuft eine kleine Strecke weit den Strand entlang, streckt den mageren Hals lang aus und schaut zu uns herüber. Aber er bellt nicht. Er schaut eine Weile scheu und still herüber, riecht am trüben Wasser und trabt lautlos davon, immer der schnurgeraden Uferlinie nach.

Der Chinese redet von den europäischen Sprachen, er rühmt die Bequemlichkeit des Englischen und den Wohllaut des Französischen, er bedauert entschuldigend, daß er nur ganz wenig Deutsch und gar kein Italienisch gelernt hat. Er lächelt dazu lieb und wohlgestimmt und folgt mit den feuchten, klugen Augen den Bewegungen der Schiffslichter.

Unterdessen fahren zwei große Dampfer langsam und unendlich behutsam an uns vorüber. Unser Schiff ist am Ufer angebunden. Der große Kanal ist kostbar und gebrechlich und wird wie Gold geschont.

Ein englischer Beamter aus Ceylon tritt zu uns. Wir stehen lange und sehen ins tote Wasser, der Mond beginnt schon

1 alte Schreibweise für das 1923 erstmals in deutscher Übersetzung erschienene altchinesische Weisheits- und Orakelbuch I Ging.
2 Sturz der Mandschudynastie (seit 1644) durch Sun Yat-sen, wonach China zur Republik wurde.

wieder zu sinken. Ich habe das Gefühl, ich sei seit Jahren von der Heimat fort. Nichts spricht zu mir, nichts ist mir nah und lieb, nichts tröstet mich als unser gutes Schiff. Die paar Bretter und Klammern und Lichter sind alles, was ich habe, und es macht mich unruhig, nach so viel Tagen plötzlich den vertrauten Herzschlag der Maschine nimmer zu hören und zu spüren.

Der Chinese redet mit dem englischen Beamten über Gummipreise, und ich höre immer wieder das Wort Rubber, das ich vor zehn Tagen noch nicht kannte und das mir jetzt so geläufig ist, das beherrschende Wort des Ostens. Er redet sachlich, hübsch und höflich, und er lächelt immerzu im fahlen elektrischen Licht, wie ein Buddha.

Der Mond hat seinen kleinen Bogen beschrieben, er neigt sich und versinkt hinter den grauen Schutthalden, und mit ihm versinken die hundert kühlen, übelwollenden Blinklichter der Sümpfe und Seen, die Nacht steht dick und schwarz, scharf durchschnitten von den Lichtbahnen der Scheinwerfer, die ebenso unheimlich und lautlos und unendlich geradlinig sind wie der furchtbare Kanal selber.

Abend auf dem Roten Meer

Von brennenden Wüsten her
Zittert ein giftiger Wind,
Dunkel wartet das wenig bewegte Meer,
Hundert hastige Möwen sind
Durch die offene Hölle unsre Begleiter.
Blitze reißen kraftlos am Himmelsrand,
Keines Regens Wohltat kennt dieses verfluchte Land.
Drüben aber steht licht und heiter
Eine friedliche Wolke allein;
Die hat uns Gott dahin gestellt,
Daß wir nicht länger trostlos sein
Und einsam leiden mögen in dieser Welt.

Niemals will ich die Öde unermessen
Und nie diese quälende Hölle vergessen,
Die ich am heißesten Ort der Erde fand;
Daß aber darüber die lächelnde Wolke stand,
Soll mir ein Zeichen sein für die lastende Schwüle
Die ich in meines Lebens Mittag mir nahen fühle.

Ankunft in Ceylon

Hohe Palmen am Strand,
Leuchtende See und nackte Rudrer im Boot,
Uralt heiliges Land,
Ewig vom Feuer junger Sonne umloht!
Blaues Gebirg verliert sich in Dunst und Traum,
Gipfel blenden, man sieht sie vor Sonne kaum.

Grell empfängt mich der Strand:
Seltsame Bäume starren streng in die Luft,
Häuser taumeln farbig im Sonnenbrand,
Menschengetöse aus schillernden Gassen ruft.

Dankbar flüchtet mein Blick ins Gedräng –
Nach unendlicher Seefahrt welch süßer Tausch!
Und mein Herz wird vor Freude eng,
Schlägt wie vor Liebe im seligen Reiserausch.

Die Nikobaren

Viele lange Tage hatten wir kein Land gesehen, nichts als rings die ewige blauschwarze Scheibe des Indischen Ozeans, die silbern und rosig vor dem Flug hinweg stiebenden Scharen der fliegenden Fische und den sonnenglühenden Himmel ohne Dunst, ohne Wolke und nachts die ungeheure Weite des Sternenraums, strahlend in sattem Dunkelblau. Dann war Colombo gekommen, eine weiß zischende Brandung und rotes Land dahinter: staubwirbelnde rote Straßen, farbige Häuser, im Sonnenbrand zitternd mit fliehenden Umrissen, schöne, schwarzbraune Singalesen, traurig aus mageren Prinzengesichtern und edel ergebenen Rehaugen blickend, weithin wehende Palmenwelt, von Vögeln und Schmetterlingen farbig umschwirrt, ferne, blaue Gebirge, phantastisch schön und hochragend. Es war wie ein schöner, unwahrscheinlicher Traum dagewesen und verschwunden, dieses farbige Ceylon, unwirklich und märchenhaft in der grellen Farbenfülle seiner Erscheinungen. Diese heftigen und etwas theaterhaften Eindrücke waren plötzlich wieder untergesunken und weg, wir fuhren wieder auf dem unendlichen Meere dahin, Tag um Tag, Nacht um Nacht.

Wenn man nicht gerade bei Tische saß oder in abendlicher Gesellschaft beisammen war, lag auf allen Gesichtern eine traurige Öde und Gedämpftheit, jener Ausdruck von Welke und müder Apathie, den man bei allen Menschen trifft, die sehr viel auf Reisen sind, vereinigt mit der Mattigkeit und nervösen Unfrische, die den Weißen in den Tropen anhaftet. Still und gesittet lagen sie alle in ihren Deckstühlen, die weißbeschuhten Füße gegen die Reeling gekehrt, die Engländer und Amerikaner mit ihren Frauen, die deutschen Kaufleute und Geologen, die halbfarbigen Damen aus Manila. Alle lagen sie still und beherrscht und niemand klagte; aber alle Gesichter waren unheimlich erloschen, nur ein paar Kinder, Portugiesen, liefen munter umher. Einige junge Deutsche brachten unter der Führung eines alten Australienkapitäns den halben Tag im Rauchsalon zu, und es war ihre Schuld, daß wir schon vor Penang kein deutsches Bier mehr an Bord hatten, alles soffen sie weg; das beinerne Klappern ihrer Würfel tönte ge-

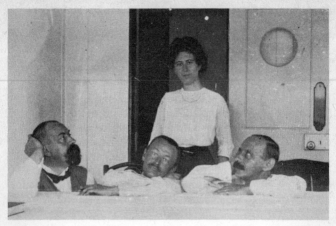

Hesse (Mitte) und Mitreisende an Bord der »Prinz Eitel Friedrich«

heimnisvoll und diskret stundenlang durch die Luken wie das Geräusch eines unbekannten Gewerbes. Drüben in der zweiten Klasse, wo man schlechter vor der Sonne geschützt war und enger beieinander hockte, sah man lauter ermüdete, feindselige Gesichter leer und gelangweilt in die ewige Meeresöde starren. Nur wenn der junge Schiffsarzt lachend seine Runde machte oder einer der Offiziere mit dem frischen Gesicht und dem etwas ironischen Blick durch die Reihen ging, strahlte für Augenblicke etwas wie Munterkeit und Interesse auf. Diese Offiziere und Matrosen waren nicht in den Tropen, sie waren nicht wie wir mit ihren Gedanken und Sorgen müßig in der Einöde unterwegs, verloren, untätig; sie waren hier zu Hause, sie waren auf ihrem Schiff, in ihrer Heimat, da wehte norddeutsche Zucht und Sauberkeit.[1] Für die Schiffsleute waren die fernen dunklen Küsten und die grellen Hafenstädte Asiens nicht Orte der Hoffnung, der Sorge oder Gefahr, sondern lediglich exotische Schmutzwinkel, deren Berührung ihr reinliches Schiff kaum dulden mochte und deren Spuren man bei jeder Ausfahrt eiligst mit Lappen und Wasserströmen von Bord fegte. Wir andern aber, wir waren bloß Passagiere, uns war das Schiff nicht Heimat und Arbeitsstätte, uns lockten

1 Hesse war unterwegs auf dem Schiff »Prinz Eitel Friedrich« des »Norddeutschen Lloyd«.

und bedrohten jene dunklen Küsten, jene schimmernden Städte, jene fieberbleichen Waldsäume der Inseln.

Eines Vormittags lehnte ich an der Reeling, melancholisch an die Weite und Trauer des ungeheuren leeren Horizonts hingegeben: nichts als das dunkle, kreisrunde Meer in seiner grausigen Unendlichkeit, darüber die einsame, feindlich brennende Sonne und inmitten verloren und sinnlos hinschleichend unser Schiff! Mochte da drüben, wohin unser Blick nicht reichte, Indien oder China, Amerika oder Honolulu liegen, es war ohne Bedeutung; unsere Wirklichkeit bestand einzig darin, daß wir wie ein verirrter kleiner Weltkörper klein und einsam in vollkommener Einöde dahinschwebten.

Da legte mir jemand die Hand auf die Schulter, eine braune, behaarte Hand mit dünnen, zähen Fingern und zwei blanken Goldringen; mein Freund Stevenson lächelte mir zu, der unruhvollste und doch beherrschteste Weltreisende, den ich kenne. Nie vergesse ich mein erstes Bekanntwerden mit ihm: wie er, ein sehniger, dunkelbraun verbrannter Mensch in einem verbleichten und verflickten Tropenanzug, eines Tages von einer Segelbarke aus unser Schiff im Roten Meer angerufen und um Aufnahme gebeten hatte, wie er, einen Kuli mit kleinem Gepäck hinter sich, schlank und flink unsere Falltreppe hinangeklettert und mit seinem fleckigen und verbeulten Tropenhut, zerrissen und abgemagert, nach ganz Afrika duftend, in unsere müßiggängerische, elegante, weißgekleidete Globetrottergesellschaft getreten war! – Nun schob er seinen Arm unter meinen, zog mich weg und führte mich nach Backbord hinüber, wo schon ein Dutzend Reisender mit dem übertriebenen Interesse tödlich gelangweilter Menschen auf Auslug standen.

»Sehen Sie?« fragte Stevenson und deutete ins Weite, und als ich eine Weile mit Anstrengung hingestarrt hatte, sah ich wirklich etwas, sah etwas Unbekanntes, Formloses, Unwesenhaftes, aber etwas, das ohne Zweifel nicht Meer war.

»Land?« fragte ich überrascht.

»Die Nikobaren«, nickte er.

Die Nikobaren? Das war ein Klang, der mich plötzlich in die trübe Klassenstube unserer kleinstädtischen Lateinschule zurückversetzte, wo ich vor Jahrzehnten einmal als kleiner Knabe vom Lehrer gescholten worden bin, weil ich das Wort »Nikobaren« nicht wußte, den Namen jener höchst uninteressanten Inselgruppe, die nördlich von Sumatra und südlich vom Golf von Pegu als eine Reihe winziger Spritzer auf der Landkarte lag.

Niemals seither hatte ich an diese verlorenen Inseln gedacht, vermutlich niemals mehr ihren Namen gehört oder ausgesprochen; wären die Scheltworte jenes längst verstorbenen Lehrers nicht gewesen, so wüßte ich ihn heute überhaupt nicht mehr. So aber sah ich nun plötzlich ein entlegenes, unbekanntes Stückchen fremdester Erde, dessen verwischtes Bild auf unserer Schulwandkarte ich mir noch vorzustellen vermochte, in zweifelloser Wirklichkeit vor mir liegen, ferne zwar und klein, aber mit allmählich sich verstärkenden Umrissen, Insel an Insel, unten ineinander verfließend, oben in Bergzüge und zarte, steile Gipfel gespalten, und dort wohnten Menschen, vermutlich eine Art Malaien und ein paar Engländer, und wir würden sie vielleicht ein paar Stunden lang im Auge behalten können. Also das waren die Nikobaren!

»Sind Sie dort gewesen?« fragte ich meinen Freund.

»Nein, es gab bisher dort nichts für mich zu tun.«

»Ja«, sagte ich, »ist es nun nicht eigentlich etwas recht Dummes und Trauriges, so viel zu reisen? Sie waren ja überall, Sie haben mir von Texas und von Borneo erzählt, von Madras und von Sachalin. Ist das nicht im Grunde scheußlich, immer wieder solche Reihen von Tagen auf Schiffen zu liegen und ins Meer zu spucken, neben müden und schlaffen Menschen, zwischen fremden Küsten, immer rund um den Erdball, der einem schließlich klein und wertlos werden muß?«

»Ja«, meinte er lächelnd, »es ist manchmal langweilig. Aber man hat ja seine Arbeit. Ich habe schon in allen Erdteilen Petroleum, Blei und Zinn aufgefunden. Was dazwischenliegt, diese Reisetage, sind natürlich immer dasselbe. Aber wenn ich auf Borneo mit zwanzig, dreißig Kulis eine Expedition antrete oder in Südafrika so zwei, drei Wochen hintereinander zu reiten habe, dann hört die Langeweile schon auf. Es wird ja wohl allen Menschen ähnlich gehen. Sie zum Beispiel sind Literat, haben Sie mir gesagt. Nun, da arbeiten Sie sich also in etwas hinein, was Ihnen wichtig scheint, toben sich darin aus, erschöpfen sich daran; die Arbeit ist fertig, Sie sind ermüdet und leer, das gespannte Interesse ist weg, die Welt ist weit und grau, und Sie sitzen da und warten und fragen sich, ob dies ganze Leben eigentlich die Mühe lohne. Genauso machen es die Reisenden hier auf dem Schiff, solange sie unterwegs und müßig sind. Warten sie aber einmal bis Penang oder Singapur, dann sehen Sie diese selben Leute plötzlich gespannt und straff vor gepackten Koffern stehen, nach Trägern und Booten rufen, Telegramme annehmen und aufgeben und plötzlich wieder wundervoll funktionieren.«

»Mag sein«, gab ich zu, »aber heimatlos sind sie dennoch; sie haben Eltern und Frauen, Kinder und Freunde in London und Amsterdam, und in Singapur haben sie nur das Kapital liegen, das sie bindet, weil es sich verzinsen muß.«

Stevenson lächelte. »Sie sind noch Anfänger, und es scheint Ihnen jetzt so, als sei diese tropische Schiffsmüdigkeit eine Art von spezieller Krankheit. Aber das ist nicht so. Es ist einfach die Muße, an die kein gesunder Mensch sich gewöhnen kann, wenn er sie auch zu ersehnen vorgibt. Man darf das nicht ernst nehmen.«

»Es ist doch auch die Heimatlosigkeit«, sagte ich.

Er zog die Mütze tiefer in die braune Stirn und sagte: »Sie täuschen sich. Heimat ist etwas, was es nicht gibt. Auch zu Hause und mitten unter den Ihren werden Sie oft genug dies Gefühl von Entwurzeltsein wieder spüren, das Sie jetzt kennengelernt haben. Ein Mann hat seine Heimat immer nur da, wo er arbeitet und Wertvolles leistet, ohne das fühlt er sich nirgends wohl. Und wo er etwas Gutes leistet, da tut er es um der Sache willen, und wenn er auch vielleicht glaubt, er tue es für seine Familie und für seine Nation, so sind das eben Einbildungen. Was wir tun, tun wir für die Menschen, und unsre Belohnung besteht darin, daß das Tun uns oft viel Spaß macht. Wir, wir Männer, die etwas tun, sind alle Kollegen und Brüder, auf der ganzen Erde. Wenn Sie, wie ich hoffe, ein guter Schriftsteller sind, so sind Ihre Brüder alle jene, die irgendwo und irgendwann am gleichen Werk gearbeitet haben wie Sie, an der Vergeistigung der Menschen oder wie Sie das nun nennen wollen. Solange Sie zu dieser Gemeinschaft gehören, solange haben Sie Heimat um sich. Wenn Sie aber diese Gemeinschaft verlassen, dann sind Sie heimatlos, auch wenn Sie dem Parlament Ihres Landes präsidieren sollten. Auch ich, wenn Sie erlauben, empfinde mich als Ihren Kameraden. Sie helfen Ideen reifen und umsetzen, ich helfe die Materie bewegen und Arbeitsfelder schaffen. Zu Ihrer Arbeit gehört es wohl auch, daß Sie Gefühle pflegen und veredeln helfen. Davon müssen Sie mehr als ich verstehen. Aber sehen Sie, Freund: dieses Schiffsheimweh da, das ist kein Gefühl, von dem man Reden sollte; ich glaube, es ist überhaupt kein Gefühl, sondern bloß eine Sentimentalität.«

Er hatte mir nichts Neues gesagt, aber die Lektion war im rechten Augenblick gekommen.

Stevenson verließ uns schon in Penang. Ich sehe ihn noch, wie er noch vom Schiff aus seine englischen und malaiischen Befehlsworte an Land rief und dann, den zerbeulten Tropenhut auf dem schwarzen Sperberkopf, im Galopp auf einer Rikscha in der wimmelnden Chinesenstadt verschwand.

Nachts in der Kabine

Das Meer klopft an die Wand,
Im kleinen runden Fenster blaut die Nacht
Und atmet heiß mit Wüstenhauch herein.
Ich bin zum zehntenmal erwacht
Und liege still in atemlosem Brand
Und schlafe nimmer ein.
Und wie ein wildes Herz
Stößt die Maschine heiß und stöhnend fort
Und müht sich unerlöst in blindem Schmerz
Durch immer neue Fernen sinnlos fort.

O wessen Herz nicht klar und fest
Und froh ist wie Kristall,
Für den ist solcher Raum kein Nest,
Dem folgt die Sehnsucht und der Heimat Sorgen-
schwall,
Folgt ungestillte Liebe überall
Und macht ihn arm;
Und alles sieht ihn wild und teuflisch an,
Weil er den Feind im eignen Busen trägt
Und nie entrinnen kann.

Abend in Asien

Abends Ankunft in Penang. Im Eastern and Oriental Hotel (dem schönsten Europäerhotel, das ich auf der hinterindischen Halbinsel traf) ward mir eine fürstliche Wohnung von vier Räumen angewiesen, vor der Veranda klatschte das braungrüne Meer an die Mauer, und im roten Sande standen groß und ehrwürdig die abendlichen Bäume. Die rotbraunen und gelben Segel vieler Dschunken, gebaut wie starksehnige Drachenflügel, leuchteten im letzten Tageslicht, dahinter der weiße Sandstreifen des Penangstrandes, die blauen siamesischen Berge und alle die winzigen, dick bewaldeten Koralleninselchen der wundervollen Bucht.

Nach Wochen eines unbequemen Wohnens in der beängstigend schmalen Schiffskabine genoß ich vor allem eine gute Stunde lang die Weite meiner Räume; ich probierte die ausschweifend bequemen Liegestühle des luftigen Vorzimmers, wo alsbald ein kleiner Chinese mit Philosophenaugen und Diplomatenhänden lautlos Tee und Bananen auftrug, ich badete im Baderaum und wusch mich im Ankleidezimmer. Dann kostete ich im hübschen Speisesaal bei ganz guter Tafelmusik zum erstenmal mit leiser Enttäuschung das üble Essen eines englisch-indischen Hotels. Inzwischen war eine tiefe, schwarze Nacht ohne Sterne heraufgekommen, die großen unbekannten Bäume rauschten wohlig im lauen, schweren Winde, und große unbekannte Käfer, Zikaden und Hummeln sangen, schwirrten und schrien überall heftig mit den scharfen eigenwilligen Stimmen junger Vögel.

Ohne Hut und in leichten Schlafschuhen trat ich auf die breite Straße hinaus, rief einen Rikschamann heran, stieg mit frohem Abenteuergefühl in den leichten Wagen und sprach mit Kaltblütigkeit meine ersten malayischen Worte, welche der flinke, starke Kuli so wenig verstand wie ich die seinen. Er tat, was jeder Rikschamann in diesem Falle tut, er lächelte mir mit seinem guten, kindlich bodenlosen Asiatenlächeln herzlich zu, wendete sich um und lief in frohem Trab davon.

Und nun erreichten wir die innere Stadt, und Gasse für Gasse, Platz für Platz, Haus für Haus glühte in einem erstaunlichen, unerschöpflichen, intensiven und doch wenig geräuschvollen Leben. Überall Chinesen, die heimlichen Herrscher des Ostens, überall chinesische Läden, chinesische Schaubuden, chinesische Handwerker, chinesische Hotels und Klubs, chinesische Teehäuser und Freudenhäuser. Dazwischen je und je eine Gasse voll Malayen oder Klings, weiße Turbane auf dunkelbärtigen Köpfen, blanke, bronzene Männerschultern und stille, ganz mit Goldschmuck behängte Frauengesichter rasch von einer Fackel beleuchtet, lachend oder aufheulend dunkelbraune Kinder mit dicken Bäuchen und wunderschönen Augen.

Hier gibt es keinen Sonntag, hier gibt es keine Nacht; ohne Ende und ohne sichtbare Pause geht die gelassene, gleichmäßige Arbeit weiter, nirgends nervös und übertrieben, überall fleißig und heiter. Klug und geduldig kauert auf hohem Brett der kleine Straßenhändler über seiner Bude, still und würdevoll arbeitet am Rande der brausenden Straße der Barbier, zwanzig Arbeiter klopfen und nähen in der Werkstatt eines Schuhmachers, freundlich breitet ein mohammedanischer Kaufmann auf niederen, breiten Ladentischen seine schönen Tücher aus, die aber fast alle aus Europa stammen. Japanische Dirnen sitzen kauernd am Steinrand der Gosse und girren wie fette Tauben, aus chinesischen Freudenhäusern glänzt golden der wohlbestellte steife Hausaltar, hoch über der Straße in offenen Veranden hocken alte Chinesen mit kühlen Gebärden und heißen Augen beim aufregenden Glücksspiel, andre liegen und ruhen oder rauchen und hören der Musik zu, der feinen, rhythmisch unendlich komplizierten und exakten chinesischen Musik. Köche sieden und braten auf der Gasse, Hungrige speisen an langen Brettertischen gesellig und feinschmeckerisch und sicher für zehn Cents nicht schlechter, als ich im Gasthaus für drei Dollar gegessen habe, Fruchthändler bieten unbekannte Früchte an, phantastische Erfindungen einer müßigen, überreichen Vegetation, kleine Buden haben ihre ärmlichen Güter, eine Handvoll getrocknete Fische oder drei Häuflein Betel, sorgsam mit Kerzen beleuchtet. Hier wandeln im verschwenderischen Licht, das namentlich der Chinese liebt, unverändert alle Gestalten der östlichen Märchen, nur die Könige, Wesire und Henker sind zum Teil verschwunden, gleichwie vor Jahrhunderten arbeitet der geschickte Barbier, tanzt die geschminkte Dirne, lächelt ergeben der Diener und

blickt stolz der Herr, wie immer kauern wartend die Träger und Arbeitsuchenden, kauen Betel und erzählen einander Geschichten.

Ich besuchte ein chinesisches Theater. Da saßen still und rauchend die Männer, still und teeschlürfend die Frauen, vor ihrer hohen Empore turnte gefährlich auf schwankem Brett der Teeschenk mit mächtigem Kupferkessel. Auf der geräumigen Bühne saß eine Schar Musikanten, das Drama begleitend und seinen Takt kunstvoll betonend; auf jeden betonten Schritt des Helden fiel ein betonter Schlag der weichtönenden Holztrommel. Es wurde in alten Kostümen ein altes Stück gespielt, von dem ich wenig verstand und nicht ein Zehntel sah, denn das Stück ist lang und wird durch Tage und Nächte fortgespielt. Da war alles gemessen, studiert, nach alten heiligen Gesetzen geordnet und in rhythmischem Zeremoniell stilisiert, jede Ge-

24

bärde exakt und mit ruhiger Andacht ausgeführt, jede Bewegung vorgeschrieben und voll Sinn, studiert und von der ausdrucksvollen Musik geführt. Es gibt in Europa kein einziges Opernhaus, in dem Musik und Bewegungen des Bühnenbildes so tadellos, so exakt und glänzend harmonisch miteinandergehen wie hier in dieser Bretterbude. Eine schöne, einfache Melodie kehrte häufig wieder, eine kurze, monotone Weise in Moll, die ich mir trotz aller Bemühungen nicht einprägen konnte und die ich später tausendmal wieder hörte, denn es war gar nicht, wie ich meinte, stets dieselbe Tonfolge, sondern es war die chinesische Grundmelodie, deren zahllose Variationen wir zum Teil kaum wahrnehmen können, da die chinesische Tonleiter viel kleiner differenzierende Töne hat als unsre. Was uns dabei stört, ist der allzu reichliche Gebrauch von Pauke und Gong; im übrigen ist diese Musik so fein und klingt abends von der Veranda eines festlichen Hauses so lebensfroh und oft so leidenschaftlich, lustbegierig, wie nur irgendeine gute Musik bei uns daheim es tun kann. Im ganzen Theater war außer der primitiven elektrischen Beleuchtung nichts Europäisches und Fremdes; eine alte, durch und durch stilisierte Kunst schwang ihre alten, heiligen Kreise weiter.

Leider ließ ich mich verführen, danach auch noch ein malayisches Theater zu besuchen. Da prangten grelle, wahnsinnige Kulissen von grotesker Häßlichkeit, von dem Chinesen Chek May in wohlgeglückter Spekulation auf die Affeninstinkte der Malayen gemalt, eine Parodie auf alle Entgleisungen europäischer Kunst, das ganze Theater von einer beiselhaften Drolligkeit und Hoffnungslosigkeit, die nach kurzem, krampfhaftem Lachvergnügen unerträglich wird. In üblen Kostümen spielten, sangen und tanzten malayische Mimen in varieteehafter Weise die Geschichte von Ali Baba. Hier wie später überall sah ich die armen Malayen, liebe, schwache Kinder, rettungslos an die bösesten europäischen Einflüsse verloren. Sie spielten und sangen mit oberflächlicher Geschicklichkeit, neapolitanerhaft heftig und manchmal improvisierend, und dazu spielte eine moderne Harmoniummaschine.

Als ich spät die innere Stadt verließ, klangen und glühten hinter mir die Gassen weiter, noch die halbe Nacht hindurch, und im Hotel ließ ein Engländer zu einsamem Nachtvergnügen ein Grammophon oberbayerische Jodlerquartette spielen.

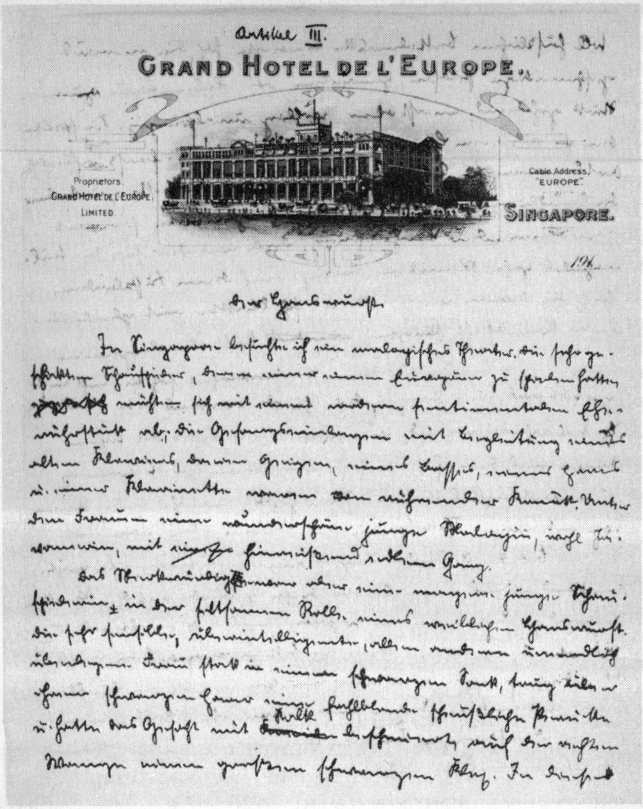
Artikel III.

GRAND HOTEL DE L'EUROPE.

Proprietors.
GRAND HOTEL DE L'EUROPE
LIMITED.

Cable Address,
"EUROPE"

SINGAPORE.

191

Der Hanswurst.

Manuskriptseite »Der Hanswurst« auf Hotelpapier

Der Hanswurst

In Singapur besuchte ich wieder einmal ein malayisches Theater. Ich tat es längst nicht mehr in der Hoffnung, hier etwas von Kunst und Volkstum der Malayen zu sehen oder sonst wertvolle Studien machen zu können, sondern lediglich in behaglicher Abendstimmung, wie man an einem müßigen Abend in einer fremden Seestadt nach dem Essen und Kaffee Lust bekommt, in ein Varietee zu gehen.

Die sehr geschickten Schauspieler, deren einer einen Europäer zu spielen hatte, stellten eine moderne Ehegeschichte aus Batavia dar, die ein Stückefabrikant auf Grund von Zeitungs- und Gerichtsnachrichten dramatisiert hatte. Die Gesangseinlagen mit Begleitung eines alten Klaviers, dreier Geigen, eines Basses, eines Horns und einer Klarinette waren von rührender Komik. Unter den Frauen eine wunderschöne junge Malayin, wohl Javanin, mit hinreißend edelm Gang.

Das Merkwürdige aber war eine magere junge Schauspielerin in der seltsamen Rolle eines weiblichen Hanswurst. Die sehr sensible, überintelligente, allen andern unendlich überlegene Frau stak in einem schwarzen Sack, trug über ihrem schwarzen Haar eine fahlblonde scheußliche Wergperücke und hatte das Gesicht mit Kalk beschmiert, auf der rechten Wange einen großen schwarzen Klecks. In dieser toll häßlichen Bettelmaske bewegte sich die nervös geschmeidige Person in einer Nebenrolle, die zum Stück nur äußerst flüchtige Beziehungen hatte, und war doch beständig auf der Bühne; denn sie spielte den vulgären Hanswurst. Sie grinste und fraß auf affenhafte Art Bananen, sie belästigte Mitspieler und Orchester, unterbrach die Handlung durch Witze oder begleitete sie stumm mit parodierender Nachäffung; dann wieder saß sie zehn Minuten lang teilnahmslos auf dem Fußboden, hielt die Arme verschränkt und blickte mit gleichgültigen, krankhaft klugen, kalt überlegenen Augen ins Leere oder fixierte uns Zuschauer der vordersten Reihe mit kühler Kritik. In dieser Abseitigkeit sah sie nicht mehr grotesk aus, eher tragisch, der schmale, brennend rote Mund teilnahmslos ruhend, vom vielen Lachen ermüdet, die kühlen Augen aus dem fratzenhaft bemalten Gesicht traurig, vereinsamt und erwartungsvoll blickend. Man hätte mit ihr reden mögen wie mit einem Shakespeareschen Narren oder wie mit Hamlet. Bis die Gebärde irgendeines Mitspielers sie reizte – dann stand sie auf, von Leben durchflossen, und parodierte diese Gebärde mit dem kleinsten Aufwande an Anstrengung in so hoffnungslos vernichtender Übertreibung, daß die Mitspieler hätten verzweifeln müssen.

Aber diese geniale Frau war nur Hanswurst: sie durfte nicht italienische Arien singen wie ihre Kolleginnen, sie trug das schwarze Kleid der Erniedrigung, und ihr Name stand weder auf dem englischen noch auf dem malayischen Theaterzettel.

Überfahrt

Von Singapur aus fuhr ich auf einem kleinen holländischen Küstendampfer über den Äquator weg nach Südsumatra. Die Sache begann mit Gepäckschwierigkeiten am Pier und wäre beinahe im ersten Anfang schon verunglückt, denn kaum war das kleine Motorbötchen, das uns und unsre vielen Kisten an Bord des Brouwer[1] bringen sollte, vom Pier abgestoßen, so fuhr uns ein etwas größeres Boot in eiliger Konkurrenz so wild mitten in der Breitseite an, daß wir alle übereinanderfielen und schon ans Schwimmen dachten. Es war jedoch wider alle Wahrscheinlichkeit Gerechtigkeit geschehen und der Angreifer war der Geschädigte; mit einem großen Loch im Bug mußte er abziehen.

Auf dem Brouwer waren wir zu dreien die einzigen Passagiere der ersten Klasse und hatten das Schiff für uns wie eine Privatjacht. Das kleine Hinterdeck ward mit holländischer Behaglichkeit für uns eingerichtet, ein weiß gedeckter Tisch mit altväterischen Lehnstühlen, daneben vier von den nicht genug zu lobenden asiatischen Liegestühlen mit Holzgestellen zum Hochlegen der Beine, weiter zwei naive biedere Kanapees mit weiß und rot gestreiften Bezügen. Die gesamte Bedienung war malayisch, und alsbald wurde uns von drei aufmerksamen, geschickten, hübschen Javanen eine erste Mahlzeit aufgetragen, ein überaus reichhaltiges, solides Reisessen, das ich nach den schlimmen Schaubroten der indischen Gasthöfe mit Dankbarkeit begrüßte. In den Hotels der Straits und Malay States wird man überall von chinesischen Boys bedient, die fast ebenso schlecht und lieblos servieren wie europäische Kellner in einem Durchschnittshotel. Die Javanen hier waren dagegen um unser Wohlergehen mit der einschmeichelnden Treue guter Krankenschwestern bemüht, sie umkreisten uns beständig mit Aufmerksamkeit und kamen jedem kleinsten Bedürfnisse lächelnd und ohne Hast zuvor; sie trugen uns Speisen auf, boten das Beste mit bescheidener Gebärde lobend an, schenkten jedes Trinkglas nach jedem Schluck wieder sorglich voll, verteilten den Rest der gemeinsamen Flasche mit liebevoller Gerechtigkeit zwischen uns dreien, schützten uns

1 Segelschiff.

vor der Sonne und vor dem Winde, standen augenblicks mit brennendem Streichholz bereit, wenn eine Zigarre ausgegangen war, und alle ihre Mienen und Bewegungen drückten weder widerwilliges Diensttun noch feige Sklaverei aus, sondern eitel freudige Dienerschaft und ergebenstes Wohlwollen.

Mittschiffs lagen drei Chinesen und spielten Karten, ohne zu sprechen, aber genau mit demselben leidenschaftlich hoffenden Auftrumpfen der guten und demselben resigniert ärgerlichen Hinschmeißen der schlechten Blätter, wie man es bei schwäbischen Soldaten, bayrischen Jägern und preußischen Matrosen sieht. Eine Malayenfamilie aus Tonkal lag auf ihrer Reisebastmatte: ein Großvater, ein Elternpaar, vier Kinder. Die Kinder hatten es gut, sahen wohlgehalten aus und trugen Halsketten und silberne Fußspangen. Beim Sonnenuntergang suchte sich der Großvater einen freien Raum, verneigte sich, kniete nieder, erhob sich wieder und vollzog mit langsamer Würde die Übungen des abendlichen Gebets. Sein alter Rücken krümmte und streckte sich in genauem Gleichtakt, sein roter Turban und sein spitzer grauer Bart standen scharf in der einbrechenden Dämmerung. Wir setzten uns mit den beiden Offizieren zu einem reellen holländischen Abendessen. Sterne kamen herauf, das Meer dunkelte tiefschwarz und die zackigen Silhouetten der kleinen Berginseln waren kaum mehr zu erfühlen. Wir waren still geworden und wären gerne zu Bett gegangen, doch war es allzu heiß, wir saßen alle ruhig und waren naß vom unablässig rieselnden Schweiß.

Wir bestellten Whisky und hatten kaum danach gerufen, so sprang schon einer der längst auf Deck schlafenden Jonges auf und lief nach Schnaps und Sodawasser.

An hundert Inseln vorüber fuhren wir durch die brütende Nacht, manchmal von Leuchttürmen begrüßt, wir nippten am lauen Getränk, rauchten holländische Zigarren und atmeten langsam und unwillig unter dem heißen schwarzen Himmel. Wir sprachen hin und wieder ein Wort, über das Schiff oder über Sumatra, über Krokodile und Malaria, aber es war keinem wichtig, und manchmal stand einer auf, trat an die Reeling, ließ die Asche seiner Zigarre ins Wasser fallen und suchte, ob in der Finsternis etwas zu sehen wäre. Und wir gingen auseinander und lagen jeder für sich, an Deck oder in der Kabine, und der Schweiß rann beständig an uns nieder, und für diese Nacht waren wir alle reisemüde und verstimmt.

Am Morgen aber fuhren wir, schon jenseits des Äquators, in die breite kaffeebraune Mündung eines der großen Ströme von Sumatra ein.

Fluß im Urwald

Seit tausend Jahren fließt er durch den Wald
Und sieht der nackten braunen Menschen Hütten
Aus Holz und Rohrgeflecht erstehen und vergehn.
Sein braunes Wasser wälzt im lauen Schwall
Laub und Geäst und dunkeln Urwaldschlamm
Und gärt in brennend steilem Sonnenbrand.
Nachts kommt der Tiger und der Elefant
Und badet lärmend seine schwülen Kräfte
Und brüllt in dumpfer Wollust durch den Wald.
Am Ufer rauscht im trüben Schlamm und Rohr
Das schwere Krokodil, heut wie vor tausend
Und hunderttausend Jahren; scheu und schlank
Bricht durch den Schilf der wilde Jaguar.

Hier leb' ich stille Tage hin im Wald
In röhrener Hütte und im leichten Einbaum
Und selten rührt ein Klang der Menschenwelt
Verschlafene Erinnerungen wach.
Am Abend aber, wenn die rasche Nacht
Sich feindlich naht, steh' ich am Fluß und lausche
Und höre da und dort und nah und fern
Verirrten Laut,
Gesang von Menschenstimmen in der Nacht.
Das sind die Fischer und die Jäger, die
Im leichten Boot der Abend überrascht
Und denen kindlich tiefe Furcht das Herz erschlafft,
Furcht vor der Nacht und vor dem Krokodil
Und vor den Geistern der Verstorbenen,
Die nachts sich regen überm schwarzen Strom.
Fremd ist das Lied und mir kein Wort vertraut,
Und klingt mir doch nicht anders, als daheim
Am Rhein und Neckar mir ein Abendlied
Der Fischer oder Mägde klingt: ich atme Furcht
Und atme Sehnsucht, und der wilde Wald
Und fremde dunkle Strom ist mir wie Heimat,
Weil hier wie überall, wo Menschen sind,
Sich zage Seelen ihren Göttern nähern,
Den Schreck der Nacht beschwörend durch ein Lied.

Heimkehrend in der Hütte kargen Schutz
Leg' ich mich nieder, ringsum Wald und Nacht
Und gläsern schrillender Zikadensang,
Bis mich der Schlaf entführt und bis der Mond
Die bange Welt mit kühlem Schimmer tröstet.

Pelaiang

Der Europäer, der mit anderen als geschäftlichen Absichten nach den malayischen Inseln fährt, hat stets, und auch wenn er gar nicht auf Erfüllung hofft, als Hintergrund seiner Vorstellungen und Wünsche die Landschaft und die primitive Paradiesunschuld einer van Zantenschen Insel. Reine Romantiker werden diese Paradiese gelegentlich auch finden und eine Weile, bestochen von der gutartigen Kindlichkeit der meisten Malayen, Teilhaber an einem köstlichen Urzustande zu sein glauben.

Mir ist der volle Genuß einer solchen Selbsttäuschung nie geworden, aber einen kleinen weltfernen Kampong habe ich doch gefunden, wo ich eine Zeitlang im Urwalde zu Gast war, wo mir wohl und heimisch wurde und der in meiner Erinnerung die ganze Wald- und Stromwelt von Sumatra kristallisiert und ausdrückt. Dieser kleine Kampong mit hundert Einwohnern heißt Pelaiang und liegt zwei Tagereisen weit von Djambi flußaufwärts im Inneren des noch wenig bekannten Djambigebietes, das erst kürzlich pazifiziert wurde und zum größten Teil aus jungfräulichem Urwald besteht.

Dort wohnten wir zu vieren samt unsrem chinesischen Koch Gomok in einer Hütte aus Bambus, deren Dach und Wände aus Palmblättern geflochten waren und die auf hohen Pfählen ruhte. Da hingen wir in unsrem gelben, zierlich geflochtenen Käfig zweieinhalb Meter hoch in der Luft und lebten, wie es uns gefiel. Die beiden Kaufleute taxierten die im Walde ruhenden Kapitalien an Eisenholz, der Kunstmaler[1] stieg mit dem Aquarellkasten am Ufer herum und ärgerte sich über die Malayenweiber, von denen gerade die hübschen sich durchaus

1 Hesses Reisebegleiter, der Maler Hans Sturzenegger (1875-1943), der hier seine ersten Aquarelle malte, schrieb dazu am 28. 10. 1911 in einem Brief an Eduard Morstadt: »Zu figürlichen Studien bin ich vorerst noch nicht gekommen, und das wird schwerlich anders werden. Es ist hier nicht so leicht Modelle zu bekommen, namentlich wenn man die Sprache nicht genügend beherrscht. Die Leute sind sehr mißtrauisch, vor allem auf Sumatra war dies der Fall. Jedesmal, wenn ich einen Versuch machte, mich ihnen mit dem Malkasten zu nähern, stoben sie davon . . . Das Klima macht mich ein wenig energielos. Wenn ich draußen im Freien eine Stunde gearbeitet habe, so spüre ich es ziemlich. Das kleinste Aquarell strengt mich hier zehnmal mehr an als zu Hause.«

nicht abzeichnen und nicht einmal gern aus der Nähe anschauen ließen. Und ich ließ mich von Tageszeit und Wetter treiben und lief in der endlosen Waldwelt herum wie in einem fabelhaften Bilderbuch. Jeder ging seinen Weg und wurde auf seine Weise mit den Moskitos, mit den wilden Gewittern, mit dem Urwald, mit den Malayen und mit der ewig lastenden heißfeuchten Schwüle fertig. Am Abend aber, der in den Tropen allzu früh einbricht, kamen wir stets alle zusammen und saßen und lagen auf der Veranda beim Tisch und bei der Lampe. Draußen brüllte der Gewitterregen oder schrie das rasende Insektenkonzert des Urwalds, der uns in die Fensterlöcher schaute; wir aber waren dann der Wildnis satt, wir wollten es gut haben und der lästigen Tropenhygiene vergessen, wir wollten fröhlich sein und nichts von der Welt wissen, und so lagen und saßen wir und schöpften aus vier großen Kisten Flaschen mit Sodawasser und Whisky, mit Rotwein und Weißwein, mit Sherry und mit Bremer Schlüsselbier. Und dann schliefen wir unterm Mückennetz auf unseren guten Matratzen am Boden, jeder mit dem Talisman der wollenen Leibbinde versehen, oder wir lagen still und hörten dem Regen zu, wie er in Kübeln herabklatschte oder auch zart und singend übers Blätterdach lief, bis am frühen Morgen der Nashornvogel und die vielen unbekannten Singvögel ihr Lied begannen und die Affen mit wahnsinnigem Geheule den Tag begrüßten.

Dann ging ich an den sechs oder sieben Hütten vorbei in den Wald, vor den Blutegeln und Schlangen geschützt durch dieselben Lodengamaschen, die ich im Winter in Graubünden trage, und alsbald nahm das zähe Dickicht mich auf und lag zwischen mir und der Welt fremder und trennender als alle Meere. Da liefen stille schöne Eichhörnchen vor mir weg, schwarze mit weißem Bauch und roten Vorderbeinen, und große Vögel sahen mich aus starren Waldaugen unfreundlich an, und bald erschienen in zahlreichen Familien die Affen, rannten im grünen Astgeschlinge, durch das kein Himmel blickte, wildfröhlich hinauf und hinab oder hockten hoch im Gezweig und heulten toll in lang gedehnten schmerzlichen Tonleitern. Schaukelnd flog manchmal einer von den großen schillernden Schmetterlingen über mich hin, selig in seiner Schönheit, und am Boden tat das kleine Gezücht seine Arbeit. Fußlange Tausendfüßler rannten in blinder Eile durchs Gedränge, und überall strebten in dichten dunklen Zügen mächtige Ameisenvölker, graue, braune, rote, schwarze, geordnet nach gemeinsamen Zielen. Dicke faulende Baumstämme liegen umher, tausendfach überwachsen von formenreichen Farnen und dünnem zähem Dorngeschlinge. Hier gärt die Natur ohne Pause in erschreckender Fruchtbarkeit, in einem rasenden Lebens- und Verschwendungsfieber, das mich betäubt und beinahe entsetzt, und mit nordländischem Gefühl wende ich mich jeder Erscheinung dankbar zu, die inmitten des erstickenden Zeugungstaumels eine einzelne Form besonders ausgestaltet zeigt. Da steht zuweilen, vom dicken Gewirre umgeben und als herrlicher Sieger darüber empor gebrochen, ein einzelner Riesenbaum von unwahrscheinlicher Stärke und Höhe, in dessen Krone tausend Tiere leben und nisten können, und aus seiner fürstlichen Höhe hängen still und vornehm schnurgerade, baumdicke Lianenfäden herab.

In diesem Walde wird seit kurzem auch von Menschen gearbeitet. Die Djambi-Maatschappji[1] hat in dem noch völlig brach liegenden Lande die erste große Waldkonzession erworben und beginnt dort Eisenholzstämme zu holen. Ich ließ mich eines Tages zu einer Stelle führen, wo vor kurzem große Stämme gekappt und behauen worden waren, und sah eine Weile der mühseligsten Waldarbeit zu. Da wurden Stämme von zwanzig Meter Länge, schwer wie Eisen, von singenden und keuchenden Kulischaren mit Winden und Hebeln, an Tauen und Ketten aus tiefen, urweltlich dämmernden, sumpfigen Waldschluchten herauf geschleppt, auf Holzrollen und auf primitiven Schlitten, über Sumpf und Dorngestrüppe, über Busch und fettes feuchtes Gekräut hinweg, Elle für Elle gezerrt, gehalten, unterstützt und wieder weiter geschleppt, jede Stunde ein kleines Stück weiter. Ein kleiner Ast von diesem Holze, den ich spielend mit der Hand aufnehmen wollte, erwies sich als so schwer, daß ich ihn auch mit beiden Armen und voller Kraft nicht zu heben vermochte. Dieser Schwere wegen ist das Holz unendlich mühsam zu transportieren: Bahnen gibt es im Lande noch nicht, die einzige Straße ist der Strom, und das Eisenholz schwimmt nicht.

Es war großartig und merkwürdig zu sehen, aber es ist kein Vergnügen, der Arbeit von Menschen zuzusehen, wo sie noch

1 Holländische Bezeichnung für Handelsgesellschaft.

Last und Fluch und Knechtung ist. Diese armen Malayen werden nie, wie es Europäer, Chinesen und Japaner tun, als Herren und Unternehmer solche Werke betreiben, sie werden immer nur Holzfäller und Schlepper und Säger sein, und was sie dabei verdienen, das geht fast alles für Bier und Tabak, für Uhrketten und Sonntagshüte wieder an die ausländischen Unternehmer zurück.

Unberührt von den paar winzigen Feinden, die da an seinem Reichtum zu zapfen versuchen, steht noch immer der Urwald. Am Flußufer sonnen sich die Krokodile, unerschöpflich glüht in der feuchten Hitze das Wachstum weiter, und wo die Natives ein Stückchen roden, um Reis darauf zu bauen, da steht in zwei Jahren schon wieder hoher Busch und in sechs Jahren schon wieder hoher Wald.

Ehe wir abfuhren, versenkten wir unsre leeren Flaschen in den braunen Fluß. Unsre Matratzen wurden in Bastmatten eingerollt und auf das Boot gebracht und wir sahen unsre gelbe Bambushütte am schwarzen Rande des ewigen Waldes stehen und kleiner werden, bis mit der ersten Windung des Flusses alles versank.

Waldrodung mit Elefanten

Waldnacht

Wir waren kurz vor Sonnenuntergang von einem Ausflug im kleinen Boot zurückgekehrt, müde nach der Schwüle und dem stundenlangen Plätschern auf dem breiten braunen Strom zwischen den ewigen Wäldern. Wir waren dem chinesischen Dampferchen begegnet, das jede Woche auf dem Batang Hari fährt und heimwärts nach Djambi unterwegs war. Wir hatten ein paar Tauben und einen Nashornvogel geschossen, eine Bambushütte photographiert, die als letzter Rest einer vorjährigen Reispflanzung in der Öde stand und wo sich ein alter Malaye mit seinem Weib sorglos vom hereinwachsenden Dschungel belagern läßt, wir hatten ein paar große grüne Schmetterlinge gefangen und uns schließlich beeilen müssen, um vor der Nacht zurückzukommen.

Als wir anlegten und steif vom langen engen Sitzen über den kleinen Ländefloß vor unserer Hütte stiegen, ging eben die Sonne dunstig über dem Walde unter, der Strom blinkte trüb herauf, und die Ufer wurden schon finster, als bräche der Wald von beiden Seiten herein und wolle die schmale schwache Lichtbahn erdrücken.

Ehe die Nacht und die Krokodile kamen, war es eben noch Zeit, sich am Ufer ein paar Eimer voll Flußwasser über den Kopf zu gießen, ein frisches Hemd anzuziehen und sich auf unsere große Veranda zu begeben, wo der dicke wohlwollende Chinese schon das Abendessen bereit hielt. Ich blickte hinauf; es war schon dunkel geworden, und unsere Hütte stand mit der schwach erleuchteten Veranda schön und breit zwischen dem Urwald und dem steilen Flußufer, kaum hob sich noch das weiche Palmblätterdach vom schwarzen Himmel ab. Was Nacht ist, weiß man nur in den Tropen. Wie ist sie schön und fremd und feindlich, die tiefe satte Dunkelheit, der schwere schwarze Vorhang, um so viel unergründlicher und finsterer, wie der Tropenmittag glühender und prahlender ist als der nordische.

Wir setzten uns um den großen unbeweglichen Eichenholztisch, wir aßen Fischchen in Öl und Zwieback, wir tranken von den vielen schweren, guten, ungesunden Getränken Holländisch-Indiens. Zu sagen hatten wir uns wenig, wir waren seit

Tagen und Tagen beisammen, zu dreien, und wir waren müde und trotz des Bades schon wieder heiß und feucht. In der Finsternis schrien ringsum die hunderttausend großflügeligen Insekten, gläsern und schrill oder tief und dunkel surrend, lauter als ein Streichorchester. Wir halfen dem Chinesen den Tisch abräumen, nur die Flaschen blieben stehen, das schwache Lampenlicht floß matt an der geflochtenen Wand hin und in die offene Nacht hinaus. Die Flinten lehnten am Eingang, das Schmetterlingsnetz daneben. Einer legte sich in den Liegestuhl unter der Hängelampe und versuchte in einem Tauchnitzband[1] zu lesen, der andere begann die Flinten abzureiben und ich faltete kleine Tüten aus Zeitungspapier für die Schmetterlinge.

Früh, es war kaum halb zehn Uhr, sagten wir einander Gutnacht und gingen hinein. Ich warf die Kleider ab und schlüpfte rasch im Dunkeln unter das hohe Moskitonetz, streckte mich auf der guten weichen Matratze aus und sank in den weichen müden Zustand von Halbschlummer, in dem ich seit langem meine Nächte hinbrachte. Es war nicht nötig, die Augen zu schließen, nur mit Mühe und gutem Willen vermochte ich das Viereck des offenen Fensterloches zu erkennen. Da draußen war es kaum um einen Schatten heller als zwischen meinen

1 der Buchreihe des Leipziger Verlags Tauchnitz.

Bambuswänden und Bastmatten, aber man spürte die wilde Natur draußen gären und kochen in ihrem nie unterbrochenen geilen Treiben und Zeugen, man hörte hundert Tiere und atmete den krautigen Geruch von üppigem Wachstum. Das Leben ist hier wenig wert, die Natur schont nicht und braucht hier nicht zu sparen. Aber wir Weißen sind schon dahinter her, wir haben unsere Bambushütte und haben schon einen kleinen Kampong mit fast hundert Malayen, die uns helfen müssen, den ewigen Urwald anzuzapfen, und seit kurzem klingt hier, zum erstenmal seit die Welt steht, Axtschlag und Arbeitsgetöse durch das Dickicht. Vor drei Jahren wurden hier noch in wilden schnöden Streifzügen die Ureinwohner niedergeschossen, die dunkeln scheuen Kubus, die sich nicht so lange halten konnten wie die listig grausamen Atschi im Norden. Die Seelen der Gemordeten schweben nachts überm Fluß, aber sie werden nur von ihren Brüdern gefürchtet, und wir Weißen schreiten ruhig und herrisch durch die Wildnis, erteilen in unserem verdorbenen Malayisch kalte Befehle und sehen die dunkeln uralten Eisenholzbäume ohne Rührung fallen. Man braucht sie zum Werftenbau.

In blassen Halbgedanken dämmerte ich ein, hing müde schwüle Stunden zwischen Traum und Wirklichkeit. Ich war ein Kind und war am Weinen, und eine Mutter wiegte mich mit Gesumse, aber sie sang Malayisch, und wenn ich die bleischweren Augen öffnen und sie ansehen wollte, so war es das tausendjährige Angesicht des Urwaldes, das über mich gebeugt hing und mir zuflüsterte. Ja, hier war ich am Herzen der Natur; hier war die Welt nicht anders als vor hunderttausend Jahren. Man konnte Drahtseile an den Gaurisankar nageln und den Eskimos ihre Fischjagd mit Motorbooten verderben, aber gegen den Urwald würden wir noch eine gute Weile nicht aufkommen. Da fraß die Malaria unsere Leute, der Rost unsere Nägel und Flinten, da verwesten und vergingen Völker, und aus dem Aashaufen trieb eilends und immerzu neues Völkergemisch empor, geil und nicht umzubringen.

Eine mächtige Erschütterung weckte mich plötzlich; ich sprang unmittelbar aus dem Schlaf in die Höhe, fiel wieder um, stand wieder auf und zog, nun erwacht, den Mückenschleier auseinander. Ein wildes, weißes, furchtbar grelles Licht schlug mir blendend entgegen, und erst nach Augenblicken erkannte ich, daß es das Licht von vielen, ohne Pause aufeinanderfolgenden Blitzen war. Der Donner rauschte mit Gekeuche hinterher, die Luft war seltsam bewegt und voll von Elektrizität, die ich in meinen Fingerspitzen zucken fühlte.

Benommen taumelte ich zum Fensterloch, das im Licht der Blitze vor mir schwankte und seine Ränder verschob wie die Fensterreihe eines vorüberrasenden Eisenbahnzugs. Da schaute, auf zwei Schritt Entfernung, der Wald mich an, ein umgerührtes Meer von Formen, von Astgeschlinge, Laubmengen und Fasern, wogend und in Verzweiflung sich wehrend, von den Blitzen überflogen und jäh bis ins zuckende dunkle Herz hinein verwundet, krachend und empört. Ich stand am Fenster und starrte in das Unwesen, geblendet und betäubt, und fühlte mit überwachen Sinnen das rasende Leben der Erde sich ergießen und vergeuden, und stand dazwischen mit meinem europäischen Gehirn und Gefühlswesen, das sich dem Toben nicht unterordnete, und sah neugierig zu und dachte an viele Nächte und Tage meines Lebens, an alle die vielen, vielen Stunden, da ich so wie hier irgendwo auf Erden gestanden war und fremde Dinge und Erscheinungen betrachtet hatte, geführt und verlockt von dem seltsamen Trieb des Zuschauens. Es kam mir nicht einen Augenblick sinnlos vor, daß ich im Süden des Sumpfurwaldes von Sumatra stehe und einem tropischen Nachtgewitter zusehe, ich empfand auch keinen Augenblick eine Ahnung von Gefahr, sondern ich fühlte voraus und sah mich noch hundertmal, an weit von hier entfernten Orten, einsam und neugierig stehen und dem Unbegreiflichen mit Verwunderung zusehen, dem das Unbegreifliche und Vernunftlose in mir selbst Antwort gab und sich verbrüderte. Genau mit demselben Gefühl von Ergriffenheit und unverantwortlicher Zuschauerschaft hatte ich als kleiner Knabe Tiere sterben oder Schmetterlingspuppen aufbrechen sehen, mit demselben Gefühl hatte ich in die Augen von Sterbenden und in die Kelche von Blumen gesehen – nicht mit dem Wunsche, diese Dinge zu erklären, nur mit dem Bedürfnis, dabei zu sein und ja keinen der seltenen Augenblicke zu versäumen, in denen die große Stimme zu mir sprach und in denen ich und mein Leben und Empfinden hinschwand und wertlos wurde, weil es nur ein dünner Oberton zu dem tiefen Donner oder noch tieferen Schweigen des unbegreiflichen Geschehens wurde.

Die Stunde war da, die seltene, lang erharrte, und ich stand und sah im weißen Licht der tausend Blitze den Urwald sein Geheimnis vergessen und in tiefer Todesangst erschauern, und was da zu mir sprach, das war genau dasselbe, was ich zehn- und hundertmal im Leben gehört hatte, beim Blick in eine Alpenschlucht, beim Fahren durch einen Meersturm, beim Sausen des einbrechenden Föhns auf einer Skihalde, und was ich nicht ausdrücken kann und doch immer wieder zu erleben trachten muß.

Und plötzlich war alles zu Ende, und das war sonderbarer und schauerlicher als der ganze Gewitterlärm. Kein Blitz, kein Donner mehr, nur namenlos dicke Finsternis und das Nieder-stürzen eines wilden, gierigen, selbstmörderisch wütenden Regens. Ringsum nichts mehr als das tiefe, wühlende Rauschen und der geile Geruch des aufgewühlten Urwaldbodens, und eine so tiefe Müdigkeit und Schlafbereitschaft, daß ich noch im Stehen einschlief und auf meine Matratze taumelte und nicht wieder erwachte, bis beim gelben Sonnenaufgang der Wald vom hundertstimmigen Gebrüll der Affen widerhallte.

Pelaiang

Die Nacht ist ganz von Blitzen hell
Und zuckt in weißem Licht
Und flackert wild, verstört und grell
Über den Wald, den Strom und mein bleiches Gesicht.
Am kühlen Bambusstamm gelehnt
Steh' ich und schaue unverwandt
Über das regengepeitschte, blasse Land,
Das sich nach Ruhe sehnt,
Und aus der fernen Jugend her
Blitzt mir aus regentrüber
Verdüsterung ein Freudenschrei herüber,
Daß doch nicht alles leer,
Daß doch nicht alles schal und dunkel sei,
Daß noch Gewitter sprühen
Und an der Tage ödem Zug vorbei
Geheimnisse und wilde Wunder glühen.
Tief atmend lausche ich dem Donner nach
Und spüre feucht den Sturm in meinem Haar
Und bin für Augenblicke tigerwach
Und froh, wie ichs in Knabenzeiten
Und seit den Knabenzeiten nimmer war.

Nacht auf Deck

Der zweite Abend einer Flußreise auf einem kleinen chinesischen Raddampfer den Batang Hari hinauf. Ein hübscher junger Javane, Schneidermeister, der den halben Tag fleißig mit seiner Singerschen Nähmaschine geklappert hatte, war mein Nachbar auf Deck. Er packte seine Maschine ein und seine Matratze aus, nahm langsam und gründlich alle Übungen seines mohammedanischen Abendgebetes vor und legte sich nieder. Er zog ein arabisch gedrucktes Erbauungsbüchlein aus dem Gürtel, las darin, sang halblaut ein paar Seiten daraus vor sich hin und schlief ein. Noch im schlaffen Einnicken verwahrte er sorglich das kleine Büchlein wieder im Gürtel. Hinter ihm, unter der rauchenden Laterne, spielten drei Chinesen Karten, daneben lag eine Malayin mit vier Kindern schlafend auf der Bastmatte. Eins von den Kindern lag im schwachen, roten Licht, ein sehr schönes, langhaariges Mädchen von neun oder zehn Jahren, sie trug noch keinen Ohrschmuck, aber dicke, silberne Spangen an den Gelenken der zierlichen Hände und Füße, und an der zweiten Zehe beider Füße je einen goldenen Ring. Sonst überall Schläfer und Halbschläfer, in den weichen, wohlig animalischen, elastischen Bewegungen der Naturvölker dem Boden angeschmiegt, einer auch im Sitzen oder Hocken (auf beiden Fußsohlen) schlafend, dazwischen eine Männergruppe leise plaudernd. Hinten am Heck rauschte das große Rad wie in einer Mühle und draußen war dicke, schwarze Finsternis, zuweilen durchflogen und noch schwärzer gemacht durch einen kurzlebigen Funkenregen aus dem mit Holz geheizten Maschinenofen.

Eine Stunde blieb ich noch munter, versuchte beim mageren Lichtschein in meinen Notizen zu lesen und mich geistig von dem Gestank zu isolieren, der mich umgab. Der Geruch des Kokos- oder Zitronellaöls, mit dem die Natives kochen und mit dem sie sich leider auch den Leib einreiben, ist von einer trüben, ekelhaften Zähigkeit, und während meines ganzen Aufenthaltes im Osten war dieser Geruch der einzige Punkt, in welchem meine Menschlichkeit sich von der Menschlichkeit der Natives ernstlich, ja widerwillig abwandte.

Ich ließ meine Matratze am Boden ausbreiten, putzte die

Zähne mit Sodawasser, zog die Taschenuhr auf, nahm mein tägliches Quantum Chinin ein und verbarg Schlüssel und Geldbeutel unterm Kopfkissen. Dann stellte ich, um nicht nachts etwa auf die Nase getreten zu werden, zwei Stühle überm Kopfende der Matratze auf, kleidete mich gemächlich aus, schlüpfte ins Schlafkleid und legte mich nieder. Nun gaben auch die Chinesen ihr Kartenspiel auf und verhängten die Laterne mit einer Leinenjacke, und wir alle ruhten beim monotonen Geräusch der Schiffsmaschinen in einer Dunkelheit, die beinahe ebenso dicht und zäh und schwer war wie der dicke, schlimme Kokosölgeruch. Manchmal lärmten unter uns die Matrosen, manchmal ließen sie mitten in der pechfinstern Wildnis mit Heftigkeit die heisere Dampfpfeife spielen, und da ich nach zwei Stunden den Schlaf noch nicht gefunden hatte, stand ich auf und ging aufs Vorderdeck, wo in vollkommener Finsternis der Steuermann stand und mit rätselhafter Sicherheit in die gleichmäßig schwarze, undurchdringliche Nacht hineinsteuerte. Er mußte Nachtaugen haben wie ein Tiger, und es war beinahe unheimlich, ihn am Steuer drehen zu sehen und zu wissen, daß wir in der schmalen Fahrtrinne eines Urwaldstromes mit hundert launischen Windungen unterwegs waren, während ich mit aller Anstrengung vom Ufer keinen Schimmer noch Schatten wahrnehmen konnte. Der Kapitän schlief zusammengekauert nebenan.

Wieder legte ich mich nieder. Es war sehr heiß und auf meiner Schiffsseite ging kein Luftzug; immer wieder warf ich die Reisedecke ab, unter der ich die bloßen Füße geschützt gehalten hatte, und immer wieder nötigten mich die Bisse der Moskitos, sie von neuem zu bedecken. Und endlich, etwa um Mitternacht, schlief ich doch noch ein, und meinte lang geschlafen zu haben, als das oft wiederholte Geheul der Schiffspfeife mich weckte. Es war aber erst halb zwei Uhr. Da und dort richteten erschrockene Schläfer sich taumelnd auf, die meisten sanken alsbald wieder zurück und blieben ruhig, andre standen auf und zogen das Tuch von der Laterne, deren Licht ringsum einen ganzen Knäuel von Schlafenden enthüllte. Die Pfeife schrie weiter, die Maschine stoppte, das Schiff drehte sich; an die Reling tretend, sah ich plötzlich Land, ein Floß und eine Rohrhütte dicht neben uns, mit einem kleinen Stoß legten wir an. Wir hatten keine Feuerung mehr und mußten Holz einnehmen.

Die »Königstreppe« herab kamen vom hohen Ufer zwei dunkle Männer mit rauchenden Fackeln gestiegen, ihre Fackeln waren aus dürren Blättern gedreht und mit Baumharz getränkt. Auf dem Floß lagen große Haufen von Holzscheiten gestapelt, und nun begann das Holzfassen, dem ich zwei Stunden lang zuschaute und namentlich zuhörte. Beim Fackellicht standen die Matrosen und Holzkulis in zwei Ketten, ein Holzscheit nach dem andern ging von Hand zu Hand, im ganzen mehrere Tausend, und Scheit für Scheit wurde vom Ablieferer mit lautem Gesange gezählt. Mit seiner weichen, trägen, hübschen Malayenstimme sang er in freien, wunderlich feierlichen Melodien mit unaufhörlichen Variationen immerzu die Zahl der gelieferten Holzscheite in die schwarze Nacht und das Strömen des Flusses hinein: ampat – lima! lima – anam! anam – tujoh! So arbeitete er und sang gleichmäßig und gleichtönig zwei Stunden lang, und bei jedem neuen Hundert tat er einen melodischen Freudenschrei. Dann sang er weiter, bald schläfrig und klagend, bald hoffnungsvoll und tröstlich, immer dieselbe Grundmelodie mit kleinen, der Stimmung nachgehenden, kapriziösen Beugungen und Variationen. So singen die Arbeiter und Landleute hier alle, wenn sie abends im kleinen Einbaum unterwegs sind und die Nacht anbricht; dann werden sie ängstlich und unendlich trostbedürftig, dann fürchten sie das Krokodil und die Geister der Toten, die nachts überm Fluß unterwegs sind, und dann hört man sie mit Ergebung und mit Inbrunst, mit Schmerzen und mit Hoffnung singen, unbewußt wie der Bambus im Nachtwind singt.

Ich lag wieder still und dämmerte ein, während die Maschine von neuem zu arbeiten begann. Es regnete jetzt und manchmal sprühte ein Dutzend lauer Tropfen zu mir herein; ich wollte mir noch die Decke über die Kniee ziehen, doch war ich schon zu müde, und nun schlief ich ein.

Als ich wieder die Augen auftat, war ein bleicher kühler Nebelmorgen, mein Nachtkleid war durchnäßt und ich fror, schläfrig griff ich nach der feuchten Reisedecke und zog sie an mich. Als ich dabei den Kopf drehte, sah ich jemand über mir stehen. Ich schaute empor, da stand mit den kleinen, braunen, ringgeschmückten Füßen neben meinem Kopf das hübsche, langhaarige Malayenkind, hielt die Hände auf dem Rücken und betrachtete mich aufmerksam mit schönen ruhigen Augen und sachlichem Interesse, als könne sie vielleicht im Schlaf erlauschen, welcherlei Tier eigentlich der weiße Mann sei. Ich hatte dabei genau dasselbe Gefühl, wie wenn man auf einer Bergreise im Heu erwacht und die schönen, neugierigen Augen einer Gais oder eines Kalbes auf sich gerichtet findet. Das Mädchen blickte mir noch eine Weile fest in die Augen; als ich mich aufrichtete, ging sie davon und zur Mutter.

Auf Deck war schon Leben, nur wenige schliefen noch, einer davon zusammengerollt und in sich selbst verkrochen wie ein Hund in kalter Nacht. Die andern rollten ihre Bastmatten zusammen, zogen den Sarong um die Hüften, banden das Kopftuch oder den Turban auf und blickten blöde und nüchtern in den feuchten Morgen.

Palembang

Palembang ist eine Pfahlbaustadt von etwa fünfundsiebzigtausend Einwohnern im Südosten von Sumatra, am sumpfigen Ufer eines großen Flusses gelegen, und hat von oberflächlichen Reisenden den sehr unzutreffenden Namen des malayischen Venedig erhalten, womit nichts gesagt ist, als daß die Stadt an und auf dem Wasser liegt und hauptsächlich Wasserverkehr hat.

Palembang liegt von Mittag bis Mitternacht im Wasser, von Mitternacht bis Mittag im Sumpf, in einem grauen, zähen Schmutz, der fabelhaft stinkt und dessen Anblick und Geruch mich eine Woche lang und nach der Abreise noch bis aufs offene Meer hinaus mit einem leisen Schleier von Ekel und Fiebergefühl verfolgte. Dazwischen und durch diesen Schleier hindurch erlebte ich die schöne, merkwürdige Stadt wie ein aufregendes Abenteuer.

Der Fluß und die hundert stillen, kanalartigen Seitenflüßchen, an deren Ufern Palembang liegt, fließen am Morgen alle in entgegengesetzter Richtung als am Abend, denn die ganze völlig flache Gegend liegt nur etwa zwei Meter über dem Meere, das siebzig oder achtzig Kilometer weit entfernt ist und dessen Flut jeden Tag den weiten Weg herauf kommt, die Strömung umkehrt, die Sümpfe zu Seen, die Schmutzstadt zu einem herrlichen Märchenort und das ganze Gebiet überhaupt bewohnbar macht.

Während dieser Flutzeit, die mit den Tagen wechselt und während meines Dortseins um Mittag begann, spiegeln sich die tausend Pfahlbauten zart und berückend in dem bräunlichen, schwach bewegten Wasser, auf dem kleinsten Kanal wimmeln hundert schlanke, malerische Prauwen[1] mit stiller Lebendigkeit und verblüffender Geschicklichkeit durcheinander, nackte Buben und verhüllte Frauen baden am Fuß der steilen Holztreppen, die von jedem Haus ins Wasser führen, und die Laternen der schmucken, auf Flößen schwimmenden Chinesenkaufläden reißen wundervolle Ausschnitte eines asiatischen Abend- und Wasserlebens aus der Dunkelheit.

Zur Zeit der Ebbe aber ist dieselbe Stadt zur Hälfte eine

1 Segelbarken.

schwarze Gosse, die kleinen Hausboote liegen schräg im toten Sumpf, braune Menschen baden harmlos in einem Brei von Wasser, Schlamm, Marktabfällen und Mist, das Ganze schaut blind und glanzlos in den unbarmherzig heißen Himmel und stinkt unsäglich.

Übrigens darf ich den Eingebornen nicht unrecht tun. Sie können nichts dafür, daß ihr Fluß kein Gefälle und darum kein sauberes Wasser hat, daß der Abfall der Küchen und der Kot der Abtritte um die Häuser her stehen bleibt und daß die wilde Sonne den Schlamm so rasch zur Gärung bringt. So sehr es dem Fremden manchmal graut, wenn er hiesige Reinlichkeitsverhältnisse betrachtet, so stolz er sich den Malayen überlegen fühlen mag, wenn er tagelang aufs Bad verzichtet und seine Zähne mit Sodawasser putzt, so bleibt doch die Wahrheit bestehen, daß der Ostasiate viel reinlicher ist als der Europäer und daß wir unsre ganze moderne europäische Reinlichkeit von den Indern und Malayen gelernt haben. Diese moderne Reinlichkeit, die mit der Forderung des täglichen Bades beginnt, stammt von England, und sie kam in England auf unter dem Einfluß der vielen Angloinder und heimgekehrter Tropenleute, und diese hatten das Baden, das häufige Mundspülen und alle diese Reinlichkeitskünste von den Natives in

Indien, Ceylon und der malayischen Welt gelernt. Ich sah einfache Weiber aus dem Volk nach jeder Mahlzeit die Zähne mit feinen Holzstäbchen und den Mund mit frischer Wasserspülung reinigen, was bei uns keine fünf oder zehn Prozent der Bevölkerung tun, und in Württemberg und Baden kenne ich Bauern genug, die allerhöchstens zwei oder dreimal im Jahre baden, während die Malayen oder Chinesen das mindestens einmal im Tage, meistens öfter, tun. Und sie tun es schon sehr lange, wenigstens findet man schon in uralten chinesischen Büchern gelegentlich solche Reinlichkeitsübungen als selbstverständlich erwähnt, zum Beispiel im »Buch vom quellenden Urgrund« [Liä Dsi]: »Als er zur Herberge kam und fertig war mit Waschen, Mundausspülen, Abtrocknen und Kämmen – –«.

In Palembang, in dieser sonderbaren Stadt, wird mit Yeloton und Rubber, mit Baumwolle und Rotang[1], mit Fischen und Elfenbein, mit Pfeffer, Kaffee, Baumharzen, mit einheimischen Geweben und Spitzen gehandelt; eingeführt werden imitierte Sarongstoffe aus England und der Schweiz, Bier aus München und Bremen, deutsche und englische Trikotwaren, sterilisierte Milch aus Mecklenburg und Holland, eingemachte Früchte aus Lenzburg und aus Kalifornien. In der holländischen Buchhandlung sind Übersetzungen der übelsten Kolportageromane aller Sprachen zu haben, Multatulis Havelaar[2] aber nicht. Für den Gebrauch der Weißen sind die abgelegtesten Geschenkartikel aus europäischen Kleinstadtläden da, die Natives werden durch japanische Schundgeschäfte mit deutscher und amerikanischer Talmiware versehen. Tausend Meter davon entfernt holt sich der Tiger Ziegen und wühlt der Elefant die Stangen der Telegraphenleitung zuschanden. Über dem sumpfigen, von herrlichen Wasservögeln, Reihern und Adlern wimmelnden Lande und unter den Kanälen durchfließt unsichtbar und still, Hunderte von Meilen weit her, immerzu das rohe Petroleum in Eisenröhren nach den Raffi-

1 Lianenartige Kletterpflanze. Rohstoff für Stuhlrohr und anderes Flechtmaterial.
2 Der unter dem Decknamen Multatuli (lat.: »viel hab' ich ertragen«) 1860 erschienene Anklageroman »Max Havelaar oder die Kaffeeversteigerungen der Niederländischen Handelsgesellschaft« des holländischen Dichters Eduard Donwes Dekker, gegen die koloniale Ausbeutung (Javas durch die Niederlande). Dieser »aggressivste Schlüsselroman der Weltliteratur« hat in Europa die Ära der sozialpolitisch engagierten Literatur eingeleitet.

nerien der Stadt. Einen alten chinesischen Seidenschal kaufte ich hier für das Anderthalbfache der Summe, die der Händler für eine Zwölfdutzendschachtel europäischer Stahlfedern verlangte. Und komischerweise lebt man in den zollfreien englischen Hafenstädten Penang und Singapur oder Colombo fast doppelt so teuer als hier bei den überaus hohen holländischen Zöllen, die den Handel lahmlegen, wie denn überall der holländische Kolonialbetrieb ein wenig den Eindruck einer kurzsichtigen Ausbeutung der Natives macht. Hingegen ist die niederländisch-indische Reistafel zwar nicht immer glänzend, aber sie ist noch im schlimmsten Falle ein Paradies im Vergleich mit dem Essen, das die Engländer in den teuren Prachthotels ihrer Kolonien sich vorsetzen lassen. Schade, die Engländer wären weitaus das erste Volk der Erde, wenn ihnen nicht zwei elementare und für ein Kulturvolk kaum zu entbehrende Talente fehlten: der Sinn für feine Küche und der Sinn für Musik. In diesen beiden Punkten erwarte man in englischen Kolonien das geringste; alles andere ist erster Klasse.

Das Volk hat hier jene furchtsam kriechende Unterwürfigkeit, die der europäische Beamte und Kaufmann schätzt, die unsereinem aber gelegentlich störend auffällt. Indessen ist der geknechtete Malaye äußerst flink im Übernehmen europäischer Bequemlichkeiten, Genüsse und Herrenmanieren. Der Kuli, den du vor einer Stunde in seiner dienstbaren Dürftigkeit tief bedauert hast, begegnet dir stolz im weißen Anzug (der vielleicht dir gehört und den dein Wäscher ihm vermietet hat) auf dem gemieteten Zweirad, die Stunde für zehn Cents, und tritt herrisch als Habituee in gelben Schuhen und mit brennender Zigarette in den Billardsaal. Nachher geht er in seine Hütte zurück, zieht den Sarong wieder an, macht sichs bequem und putzt auf der hölzernen Treppe am Ufer seine Zähne im Kanalwasser genau an derselben Stelle, an der er eine Minute zuvor seine Notdurft verrichtet hat.

Kein Trost

Zur Urwelt führt kein Weg zurück.
Es gibt kein Sternenheer,
Kein Wald und Strom und Meer
Der Seele Trost und Glück.

Es ist nicht Baum noch Fluß noch Tier
Dem Herzen zu erreichen;
Trost wird im Herzen dir
Allein bei deinesgleichen.

Große und prächtige Bauten sieht man in der malayischen Welt eigentlich nirgends; die paar Fürsten sind ziemlich bescheiden, und die Bevölkerung hat nie das Bedürfnis gekannt, sich in Bauorgien an Tempeln und anderen Kultusbauten auszutoben. Die buddhistischen und Hindutempel sind ohne viel Variationen von Vorderindien übernommen, die Moscheen sind ohne Originalität, von der meist ganz stillosen modernen Prachtmoschee bis zur kleinen, idyllischen mohammedanischen Dorfkirche, deren Turm aus vier unbehauenen Baumstämmen besteht. Das Klima zerstört alles Menschenwerk hier sehr rasch, die Wohnungen sind nicht auf Stabilität und Dauer, sondern nur aus dem momentanen Bedürfnis nach Schatten, Kühle und Regenschutz angelegt.

Der ebene Boden der malayischen Länder ist großenteils sumpfig und gärt in Fieberluft; Schlangen und Raubtiere sind zu fürchten; so ist heute wie vor viel tausend Jahren der Pfahlbau hier der herrschende Häusertyp. Der Fußboden ruht auf eingerammten oder auch einfach lebendig abgesägten Baumstämmen anderthalb bis zweieinhalb Meter über der Erde, mit ihr verbunden durch eine oder zwei leichte Holztreppen, die zum Schutz gegen Schlangen und anderes Getier möglichst steil angelegt und manchmal mühsam zu ersteigen sind. Der Fußboden besteht häufig aus Brettern, meistens aber nur aus einer losen Lage von Stangen, ist übrigens in allen Häusern mit reinen, schönen Bastmatten belegt. Darüber ruht ein einfaches Giebeldach, dessen vordere Balken häufig wie beim niedersächsischen Bauernhaus kreuzweise überstehen, das Dachgerippe aus Bambusstäben ist mit Palmblättern dicht belegt, leicht, kühl und sehr wasserdicht. Ich habe mehrmals im Urwald bei rasenden Tropenregen nachts unter einem solchen Blätterdach gelegen, ohne naß zu werden. Neuerdings sieht man, auch schon auf dem Lande, viele Hohlziegeldächer.

Das ist der Typ des hinterindischen Wohnhauses. An manchen Orten sind die Dächer nach chinesischer Art elegant geschweift und mit Hörnerschmuck versehen. Eine auffallende malayische Eigenart ist das Gliedern des Hauses und Bewerten der Räume durch Niveauverschiebung, so daß vom Eingang her jeder Raum des Hauses um zwei, drei Handbreiten höher liegt als der vorhergehende.

In den Städten, soweit sie trockenen und gesunden Boden haben, fällt der Pfahlunterbau weg; hier bestimmt der chinesische Typ das Straßenbild, das malayische Fischer- und Bauernhaus ist in die Vorstädte verdrängt. Die Chinesenstraßen, alte wie neue, sind ohne Ausnahme zusammenhängende Reihen kleiner Häuser von zwei, seltener drei Stockwerken; das Erdgeschoß ist Werkstatt oder Laden, das Obergeschoß sieht, wenn die Fensterläden offenstehen, mit offenen, leicht vergitterten Räumen nach der Straße und gibt ihr eine feine Luftigkeit, die Bauten sind farbig verputzt, meist heftig waschblau, was im starken Licht der Tropen kühl und nobel aussieht. Die Vorderräume der Obergeschosse ruhen auf Pfeilern, und so entsteht auf beiden Seiten jeder Straßenflucht eine Kolonnade, fröhlich anzusehen und voll von Bildern des kleinen Lebens. Der reiche Chinese freilich hat sein Landhaus im Villenquartier, luxuriös und meist europäisch beeinflußt, darum her ein stiller, steifer, sonniger Garten, wo jede Pflanze erhöht und isoliert in einer Vase steht.

Die Europäer haben nun alle Städte ganz neu gestaltet und damit viel Hygiene und Bequemlichkeit, aber wenig Schönheit hereingebracht. Von allen Europäerbauten hier draußen sind einzig die Bungalows schön, die in den Villenvorstädten erquickend wohnlich und lieblich in der üppigen Parklandschaft stehen. Diese Bungalows sind darum schön, weil sie notgedrungen sich den Bedürfnissen des Klimas fügen und sich darum an den Urtyp des indischen Wohnhauses halten mußten. Alles andere, was die Weißen hier gebaut haben und bauen, wäre durchaus würdig, in einer deutschen Bahnhofstraße aus den achtziger Jahren zu stehen. Die Engländer tun Großes für ihre Kolonien, die Anlage vieler Geschäftsstraßen, Häfen, Villenviertel und Parkvorstädte samt Straßenbau, Bewässerung und Beleuchtung sind musterhaft und oft von glänzender Großzügigkeit, aber schöne Häuser (mit Ausnahme des Bungalowtyps) konnten auch sie nicht bauen. Und nun wütet falscher Marmor, Wellblech und Gewerbeschulrenaissance weiter und verseucht auch die Modernen und Wohlhabenden unter den einheimischen Bauherren. Japanische Zahnärzte und chinesische Wucherer bauen sich Häuser, die in die geschmacklosesten Straßen deutscher Mittelstädte passen würden. Entsprechend sind Brücken, Brunnen und Denkmäler. Das Übelste aber sind die Kirchen. Von einem feinen stillen Palmenwalde, von einer weitern hübschen Malayendorfgasse oder von einer tiefblauen, diskret uniformen Chinesenstraße aus auf eine Kirche zu blicken, die auf ödem Platz in entwurzelter und entgleister englischer Gotik das kulturelle Unvermögen des Westens predigt, das gehört weit mehr als Schmutz und Fieber zu den Peinlichkeiten einer indischen Reise; denn hier fühlt man sich im Innersten mitverantwortlich. Und diese Dinge sind alle, gleich einem deutschen Postgebäude, ebenso solide wie häßlich gemacht. Ein Malayenhaus, das gestern fertig wurde, wird in drei Monaten wetterfarben und angepaßt und völlig eingewachsen sein, als stände es fünfzig Jahre da; ein holländisches Residentenpalais aber, eine englische Kirche oder ein französisch-katholisches Schulhaus wird unser Auge nicht erfreuen können, ehe es seine schuldbeladene Existenz zu Ende gelebt und seine Bestandteile der Natur zurückgegeben hat.

Wassermärchen

Mit einer geliebten Frau möchte ich den Weg noch einmal machen, den ich gestern von Palembang aus in der kleinen, schmalen Prauw gefahren bin.

Wir fuhren in dem schwankenden Bötchen, das keine Handbreite Tiefgang hat und darum das kleinste Rinnsal noch befahren kann, eines der schmalen, braunen Seitenflüßchen hinauf, gegen Abend noch mit der Flut. Da war zwischen den Pfahlbauten das gewohnte unschuldig bewegte Leben, Netzfischerei jeder Art, worin die Malayen wie im Vogelfangen und im Rudern wahre Meister sind, nacktes, schreiendes Kindergewimmel, kleine, schwimmende Händler mit Sodawasser und Syrup, leise rufende Verkäufer von Koranen und winzigen mohammedanischen Andachtsbüchlein, badende Buben. Streitende sieht man hier selten, Betrunkene nie, und der Reisende aus dem Westen schämt sich, daß dies ihm auffällt.

Wir fuhren gemächlich weiter, der Bach ward schmal und seicht, die Hütten hörten auf, Sumpf und Busch umgab uns grün und schweigend, Bäume standen da und dort am Ufer und im Wasser selbst. Sie wurden unmerklich zahlreicher, streckten tausendfältige Wurzelstelzen nach uns aus, und über uns hing dichter und dichter ein grünes Netz und Gewölbe von Laub und Geäst. Bald war kein Baum mehr einzeln zu erkennen, jeder hing mit Wurzeln und Luftwurzeln, mit Ästen, Zweigen und Schlingpflanzen in die anderen verstrickt und verwoben, alle von hundert Farnen, Lianen und andren Schmarotzerpflanzen gemeinsam umarmt und verbunden.

In dieser stillen Wildnis flog zuweilen farbenblitzend ein Eisvogel auf, die hier in Menge nisten, oder grau huschend eine kleine Schnepfe oder schwarz und weiß wie eine Elster der fette, amselartige Singvogel des Urwaldes, sonst war kein Laut und kein Leben da als das innige Wachsen, Atmen und Ineinanderdrängen des dicken Baumgewölbes. Der Bach, oft kaum noch breiter als unser Boot, beschrieb in jeder Minute einen neuen, launenhaften Bogen, jedes Gefühl für die Maße und Entfernungen ging vollständig unter, wir fuhren betroffen und still durch eine wirre, grüne Ewigkeit dahin, vom Baumgewirre dicht überwölbt, von großblättrigen Wasserpflanzen um-

drängt, und jeder saß stumm und staunte, und keiner dachte
daran, ob und wann und wie dieser Zauber wieder könnte
gebrochen werden. Ich weiß nicht mehr, ob er eine halbe
Stunde, oder eine Stunde, oder zwei Stunden gedauert hat.

Er wurde unversehens gebrochen durch ein wildes, vielstimmiges Gebrüll über unseren Köpfen und durch heftiges Wip-
felschwanken, und alsbald glotzte eine Familie von großen,
grauen Affen uns an, beleidigt und gestört durch unser Eindringen. Wir hielten an und blieben regungslos, und die Tiere
begannen wieder zu spielen und sich zu jagen, und eine zweite
Familie kam dazu, und wieder eine, bis über uns das Dickicht
von großen, langschwänzigen, grauen Affen wimmelte. Zuweilen schauten sie wieder erbost und mißtrauisch herunter,
schnoben zornig und knurrten wie Kettenhunde, und als wohl
über hundert von den Tieren da über uns saßen und wieder zu
schnauben und aus nächster Nähe die Zähne zu fletschen
anfingen, da gab unser Palembanger Freund uns lautlos ein
warnendes Zeichen mit dem Finger. Wir hielten uns behutsam

still und hüteten uns, auch nur an einen Ast zu streifen, denn in Busch und Sumpf eine Stunde von Palembang von einem Affenvolk erwürgt zu werden, hätte jedem von uns ein vielleicht nicht schändliches, doch aber unfeines und unrühmliches Ende geschienen.

Vorsichtig tauchte unser Malaye sein kurzes, leichtes Ruder ein, und still und geduckt fuhren wir sorgsam zurück, unter den Affen und unter den vielen Bäumen durch, an den Hütten und Häusern vorüber, und als wir den großen Strom wieder erreicht hatten, war die Sonne schon untergegangen und aus der rasch einbrechenden Nacht glänzte die zauberhafte Stadt zu beiden Seiten des gewaltigen Wassers mit tausend kleinen, schwachen Lichtern her.

Die Gräber von Palembang

An jedem schönen Vormittag verließ ich die Stadt gleich nach dem Frühstück und blieb zwei, drei Stunden im Freien draußen, um reine Luft zu atmen, Grün zu sehen und gelegentlich einen Schmetterling zu fangen. Alle diese Städte, auch das große Singapur, liegen ganz von Dörfern, Weilern, Höfen und primitivster Ländlichkeit umgeben und lösen sich still und ohne Umriß in die fruchtbare grüne Wildnis auf. Eben erst warst du noch in einer dröhnenden Straße mit Geschäftshäusern, Lastwagen, ausrufenden Händlern und zigarettenrauchenden Lausbuben, du bist in einen stilleren Seitenweg eingebogen, wo helle freundliche Bungalows vereinzelt weitab von der Straße in Gärten stehen, und unversehens fühlst du dich, wunderlich erwachend, vollkommen auf dem Lande, wirst von weidenden Ziegen oder Kühen beschnobert oder hörst im wilden Gehölz die Sprünge der Affen rauschen.

In Palembang führte mein Spazierweg meistens am Fischmarkt vorbei, vorüber am grausigen Anblick lebend umherliegender Fische jeder Art und in Massen aufgehäufter abgehauener Fischköpfe, und an den Häusern und Magazinen der Großhändler hin bis zu einer alten Moschee, immer parallel mit dem Flusse, und von da rechtwinklig landeinwärts, und schon hier begann die typische Mischung von Dorfleben und Buschwildnis. Schönes kleines Rindvieh weidet überall, kreuzt sorglos die Fahrstraße und ist sehr zutraulich. Auf der Straße geht zu manchen Stunden ein starker Verkehr, Fußgänger und Lastträger, sehr viele Zweiräder, Ponywagen und auch schon Automobile. Zehn Meter davon, im dichten Busch, ist man in vollkommener Urwildnis, von Eichhörnchen und Vögeln in Menge umschwärmt, von Affen beknurrt und gelegentlich durch ungeheure, zum Teile giftige Tausendfüßler und Skorpione erschreckt. Wer sich auskennt, kann hier auch häufig Tigerspuren finden.

Nirgends aber kann man hundert Meter gehen, ohne auf Gräber zu stoßen. Überwachsen und vergessen liegen überall die Malayen- und Arabergräber, den unseren ganz ähnlich, die neueren mit welken Grasbüscheln geschmückt, die von den Mohammedanern am Freitag dort niedergelegt werden.

Manchmal ist eine kleine Begräbnisstätte von einer Mauer umgeben, deren Portal mit edlem Bogen und fein profilierten Pfeilern, von hohen Gräsern umwachsen und von riesigen Bäumen überhangen, schattig und vereinsamt in seiner romantischen Verwahrlosung steht, so schön und nobel wie nur irgendein feiner stiller Ruinenwinkel in Italien.

Dazwischen kommt immer wieder, riesig und mit großen goldenen Buchstaben an den Pfeilern leuchtend, ein Chinesengrab, eine ummauerte Halbkreisterrasse am Abhang von fünf, zehn, zwanzig Metern Durchmesser, je nach Bedeutung und Reichtum des Beerdigten, in der schön emporgeschweiften Mauer blau und golden die Inschrift, das Ganze kostbar, feierlich und schön wie alles Chinesenwerk, ein wenig kühl und leer vielleicht, und überall rechts und links darum her und in den Lüften darüber aufgeschossen dicke Busch- und Baumwirre.

Manche von den mohammedanischen Grabanlagen werden früheren Sultanen zugeschrieben, dort sind einige der Mauerportale so schön und in sich abgewogen wie die allerbeste Renaissance. Man ist erstaunt, das auf Sumatra zu finden, aber man erstaunt noch mehr, wenn man hört, daß eine verschwommene alte Palembanger Sage behauptet, hier liege Alexander der Große begraben. Bis hierher sei er gekommen und hier sei er gestorben. Mir fiel dabei das Gespräch ein, das ein Freund von mir in Italien am Trasimener See mit einem Fischer hatte. Der Fischer erzählte Ungeheuerliches von der blutigen Schlacht, die hier vor langen Zeiten der große General Hannibal geschlagen habe, und als mein Freund weiter fragte, gegen wen denn Hannibal damals gefochten habe, wurde der Mann unsicher, meinte dann aber ziemlich bestimmt, es werde wohl Garibaldi gewesen sein.

Bei den Gräbern vor Palembang habe ich schöne wunderliche Stunden hingebracht, allein in dem krausen grünen Busch, von den großen Schillerfaltern umflogen, auf die vielen Rufe der Waldtiere und die wilden, phantastischen Gesänge großer Insekten horchend. Ich saß ausruhend und von der Hitze erschöpft auf den niederen Mauern der Chinesengräber, die so groß und fest und reich gebaut sind und doch vom wilden Leben und Wachstum dieses Bodens alle bald überholt, bezwungen und zugedeckt werden. Ich wurde von schwarzen und weißen Ziegen und von kleinen, sanften, rotbraunen Kühen besucht und betrachtet, oder von Rast haltenden Affen still beäugt, oder von umherschwärmenden Malayenkindern mit Scheu und Neugierde umringt. Ich kannte nur wenige von den Bäumen und Tieren, die ich um mich sah, mit Namen, ich konnte die chinesischen Inschriften nicht lesen und konnte mit den Kindern nur zehn Worte reden, aber ich habe mich nirgendwo in der Fremde so unfremd und so von der Selbstverständlichkeit und vom klaren Fluß alles Lebens umschlossen gefühlt wie hier.

Sozieteit

Es war ein großer Kampong oder ein kleines junges Städtchen an einem der schönen breiten Ströme von Südsumatra. Vor drei, vier Jahren war hier noch Krieg, jetzt liegen nur noch etwa hundert holländische Soldaten im Städtchen und machen hie und da einen dekorativen Streifzug, um etwaigen rebellischen Einwohnern zu zeigen, daß man da ist und aufpaßt. Was man von Eingeborenen zu sehen bekommt, ist ein kindlich harmloses Gemisch von Urmalayen und Javanen, schattiert und gebrochen durch zwanzig wenig zuträgliche Einflüsse und Kreuzungen. Man sieht javanische Tagelöhner das Gras mit Schwertern abmähen, alle Viertelstunde eine Handvoll, und das Tragen eines Wasserkruges über die Gasse ist eine Mannesarbeit für einen Vormittag. Gearbeitet wird meist von den Frauen, und dann von den Chinesen, die auch hier sich am kleinsten aufblühenden Örtchen alsbald einfinden und die genügsamste Pionierarbeit tun; sie halten Kaufläden, sie treiben Schiffahrt, sie kaufen Gummi und verkaufen Reis, Fische und deutsches Bier. Gearbeitet wird auch von den paar Europäern; es gibt eine Eisenholzunternehmung, deren Leiter ein überaus landeskundiger Schweizer ist, die übrigen Weißen sind ohne Ausnahme holländische Beamte.

Ich besuchte den Residenten und den Kontrolleur, und bekam mit vieler Höflichkeit ein großes Papier zugestellt, von dessen Notwendigkeit ich zuvor gar nichts gewußt hatte und das eine Aufenthaltsbewilligung für Niederländisch-Indien darstellte.

Ich hatte mich viel im Kampf mit Moskitos, Dornen und Sumpfgras im Busch herumgetrieben, als ich nach dem Städtchen zurückkehrte. Alsbald ward ich eingeladen, mich in der »Sozieteit« einzufinden, und ging also abends in den Klub, des Kontrolleurs wegen, der ein feiner und zartsinniger Mensch war, wie sie seit Multatuli je und je da draußen vorkommen.

Die Basarstraße, die Hauptdorfgasse, war schon dunkel. Die Malayen lehnten am Zaun und hatten ihre Kinder auf den Armen, die Chinesen werkelten geräuschlos im erleuchteten Hintergrund ihrer Kaufläden. Mitten inne lag ein heftig erleuchtetes Bretterhaus, das war der Klub, und beim Eintreten fand ich zwei Drittel der hiesigen Europäer versammelt. Viere standen um das Billard, drei ältere Herren und eine Dame saßen auf Schaukelstühlen vor den Fenstern nach der Flußseite, wandten der Sozieteit den Rücken zu und genossen schweigend in ruhigen Atemzügen die schwach gekühlte Luft der Abendstunde. Der Rest der Gesellschaft saß in der Mitte des Raumes um einen großen runden Tisch und spielte Karten. Zu ihnen setzte ich mich und wurde mit Munterkeit begrüßt, und nachdem man mit Enttäuschung vernommen, daß ich nicht Karten spielen könne, lud man mich zu einem Würfelspiele ein. Es ging um eine Runde Schnaps und jeder ließ sich seine Getränke kommen, Whisky, Bitter und Bols, Gin und Scherry, Wermut und Anis in den abenteuerlichsten Mischungen. Das Würfelspiel war so kompliziert und witzig, wie man es auf Schiffen und Leuchttürmen anzutreffen pflegt, wo die Leute Zeit haben.

Nun saßen wir, etwa zehn Männer und zwei Damen, im grellen Licht zweier Glühlampen von halb sieben bis gegen halb zehn Uhr und würfelten fleißig, immer wieder um eine Runde. Einmal blickte ich empor und im Raume herum und sah um die Lampen einen mächtig großen Schmetterling flattern, größer als meine flache Hand, mit gelb und grüner Zeichnung auf schwarzem Grunde. Ich beschloß, ihn später zu fangen und mitzunehmen, um doch etwas von diesem Abend zu haben, und nun tröstete und erheiterte es mich, hie und da aus dem Kreis der Raucher und Würfelspieler heraus einen Blick nach dem herrlichen Falter zu werfen, der in diese rauchende und trinkende Sozieteit so wenig paßte wie diese guten Holländer in den Urwald passen.

Die letzte Runde verlor ein armer Leutnant, der höchstens zweihundert Gulden im Monat kriegt. Er wurde mächtig ausgelacht, wie überhaupt alle diese langen Stunden hindurch Gelächter und laute Freudigkeit nie aufgehört hatten, und ich erhob mich zum Abschiednehmen. Wir schüttelten einander die Hände und man bedauerte sehr, daß ich schon weggehe, eben jetzt wo es fidel zu werden anfange.

Der Riesenschmetterling war mehrmals gegen das Licht geflogen und hatte sich verbrannt. Ich suchte eine Weile nach ihm und fand ihn, scheinbar wenig verletzt, tot auf dem Fußboden liegen. Als ich ihn aufhob, war sein Leib schon halb verschwunden und wimmelte von jenen winzigen grauen Zwergameisen, die man hier draußen im Zucker, in den Schuhen und Strümpfen, in der Zigarrenasche und im Bett findet und über deren wilde Beutegier man geduldig die Achseln zucken lernt wie über die Grausamkeit der Chinesen, die Verlogenheit der Japaner, das Stehlen der Malayen und andre große und kleine Übel des Ostens.

Maras

Wer eine Zeitlang in Palembang war und auf der Rückseite des Hotel Nieukerk nach dem schwärzlichen Kanälchen hinaus gewohnt hat, vom Gestank und von den Moskitos verfolgt und ohne die Möglichkeit in reinem Wasser zu baden, der verfällt schließlich einem brennenden Verlangen nach Abreise, einerlei wohin, und beginnt die Stunden bis zum nächsten Schiffstermin zu zählen. Seit einem Monat ohne Post, fiebernd von Schlaflosigkeit, ermüdet vom Leben der sonderbaren Stadt, von der Hitze und dem Mangel an Bädern erschlafft, hatte ich mir einen Platz auf dem chinesischen Damper »Maras« bestellt, der am Freitag früh ankommen und im Laufe des Sonnabends wieder nach Singapur abgehen sollte, und nun lag ich hoffend unterm Moskitonetz und wartete den Freitag Morgen ab. Zu lesen hatte ich längst nichts mehr, meine große Kiste stand in Singapur, die Nachrichten von Hause blieben Woche um Woche aus, ich konnte nichts tun, als mich täglich in der Stadt herumtreiben, bis ich ermüdet war, und dann viele Stunden liegen und warten, im Notizbuch blättern und malayische Vokabeln lernen. Aber nun war ein Schiff in Aussicht, noch einen Tag oder zwei, dann würde ich abfahren können, und bald würde, wie tröstliche Erfahrungen uns lehren, alles Widerwärtige dieser Tage in der Erinnerung einschrumpfen und vergehen und nur das viele Schöne, Bunte, freudig Erlebte bleiben.

Allein der Freitag Morgen und auch der Nachmittag verging, ohne daß der »Maras« kam, auch während der Nacht zum Sonnabend lauschte ich vergeblich alle die vielen Stunden lang auf das Pfeifen eines einlaufenden Schiffes, und der ganze Sonnabend verging ebenso, und erst am Sonntagmorgen kam die Nachricht, es sei nun da und wenn es nicht zu viel regne, werde man vielleicht morgen abfahren.

Am Sonntag war ich von früh bis abends auf dem Flusse unterwegs. Ich hatte mich einer Krokodiljagd angeschlossen und saß mit einem schweren alten holländischen Militärgewehr auf den Knien, die Augen von der Hitze und dem Sonnenreflex des Stromes brennend, im kleinen Boot auf der Lauer. Aber an solchen Tagen hat man kein Glück; wir kamen nie zum Schuß und mußten bei dem viel zu hohen Wasserstande froh sein, daß wir wenigstens einige Krokodile zu sehen bekommen hatten.

Einerlei, morgen ging mein Schiff, und dann konnten mir alle Krokodile von Sumatra –. Bei der Rückkehr nach der Stadt erfuhr ich, der »Maras« würde vielleicht morgen früh abfahren, vielleicht auch nachmittags oder abends, und ich packte meine Koffer mit suggestiver Gründlichkeit und Liebe. Der »Maras«, der am Morgen nicht gefahren war, fuhr auch am Nachmittag nicht, aber es wurde mir mitgeteilt, ich könnte abends an Bord gehen und müsse spätestens um zehn Uhr da sein, wenn ich mitreisen wolle.

An mir sollte es nicht fehlen, ich fuhr um neun Uhr durch die dicke Nacht (wir haben ja in Europa gar keine Ahnung von richtiger Nachtfinsternis!) nach dem Schiff, suchte und fand in der laternenlosen Dunkelheit tastend über fremde Boote und schlafende Ruderkulis hinweg für mich und mein Gepäck einen Weg zur unbeleuchteten Falltreppe und turnte hoffnungsvoll empor. Das Schiff war stark geladen, die Innenräume alle voll Yeloton und Baumwolle, aber es lagen noch zwanzig und mehr Lastboote voll Rottang beim Schiff, und so wurde weiter geladen, hundert Kulis schwärmten auf dem überfüllten dunkeln Deck, wo ich über Kisten und Balken klettern mußte, und wenn sie einer von den wenigen Laternen nahe kamen, glänzten ihre nackten, gelben, schweißgebadeten Körper warm aus dem finsteren Getümmel.

Es war ein holländischer Kapitän da, und ich bekam eine Kabine, aber sie war so heiß wie ein Dampfbad, und als ich die Stiefel auszog, merkte ich alsbald die Ursache: der Fußboden war von den benachbarten Heizräumen her so heiß, daß mir die Sohlen schmerzten. Die Luke war ein wenig größer als das Zifferblatt einer Taschenuhr. Dagegen war ein elektrischer Ventilator und elektrisches Licht da, die aber seit Jahren nicht mehr funktionierten, und der Raum wurde durch eine kleine rußende Erdöllampe erleuchtet.

Von einer Stunde zur andern wurde die Abfahrt erwartet und verheißen, ich blieb bis nach ein Uhr steif vor Müdigkeit auf einem Stuhl am Oberdeck sitzen und schaute betäubt aus geschwollenen Augen in das Schiff, ging dann in die Kabine und legte mich nieder, hörte den Schweiß in schweren Tropfen von meiner herabhängenden Hand zu Boden fallen, stand wieder auf und rauchte eine Zigarre draußen im Regen zwischen den Kulis, irrte im dunkeln Schiff umher, fiel über Schlafende, warf einen Käfig mit lebenden Affen um, stieß mich an Kistenecken und fand mich bei Tagesanbruch zerstört und erschöpft an Oberdeck wieder.

Früh um sechs Uhr hatte ich noch niemals in meinem Leben Bordeaux getrunken und starke indische Zigaretten geraucht. Heute tat ich es, und nun kann ich schon wieder fast ohne Schmerzen und Anstrengung die Augen offen halten.

Jetzt, wo ich diese Notizen aufschreibe, fährt das Schiff. Es fährt seit einer Stunde, seit Mittag, und ich täte gern irgend etwas anderes als schreiben, wenn das nicht eben das einzige wäre, was mir übrig bleibt. Die Kabine ist unmöglich, mehr als ein Stuhl steht mir an Deck nicht zur Verfügung, und höre ich mit Schreiben auf, so kommt der Kapitän und will mich in eine Unterhaltung ziehen. Er ist ein sympathischer Mann und hat seine Frau mit an Bord. Sie wohnen am Oberdeck in der Kapitänskabine. Er hat eine ungeheure Briefmarkensammlung und einen räudigen chinesischen Hund, der leider untreu ist und sich zu mir hält, und die Frau hat fünf junge Katzen und zehn oder elf Singvögel in Käfigen. Außerdem haben wir lebendige Affen (dieselben, die ich in der Nacht umgeworfen

habe) an Bord, von denen der kleinste ganz zahm ist und sich von mir anfassen und streicheln läßt. Leider stinken sie teuflisch.

Wir fahren langsam flußabwärts und werden abends die See erreichen und vielleicht in etwa 32 Stunden in Singapur sein.

Nachtrag am Abend . . . Ich nehme alles zurück. Als ich zu schreiben aufhörte, ward ich von niemand belästigt, vielmehr zu einem recht guten Mittagessen aufgefordert. Nachher machte mir die Kapitänsfrau vorn am Oberdeck ein Feldbett zurecht, wo ich zwei Stunden ruhen konnte. Da sah alles gleich wieder besser aus. Der chinesische Hund ist, glaube ich, nicht räudig; er hat nur, wie ja fast alle Hunde in den Tropen, den Haarschwund, wird von hinten her kahl, was schade ist, denn er muß früher, den Resten nach zu schätzen, ein ganz hübscher rotblonder Kerl gewesen sein. Die Kabinenluke ist beinahe so groß wie das Zifferblatt einer bescheidenen Wanduhr; die Taschenuhr war eine Übertreibung.

Ich habe mich tüchtig eingeseift und mit Flußwasser begossen, das erste frische Bad seit zehn Tagen! Nun kann ich wieder ohne Mühe aus den Augen sehen. Es ist abends fünf Uhr und schon dämmerig, wir sind in der weiten Flußmündung angekommen, vor uns liegt hellgelb das seichte Meer, der Pilot arbeitet am Steuer und kann uns nun bald verlassen. Gegenüber steht mit langen hohen Bergketten schön und ganz tiefblau die Insel Banca.

Nachtrag nachts zehn Uhr . . . Der Hund ist doch räudig, die Berührung mit ihm hat mich zwei von meinen kostbaren Sublimatpastillen gekostet. Außer ihm, den Katzen, Vögeln und Affen sind noch zwei Gürteltiere, ein Stachelschwein und ein junger schöner Jaguar an Bord, alle lebend. Sie sind in Käfige gesperrt, aber sie haben weit mehr Luft als ich in meiner Kabine. Das Abendessen war sehr gesellig, die Kapitänin besitzt ein großes, heftig wirkendes Grammophon, das wurde mir zur Ehre losgelassen, Dollarprinzessin und Caruso. Alle Europäer in den Tropen haben Grammophone, und so bin ich denn schon vor der Rückkehr nach Singapur wieder von der operettenhaften Atmosphäre umgeben, die mir seit dem Betreten des Lloydschiffes in Genua als das Charakteristikum des Europäerlebens im Osten erscheint.

Im malayischen Archipel

In allen Nächten steht die Heimat nah,
Als wäre sie noch mein,
Vor meinen traumbeglückten Augen da.
Doch muß ich lange noch auf Reisen sein
Und in entlegener Inseln Sonnenglut
Mein Herz zur Ruhe bringen
Und wie ein widerspenstig Kind
Einwiegen und zur Ruhe singen.
Und immer wieder ist es ungemut,
Ist nicht zur Ruh' zu bringen,
Ist wild und schwach wie Kinder sind.

Augenlust

Wenn aus der Flasche, die mein Boy eben öffnet, ein turmhoher Ifrit emporrauchte und mir die Erfüllung dreier Wünsche gewährte, so würde ich ohne Besinnen sagen: Gesund sein, eine schöne, junge Geliebte bei mir haben und über zehntausend Dollar verfügen.

Alsdann würde ich eine Rikscha nehmen und einen Extra-Rikscha-Kuli für die Pakete und würde in die Stadt fahren, die ersten paar tausend Dollar lose in der Tasche. Ich würde nicht auf die bettelnden Kinder hören, die sich zum Entsetzen meiner Schönen mit dem leidenschaftlichen Ausruf: »O father, my father!« um mich drängen. Dem kleinen elfjährigen Chinesenmädchen hingegen, das täglich vor den Hotels seinen fliegenden Handel mit Spielsachen betreibt, würde ich einen Dollar schenken. Sie ist, wie gesagt, elf Jahre alt, und ihr Wuchs und Aussehen ist noch weit kindlicher und minderjähriger; dennoch geht sie ihrem Straßenhandel schon seit sechs Jahren nach. Sie hat mir das selbst erzählt, doch würde ich es nicht weiterberichten, wenn nicht ein alter Singapurer es mir bestätigt hätte. Das kleine, schmächtige Mädel hat das süße Kindergesicht, das hübsche Chinesen oft bis zum Alter bewahren, aber sie hat gescheite, kühle Augen und ist vielleicht das hoffnungsvollste und smarteste Chinesenkind von Singapur, was sie auch sein muß, denn es leben seit Jahren fünf Personen von ihrer Arbeit, und ihre Mutter geht, so oft sie kann, Sonntags zum Spielen nach Johore. Die Kleine trägt einen wundervollen Zopf, schwarze, weite Hosen und eine verschossene blaue Bluse, und es wird dem ältesten Überseer nicht gelingen, sie beim Feilschen und Scherzen einen Augenblick lang in Verlegenheit zu bringen. Leider hat sie noch sehr wenig Kapital und noch keine Marktübersicht, aber das wird kommen, und vielleicht ist es auch reine Klugheit von ihr, daß sie gerade mit Kinderspielsachen handelt, so lange ihr leichtes Kinderfigürchen und ihr glattes Kindergesicht diesen Handel suggestiv unterstützen. Später wird sie mit Gegenständen handeln, die wohlhabende junge Herren brauchen, dann wird sie heiraten und ihr Geschäft in Porzellan, Bronzen und Altertümern machen, und schließlich wird sie nur noch spekulieren und Geld verleihen und die Hälfte ihres Vermögens in ein wahnsinnig luxuriöses Privathaus verbauen, wo in viel zu vielen Zimmern viel zu viele Lampen brennen und wo der riesige Hausaltar von Gold funkeln wird.

Sie soll also ihren Dollar haben, und nachdem sie ihn ohne Erstaunen und ohne vielen Dank eingesteckt hätte, würden wir gegen die High Street hin fahren. Erst würde ich noch in einer Seitenstraße beim besten Rottangflechter halten lassen und für mich und meine Liebste je einige Liegestühle bestellen, die beste Arbeit aus dem fehlerlosesten und biegsamsten Material, jeder Stuhl unsern Körpermaßen bequem angepaßt und mit einem kleinen Teegestell, einem kleinen Bücherkästchen, einem Zigarettenbehälter und spaßeshalber mit einem schönen, feingeflochtenen Vogelkäfig versehen.

In der High Street würden wir zuerst bei einem indischen Juwelier vorfahren. Diese Leute haben zuviel Verbindung mit Europa und verstehen selten mehr, ihre Sachen so naiv und edel zu fassen wie früher, sie arbeiten nach englischen und französischen Dessins und beziehen aus Idar und Pforzheim, aber ihre Steine sind meistens schön, und mit Geduld und Sorgfalt würde ich sicher sein, mindestens ein edles, goldenes

74

Armband mit Rubinen und eine dünne, zarte Halskette mit bleichen, bläulichen Mondsteinen zu finden. Zeit hätten wir ja genug, und die Händler mögen in Asien sein wie sie wollen, jedenfalls ist ihre Zeit und Geduld und Höflichkeit unermessen, und du kannst ruhig zwei Stunden lang einen Laden besehen und nach allen Waren und Preisen fragen, ohne etwas zu kaufen.

Lachend würden wir dann einen chinesischen Laden betreten, wo vorn Blechkoffer und Zahnbürsten, im nächsten Raum Spiel- und Papiersachen, im nächsten Bronzen und Elfenbeinschnitzereien und im hintersten alte Götter und Vasen zu haben sind. Hier dringt der europäische Operettenstil nur bis in die Mitte des Ladens, weiter hinten gibt es wohl noch Imitationen und Fälschungen, aber die Formen sind echt, und sie drücken alles aus, was ein Chinese fühlen kann, von der eisigsten Würde bis zum tollen Vergnügen an wildester Groteskerie. Hier würden wir einen eisernen Elefanten mit erhobenem Rüssel kaufen, zwei oder drei alte Porzellanteller mit grün und blauen Drachen oder Pfauen und ein altes Teeservice, rotbraun und golden, mit Familien- und Kriegerszenen der alten Zeit.

Dann würden wir in einen von den japanischen Läden gehen. Der Schwindel ist hier am größten, und wir kaufen weder Silber noch Porzellan, weder Bilder noch Holzschnitte, aber eine Menge kleiner spielerischer Sachen ohne Wert: kapriziöse Fächer aus dünnstem Holz, kleine duftende Holzschachteln mit hübschen eingelegten Verzierungen, die nur durch einen geheimen Fingerdruck zu öffnen sind, und hölzerne und beinerne Geduldspiele von raffiniert erfinderischer Zusammensetzung, Kugeln, die beim Anfassen in dreißig Teile zerfallen und mit deren Wiederherstellung man eine Ferienwoche hinbringen kann, und kleine Figuren von Menschen und Tieren, die hier für fünfzig Cents zu haben sind und die alle deutschen Kunstgewerbler zusammen nicht so einfach und ausdrucksvoll fertig bringen würden.

Nun aber kämen die javanischen und die Tamilgeschäfte an die Reihe. Alte Batik-Sarongs mit Mustern von Vögeln und Blättern, Schnecken und Dreiecken, Sarongs aus reichem, schwerem Goldbrokat vom Süden Sumatras, satt leuchtend wie Sonnenuntergänge, und Kopftücher und Schärpen aus chinesischer und indischer Seide, viel Goldgelb und Rotbraun und Currygrün, und kleine steife Frauenschuhe, nadelspitz und gewölbt wie eine japanische Holzbrücke, mit Silber und Perlen gestickt. Und für mich selber will ich einen grünen Sarong und braune Saronghosen haben, dazu eine grüne Samtmütze und eine luftig dünne Schlaf- und Morgenjacke aus gelber Seide. Dann kämen die Spitzen dran, von denen ich nichts verstehe und die darum am meisten kosten, und dann die schönen Elfenbeinschnitzereien: Elefanten und Tempel, Buddhas und Götzen, Jackenknöpfe und Stockgriffe, auch ganze Elefantenzähne und Würfel und Spielzeug, Figürchen und Dosen.

Nicht vergessen dürften wir, auch ins Chinesenviertel hinüberzufahren und weit draußen in der North Bridge Road auszusteigen, wo Laden an Laden die Geschäfte der Trödler und Antiquitätenhändler stehen. Da sind neben Stiefeln und silbernen Matrosentaschenuhren, neben abgelegten Herrenkleidern und messingenen Tabakspfeifen schöne, alte bronzene Schalen und Vasen zu finden, manchmal auch altes Porzellan, wenn man Zeit und Geduld hat. Auf alle Fälle aber hängen und liegen dort in Glaskasten, geheimnisvoll im düsteren Ladenwinkel glühend, die schönsten chinesischen Schmucksachen: einfache alte Fingerringe aus Gold oder Silber mit einfach und schön gefaßten Steinen oder Perlen, dünne, lange Goldketten jeder Art, alles aus dem chinesischen, hellgelben, freudig heiteren Gold, und dickere Ketten, an denen ein gelbgoldener Fisch hängt, ein grotesker schwänzelnder Fisch mit tausend zarten Schuppen und mit vorstehenden, glotzenden Augen aus Opalen, Armbänder aus Gold oder aus milchig-hellgrünem Jettstein, jedes Band aus einem Stück geschnitten, Broschen aus alten chinesischen Goldmünzen, alles ein wenig verblaßt und antiquiert und alles von derselben wunderbar exakten, kapriziös-spielerischen Arbeit. Das gemünzte Geld gilt hier wie bei allen naiven Völkern unbedingt als schmückendes Wertstück; die Schwarzwälder Bauern trugen und tragen da und dort heute noch Silbertaler als Jackenknöpfe, zum selben Zweck werden alte silberne Tikals[1] in Siam verwendet, ich selbst trage solche Tikalknöpfe an meiner weißen Jacke; chinesische und siamesische Goldmünzen mit den

1 Würfelförmige Münzen

Rechts in Tropenanzügen: Hesse und Hans Sturzenegger
auf dem Bazar von Palembang

schönen, dekorativen Schriftzeichen sieht man überall als Broschen und Manschettenknöpfe, und hier in einem Laden sah ich einmal eine ganze Kollektion von modernen billigen Broschen, die alle aus Geldmünzen der verschiedensten Länder gemacht waren; darunter war auch eine mit einem alten deutschen Zwanzigpfennigstück, mit einem jener dünnen, winzigen Silberstückchen, die längst abgeschafft und verschwunden sind. (In Schwaben sagte früher jedermann, wenn er im Bäckerladen ein paar solche Zwanziger herausbekam: »Das ist doch ein zu dummes Geld, überall verliert man sie, sie sind halt zu klein!« Worauf der Bäcker unfehlbar erwiderte: »Ach was, wenn ich nur genug von denen hätte! Mir wären sie nicht zu klein.«)

Und wenn ich das alles gekauft hätte und ruiniert wäre und meine Geliebte mich verlassen hätte, dann würde ich immer noch zuweilen durch die Ladenstraßen gehen. Ich würde vor den Auslagen stehen und durch die Schaufenster blicken, würde an feinen Hölzern riechen, zarte Gewebe betasten und

77

meine Geschicklichkeit an den hunderterlei Geduldspielen und Schnurrpfeifereien üben, und ich hätte dabei die Augenlust, die der Osten bietet und auf die er ganz allein gestellt ist. Alles, was man um Geld haben kann, ist hier in Asien zweifelhaft, vom Bett bis zum Essen, vom Diener bis zum Geldwechseln, aber ringsum glänzt unerschöpft der Reichtum und die Kunst Asiens, von allen Seiten her bedrängt, bestohlen, unterhöhlt und vergewaltigt, vielleicht schon arg geschwächt und vielleicht schon im Todeskampf, aber auch so noch reicher und vielfältiger, als wir im Westen es uns träumen können. Überall liegen Schätze zur Schau, und alle gehören dem, der seine Augenlust daran zu finden weiß, denn ob ich für hundert Dollar einkaufe oder für zehntausend, ich bekomme für alles Geld doch nur das hübsche einzelne, das vielleicht bald enttäuscht, und vom Bild der gehäuften Schätze, von dem großen, bunten asiatischen Basarglanz kann ich nichts mit nach Westen nehmen als einen Abglanz im Gedächtnis. Ob ich später zu Hause eine Kiste voll chinesischer und indischer Sachen auspacke oder zehn Kisten, das ist, als ob ich vom Meere eine oder zwanzig Flaschen voll Wasser mitbrächte. Brächte ich auch hundert Tonnen heim, es wäre doch kein Meer.

Nachtfest der Chinesen in Singapur

Bei den wehenden Lichtern
Oben auf dem bekränzten Balkon
Kauern sie ruhevoll in der festlichen Nacht,
Singen Lieder von lang verstorbenen Dichtern,
Horchen beglückt auf der Laute schwirrenden Ton,
Der die Augen der Mädchen größer und schöner
macht.

Durch die sternlose Nacht klirrt die Musik
Gläsern wie Flügelschlag großer Libellen,
Braune Augen lachen in lautlosem Glück –
Keiner, der nicht ein Lächeln im Auge hat!
Drunten wartet schlaflos mit tausend hellen
Lichteraugen am Meere die glänzende Stadt.

Spazierenfahren

Nichts Schöneres als bei gutem Wetter in Singapur spazieren zu fahren! Man nimmt ein Rikschawägelchen, setzt sich hinein und hat nun außer der übrigen Aussicht immerzu den beruhigenden Blick auf den Rücken des ziehenden Kuli, der im Takt seines wiegenden Trabes auf- und niederhüpft. Es ist ein nackter, goldig gelbbrauner Chinesenrücken und darunter ein Paar nackte, starke, athletisch ausgebildete Beine von derselben Farbe, dazwischen eine verwaschene Badehose aus blauem Leinen, deren Farbe mit dem gelben Körper und der braunen Straße und mit der ganzen Stadt und Luft und Welt ganz delikat zusammenklingt. Daß auch die meisten Straßenbilder delikat und harmonisch aussehen, dafür müssen wir ebenfalls den Chinesen dankbar sein, die sich zu kleiden und zu tragen verstehen und deren hunderttausendköpfiges Gewimmel in Blau, Weiß und Schwarz die Gassen füllt. Dazwischen schreiten stolz und heldenhaft mit schwarzbraunen, hageren Gliedern und asketischen Augen hochgewachsene Tamilen und andere Inder, deren jeder auf den ersten Blick wie ein entthronter Radscha aussieht, die aber allesamt, nicht besser als die Malayen, mit negerhafter Hilflosigkeit auf jeden Importartikel hereinfallen und sich kleiden wie Dienstmägde am Sonntag. Man sieht da wunderschöne, dunkle, nobel blickende Menschen genau in denselben schreienden, grellen, schonungslos farbigen Kostümen einhergehen, wie sie etwa auf heimatlichen Maskenbällen von jungen phantasievollen Ladengehilfen getragen werden – wahre Karikaturen von Trachten! Die klugen Kaufleute aus unserem Westen haben die indischen Seiden und Leinen entbehrlich gemacht, sie färbten Baumwolle und druckten Kattune viel greller, viel indischer, jubelnder, wilder, giftiger, als sie je in Asien gesehen worden waren, und der gute Inder samt dem Malayen ist ein dankbarer Kunde geworden und trägt um seine bronzenen Hüften die billigen, farbengrellen Stoffe aus Europa. Zehn solche indische Figuren genügen, um eine belebte Straße farbig unruhig zu machen und in ein Stück unechten »Orient« zu verwandeln. Aber sie kommen hier nicht auf, sie mögen noch so königlich schreiten und noch so papageienhaft leuchten, sie werden umschlossen und erstickt und still zugedeckt von dem diskreten gelben Volk aus China, das in hundert Straßen dicht und fleißig haust und wimmelt, von der uniformen, ameisenartigen Menge der Chinesen, von denen keiner in Farben schwelgen und seine Person zum König oder Hanswurst herausputzen will, deren unendlicher Schwarm in Blau, Schwarz und Weiß die ganze Stadt Singapur erfüllt und beherrscht.

Den Chinesen verdanken wir auch die langen, ruhigen, wohltuend gleichmäßigen Straßenzüge, wo Haus an Haus blau und bescheiden in der blauen stillen Reihe steht und jedes das andere hält und gelten läßt und hebt, mindestens so fein und diskret wie in Paris. Den Engländern aber verdanken wir die breiten, schönen, reinen, bequemen Wege, die anmutvollen Gartenvorstädte und die herrlichen Baumpflanzungen, die vielleicht das Schönste von ganz Singapur sind.

Da ist gleich vorn am Meere, mitten zwischen den protzigen Gebäuden und weiten, schönen Sportplätzen, die mittags so leer und kahl und unwahrscheinlich groß in der unbarmherzigen Sonne glühen, die mächtige Esplanade, eine fürstlich breite Allee von alten, herrlichen Bäumen, eine immer kühle, immer schattige, ehrwürdige Riesenhalle aus Laub und Ästen. Hier ist es schön am frühen Vormittag zu fahren, wenn über dem glänzenden Meer und über den ungezählten Schiffen und Segeln und schaukelnden Booten die heftige Sonne schräg herabbrennt und hinter Meer und Schiffen und Inseln den ganzen Horizont entlang phantastisch in Form von Türmen und riesigen Bäumen die steilen, weißen Morgenwolken stehen. Und es ist schön am Mittag, wenn ringsum alles in der Hitze kocht und brütet. Da ist die Einfahrt aus der blendenden Glut in diese dunkle Baumkühle nicht anders als der Schritt von einem sommermittäglichen Marktplatz in einen heilig kühlen Dom mit dunkeln Gewölben. Am Abend aber ist das schräg einfallende Licht voll Gold und Wärme, vom Meer weht frisch der duftende Wind, aufatmende Menschen fahren vergnügt in weißen Kleidern spazieren und spielen Ballspiele auf grünen, flachen Plätzen, deren Rasen im Abendlicht edelsteingrün leuchtet. Und nachts, da fährt man in die Esplanade ein wie in eine Zauberhöhle, in den kleinen Lücken zwischen den Baumkronen hängen grünfunkelnd die Sterne, im selben kühlen Feuer schimmern die Schwärme der Leuchtkäfer, und auf dem Meere schwimmt mit tausend roten Augen die geheimnisvolle Lichterstadt der Schiffe.

Bootshafen von Singapur

Ohne Ende sind die Gartenstraßen der äußern Stadt. Da fährst du auf glatten, feinen, äußerst gepflegten Wegen immerzu, und überall zweigen stille Wege ab und führen durch grüne reiche Baumgärten zu stillen, luftigen Landhäusern, deren jedes Heimweh weckt und Glück zu hegen scheint, und über dir und um dich her atmet ruhig und lebendig die wunderbare Baumlandschaft, stundenlang, ein Park ohne Ende, mit Bäumen, die an Eichen und an Buchen, an Birken und an Eschen erinnern, die aber alle ein wenig ausländisch und märchenhaft schauen und größer, höher, üppiger sind als unsere Bäume.

Plötzlich sind wieder Häuser da, man fährt an Werkstätten, Läden und ernsthaftem Chinesenbienenleben vorüber, vergoldetes Porzellan und hellgelbe Messingwaren glänzen in Schaufenstern, fette indische Händler sitzen auf niederen Ladentischen zwischen Haufen von Seidenstoffen oder lehnen neben Schaukasten voll Diamanten und grünen Jettsteinen. Das heftige Straßenleben erinnert wohlig an italienische

Städte, entbehrt aber völlig des wahnsinnigen Gebrülls, mit dem in Italien jeder Streichhölzerbub seine Bagatelle ausschreit.

Wieder kommen niedere Häuser, Bäume dazwischen, halbländliche Vorstadtluft, und plötzlich ist man unter Kokospalmen. Niedere Hütten, mit Palmblättern gedeckt, Ziegen, nackte Kinder, ein Malayendorf und, soweit der Blick reicht, tausend und wieder tausend Palmen streng und kahl, darunter flimmernd das weißlichgrüne Tageslicht.

Und kaum hat das Auge sich angepaßt und kaum hat das Bewußtsein mit Genuß den heftigen Kontrast zwischen geradlinig stilisierter Palmenwelt und laubig weicher, wirrer Parklandschaft verzeichnet, da geht alles wankend auseinander, erschrocken fällt der Blick in eine ungeheure Weite, man ist am Meere, an einem ganz neuen, stilleren und weiten Meere mit flachem Palmenstrand und wenig Booten, und hinten im Bogen liegt mit blauen Hügelsilhouetten Insel an Insel, alles überragt und klein gemacht durch die große Form eines chinesischen Segels, das mit hundert feinen Rippen wie ein Drachenflügel in den Himmel sticht.

Singapur-Traum

Den Vormittag hatte ich zwischen den Gärten der Europäer auf den grasbewachsenen, laubig umrahmten Wegen Schmetterlinge gefangen, war in der weißen Mittagsglut zu Fuß in die Stadt zurückgegangen und hatte den Nachmittag mit Spazierengehen, Lädenbesuchen und Einkaufen in den schönen, lebendig wimmelnden Straßen von Singapur hingebracht. Nun saß ich im hohen Säulensaal des Hotels mit meinen Reisegefährten beim Abendessen, die großen Flügel der Fächer surrten fleißig in der Höhe, die weißleinenen Chinesenboys schlichen still und gelassen durch den Saal und trugen das schlechte englisch-indische Essen auf, das elektrische Licht blitzte in den kleinen schwimmenden Eisstückchen der Whiskygläser. Müde und ohne Hunger saß ich meinen Freunden gegenüber, schlürfte kaltes Getränk, schälte kleine goldgelbe Bananen und rief frühzeitig nach Kaffee und Zigarren.

Die andern hatten beschlossen, in einen Kinematographen zu gehen, wozu meine von der Arbeit in voller Sonne überangestrengten Augen keine Lust hatten. Dennoch ging ich schließlich mit, nur um für den Abend versorgt zu sein. Wir traten barhaupt und in leichten Abendschuhen vor das Hotel und schlenderten durch die wimmelnden Straßen in gekühlter blauer Nachtluft; in ruhigern Seitengassen hockten bei Windlichtern an langen rohen Brettertischen Hunderte von chinesischen Kulis und aßen vergnügt und sittsam ihre vielerlei geheimnisvollen und komplizierten Speisen, die fast nichts kosten und voll unbekannter Gewürze stecken. Getrocknete Fische und warmes Kokosöl dufteten intensiv durch die von tausend Kerzen flimmernde Nacht, Rufe und Schreie in dunkeln östlichen Sprachen hallten in den blauen Bogengängen wider, geschminkte hübsche Chinesinnen saßen vor leichten Gittertüren, hinter denen reiche goldene Hausaltäre düster funkelten.

Von der dunkeln Brettertribüne des Kinotheaters blickten wir über unzählige langzopfige Chinesenköpfe hinweg auf das grelle Lichtviereck, wo eine Pariser Spielergeschichte, der Raub der Mona Lisa und Szenen aus Schillers Kabale und Liebe, alle in derselben seelenlosen Anschaulichkeit, vorübergeisterten, doppelt gespensterhaft in der Atmosphäre von Unwirklichkeit oder peinlicher Zweifelhaftigkeit, welche diese westlichen Angelegenheiten hier zwischen Chinesen und Malayen annehmen.

Meine Aufmerksamkeit war bald erlahmt, mein Blick ruhte zerstreut in der Dämmerung des hohen Saales aus, und meine Gedanken fielen auseinander und blieben leblos liegen wie die Glieder einer Marionette, die man im Augenblick nicht braucht und weggelegt hat. Ich senkte den Kopf in die aufgestützten Hände und war alsbald allen Launen meines denkmüden und mit Bildern gesättigten Gehirns preisgegeben.

Es umgab mich zunächst eine schwach murmelnde Dämmerung, in der ich mich wohl fühlte und über welche nachzusinnen ich kein Verlangen trug. Allmählich begann ich zu merken, daß ich auf dem Deck eines Schiffes lag, es war Nacht, und nur wenige Öllaternen brannten, neben mir lagen viele andere Schläfer Mann an Mann, jeder am Boden auf seiner Reisedecke oder Bastmatte hingestreckt.

Ein Mann, der mir zur Seite lag, schien nicht zu schlafen. Sein Gesicht war mir bekannt, ohne daß ich seinen Namen wußte. Er bewegte sich, stützte die Ellbogen auf, nahm eine goldene Brille ohne Ränder von den Augen und begann sie mit einem weichen, flanellenen Tüchlein sorgfältig zu reinigen. Da erkannte ich ihn; es war mein Vater.

»Wohin fahren wir?« fragte ich schläfrig.

Er putzte, ohne aufzublicken, an seiner Brille weiter und sagte ruhig: »Wir fahren nach Asien.«

Wir redeten Malayisch, mit Englisch vermischt, und dieses Englisch erinnerte mich daran, daß meine Kindheit lang vorüber sei, denn damals besprachen meine Eltern ihre Geheimnisse alle englisch, und ich verstand nichts davon.

»Wir fahren nach Asien«, wiederholte mein Vater, und plötzlich wußte ich alles wieder. Jawohl, wir fuhren nach Asien, und Asien war nicht ein Weltteil, sondern ein ganz bestimmter, doch geheimnisvoller Ort, irgendwo zwischen Indien und China. Von dort waren die Völker und ihre Lehren und Religionen ausgegangen, dort waren die Wurzeln alles Menschenwesens und die dunkle Quelle alles Lebens, dort standen die Bilder der Götter und die Tafeln der Gesetze. Oh, wie hatte ich das nur einen Augenblick vergessen können! Ich war ja schon so lange Zeit unterwegs nach jenem Asien, ich und viele Männer und Frauen, Freunde und Fremde.

Leise sang ich unser Reiselied vor mich hin: »Wir fahren nach Asien!« und ich gedachte des goldenen Drachens, des ehrwürdigen Bobaumes und der heiligen Schlange.

Freundlich sah mich mein Vater an und sagte: »Ich lehre dich nicht, ich erinnere dich nur.« Und indem er es sagte, war er nicht mein Vater mehr, sein Gesicht lächelte eine Sekunde lang genau so wie das Gesicht, mit welchem in den Träumen unser Führer, der Guru, zu lächeln pflegt, und im selben Augenblick erlosch das Lächeln, und das Gesicht war rund und still wie die Lotosblüte und glich genau dem goldenen Bildnis Buddhas, des Vollendeten, und wieder lächelte es, und es war das reife, schmerzliche Lächeln des Heilands.

Der neben mir lag und gelächelt hatte, war nicht mehr da. Es war Tag, und alle Schläfer hatten sich erhoben. Bestürzt raffte auch ich mich empor und irrte auf dem ungeheuren Schiff umher, zwischen fremden Menschen, und sah auf dem schwarz-blauen Meere Inseln mit wilden, gleißenden Kalkfelsen und Inseln mit wehenden hohen Palmen und tiefblauen Vulkanbergen. Kluge, braune Araber und Malayen standen mit vor der Brust gekreuzten mageren Händen, verneigten sich bis zum Boden und verrichteten die vorgeschriebenen Gebete.

»Ich habe meinen Vater gesehen«, rief ich laut, »mein Vater ist auf dem Schiff!«

Ein alter englischer Offizier in einem geblümten japanischen Morgenkleide sah mich aus hellblauen Augen glänzend an und sagte: »Ihr Vater ist hier und ist dort, er ist in Ihnen und außer Ihnen, Ihr Vater ist überall.«

Ich gab ihm die Hand und erzählte ihm, daß ich nach Asien fahre, um den heiligen Baum und die Schlange zu sehen und um in die Quelle des Lebens zurückzugehen, in welcher alles seinen Anfang nahm und welche die ewige Einheit der Erscheinung bedeutet.

Aber ein Händler hielt mich eifrig an und nahm mich in Anspruch. Es war ein Englisch redender Singhalese, er zog aus einem Körbchen kleine Lappenbündel hervor, die er auseinanderwickelte und aus denen kleine und große Mondsteine zum Vorschein kamen.

»Nice moonstones, Sir«, flüsterte er beschwörend, und da ich mich heftig abwenden wollte, legte jemand eine leichte Hand auf meinen Arm und sagte: »Schenken Sie mir ein paar Steinchen, sie sind wirklich hübsch.« Die Stimme fing mein Herz alsbald ein wie eine Mutter ihr entlaufenes Kind, ich wandte mich glühend um und begrüßte Miß Wells aus Amerika. Unbegreiflich, daß ich sie so ganz hatte vergessen können!

»O Miß Wells«, rief ich erfreut, »Miß Anni Wells, sind Sie denn auch hier?«

»Wollen Sie mir einen Mondstein schenken, Deutscher?«

Ich griff schnell in die Tasche und zog den langen gestrickten Geldbeutel hervor, den ich als Knabe von meinem Großvater bekommen und als Jüngling auf meiner ersten Italienreise verloren hatte. Es war mir lieb, ihn wiederzuhaben, und ich schüttete eine Menge silberner Ceyloner Rupien heraus; aber mein Reisekamerad, der Maler, von dem ich nicht gewußt hatte, daß er noch da sei und neben mir stehe, sagte lächelnd: »Die können Sie als Hosenknöpfe tragen, sie gelten hier keinen Cent.«

Verwundert fragte ich ihn, wo er herkomme und ob er die Malaria wirklich überwunden habe. Er zuckte die Achseln und sagte: »Man sollte die modernen europäischen Maler alle einmal in die Tropen schicken, da könnten sie sich ihre Orangepalette wieder abgewöhnen. Gerade hier kommt man mit einer dunkleren Palette der Natur viel näher.«

Es war klar, und ich stimmte lebhaft bei. Aber die schöne Miß Anni hatte sich inzwischen im Gedränge verloren. Beklommen ging ich auf dem riesigen Schiffe weiter, wagte jedoch nicht, mich an einer Gruppe von Missionsleuten vorbeizudrängen, die im Kreise sitzend die ganze Deckbreite versperrten. Sie sangen ein frommes Lied, in das ich bald einstimmte, da ich es von Hause her kannte:

> Darunter das Herze sich naget und plaget
> Und dennoch kein wahres Vergnügen erjaget . . .

Ich war damit einverstanden, und die schwermütig pathetische Melodie stimmte mich traurig, ich dachte an die schöne Amerikanerin und an unser Reiseziel Asien und fand so viel Ursache zur Ungewißheit und Kümmernis, daß ich einen der Missionare fragte, wie denn das nun sei, ob sein Glauben denn wirklich gut und auch für einen Mann wie mich zu brauchen sei.

»Sehen Sie«, sagte ich trostbegierig, »ich bin Schriftsteller und Schmetterlingssammler . . .«

»Sie irren sich«, sagte der Missionar.

Ich wiederholte meine Erklärung. Aber auf alles, was ich sagen mochte, gab er mit einem hellen, kindlichen, bescheiden triumphierenden Lächeln dieselbe Antwort: »Sie irren sich.«

Verwirrt floh ich davon. Ich sah, daß ich hier nicht zurecht kam, und ich beschloß, auf alles zu verzichten und meinen Vater zu suchen, der würde mir gewiß helfen. Wieder sah ich das Gesicht des ernsten englischen Offiziers und glaubte seine Worte zu hören: »Ihr Vater ist hier und ist dort, er ist in Ihnen und außer Ihnen.« Ich begriff, daß dies eine Mahnung war, und ich kauerte mich nieder, um mich zu versenken und meinen Vater in mir selbst zu suchen.

So saß ich still und versuchte zu denken. Allein es ging schwer, die ganze Welt schien auf diesem Schiffe versammelt, um mich zu stören. Auch war es furchtbar heiß, und ich hätte gerne meines Großvaters gestrickten Geldbeutel für einen frischen Whisky-Soda hingegeben.

Von diesem Augenblick an, wo sie mir zum Bewußtsein gekommen war, schien diese satanische Hitze beständig anzuschwellen wie ein furchtbarer, unerträglich gellender Klang. Die Menschen verloren alle Haltung, sie soffen aus Korbflaschen gierig wie Wölfe, sie machten es sich auf die seltsamsten Arten bequem, und es geschahen rings um mich her unbeherrschte und sinnlose Taten; das ganze Schiff war offenbar im Begriff, wahnsinnig zu werden.

Der freundliche Missionar, mit dem ich mich nicht hatte verständigen können, war zwei riesengroßen chinesischen Kulis zum Opfer gefallen und wurde von ihnen auf das schamloseste als Spielzeug benützt. Sie wußten ihn durch einen heillosen Kunstgriff echt chinesischer Mechanik dazu zu bringen, daß er auf einen Druck hin seine gestiefelten Füße zu seinem eigenen Mund herausstreckte. Auf einen anderen Druck hin hing er beide Augen lang wie Würste aus den Höhlen, und als er sie wieder zurückziehen wollte, sah er sich dadurch verhindert, daß sie ihm Knoten darein geschlungen hatten.

Es war grotesk häßlich, aber es focht mich weniger an, als ich gedacht hätte, jedenfalls weniger als der Anblick, den Miß Wells mir bot, denn sie hatte sich ihrer Kleider entledigt und trug in überraschend draller Nacktheit nichts auf dem Leib als eine wundervolle, braungrüne Schlange, die sich rund um sie geringelt hatte.

Verzweifelt schloß ich die Augen. Ich hatte das Gefühl, unser Schiff fahre sehr rasch abwärts in einen glühenden Höllenrachen.

Da hörte ich, dem Herzen tröstlich wie Glockengeläut einem im Nebel verlaufenen Wanderer, vielstimmig ein feierliches Lied ertönen, das ich alsbald mitsang. Es war das heilige Reiselied: »Wir fahren nach Asien«, und es klangen darin alle menschlichen Sprachen, es rauschte darin alle Ehrfurcht, alle müde Menschensehnsucht, die Not und das wilde Verlangen aller Kreatur. Ich fühlte mich von Vater und Mutter geliebt, vom Guru geleitet, von Buddha gereinigt und vom Heiland erlöst, und ob das, was nun käme, Tod sei oder Seligkeit, schien mir durchaus gleichgültig.

Ich erhob mich und tat die Augen auf. Um mich her waren sie alle, mein Vater, mein Freund, der Engländer, der Guru und alle, alle Menschengesichter, die ich je mit Augen gesehen. Sie schauten geradeaus, mit ergriffenen, schönen Blicken, und auch ich schaute, und vor uns tat ein vieltausendjähriger Hain sich auf, aus himmelhoher Wipfeldämmerung rauschte Ewigkeit, und tief in der Nacht des heiligen Schattens glänzte golden ein uraltes Tempeltor.

Da fielen wir alle auf die Knie nieder, unser Sehnen war gestillt und unsere Reise zu Ende. Wir schlossen die Augen, und wir beugten uns tief und schlugen unsere Häupter an die Erde, einmal, und wieder, und nochmals, in atemloser, rhythmischer Andacht.

Hart schlug meine Stirn auf und schmerzte, Lichtfunken drangen in meine Augen, und mein Körper arbeitete sich mühsam aus tiefer Erstarrung. Meine Stirn lag auf der hölzernen Kante der Brüstung, unter mir dämmerten bleich die rasierten Schädel der chinesischen Zuschauer, die Bühne war dunkel, und Beifallgemurmel hallte in dem großen Kinematographentheater wider.

Wir standen auf und gingen. Es war quälend heiß und roch durchdringend nach Kokosöl. Draußen aber wehte uns nächtliche Meerluft, Lichtergeflimmer des Hafens und matter Sternenschein entgegen.

Bei Nacht

Nachts, wenn das Meer mich wiegt
Und bleicher Sternenglanz
Auf seinen weiten Wellen liegt,
Dann löse ich mich ganz
Von allem Tun und aller Liebe los
Und stehe still und atme bloß
Allein, allein vom Meer gewiegt,
Das still und kalt mit tausend Lichtern liegt.

Dann muß ich meiner Freunde denken
Und meinen Blick in ihre Blicke senken,
Und frage jeden still allein:
»Bist du noch mein?
Ist dir mein Leid ein Leid? Mein Tod ein Tod?
Fühlst du von meiner Liebe, meiner Not
Nur einen Hauch, nur einen Widerhall?«

Und ruhig blickt und schweigt das Meer
Und lächelt: Nein.
Und nirgendwo kommt Gruß und Antwort her.

Indische Schmetterlinge

Kandy soll der hübscheste Ort auf der schönen Insel Ceylon sein, und die Eisenbahnfahrt dahin von Colombo aus ist eine tolle Folge von Überraschungen und Schönheiten. Kandy selbst aber ist der Rest einer sehr alten Königs- und Priesterstadt, und neuerdings ist es dem Gelde der Engländer gelungen, ein bequemes, sauberes, verdorbenes Hotel- und Fremdennest daraus zu machen. Trotzdem ist Kandy schön; denn mit allem Gelde und allem Zement der Welt läßt sich das strotzende Wachstum dieser Landschaft nicht kaputtmachen. Da sieht man an grünen Hügelhängen den ganzen überschwenglichen Busch- und Baumwuchs noch viel überschwenglicher von Schlingpflanzen überwachsen, abenteuerlich großblumige Winden und Klematis blühen und duften in ganzen Kaskaden ins Tal herab, wo der künstliche See unheilbar an seinem grotesk unorganischen Zuschnitt leidet. Mutige Engländer gehen an diesem See spazieren, wo alte Frauen mit rostigen Schwertern den Rasen abmähen, und die englischen Spaziergänger fühlen sich nicht belästigt von dem unablässigen Zudrängen der Kutscher, Rikschakulis, Händler und Bettler, die sich kriechend und schamlos anbieten; denn die Engländer sind reich und sind geniale Kolonisatoren, und es macht ihnen ein Hauptvergnügen, dem Untergang der von ihnen erdrückten Völker zuzuschauen. Denn dieser Untergang geht überaus human, freundlich und fröhlich vor sich, er ist kein Totschlagen und nicht einmal ein Ausbeuten, sondern ein stilles, mildes Korrumpieren und moralisches Erledigen. Immerhin, dieser englische Betrieb hat Stil, und Deutsche oder Franzosen würden es viel schlimmer und viel dümmer machen, wie ja überhaupt der Engländer der einzige Europäer ist, der draußen unter den Naturvölkern nicht komisch wirkt. Ich ließ mich denn auch nicht abschrecken, sondern versuchte gleich am ersten Tage möglichst viel von Kandy zu sehen. Leicht ist dies nicht, wenn man offene Ohren und ein etwas zartes Gemüt hat; denn ein Spaziergang durch die Stadt bedeutet ein anstrengendes und empörendes Spießrutenlaufen zwischen den Hyänen der Fremdenindustrie, wie man es auch in Europa nur an den vom englischen Gelde beglückten Fremdenplätzen erleben kann. Schließlich ist man froh, sich zu dem grinsenden Rikschakuli zu flüchten, der einem zwanzigmal mit seiner Wagendeichsel den Weg versperrt und den man zwanzigmal weggejagt hat; er hatte recht, er wußte genau, daß er und alle seine Kollegen jeden Versuch eines Neulings in Kandy spazierenzugehen, stets mit der Flucht in einen Wagen enden lassen.

Nun, man kann sich an vieles gewöhnen. Ich hatte mich mit der Hitze von Singapore und Colombo, mit den Moskitos des Urwalds, mit indischen Mahlzeiten, mit Durchfall und Kolik abgefunden, so mußte es auch hier gehen. Ich lernte, an den schönsten kleinen Mädchen mit den traurigsten schwarzen Inderaugen vorbeizusehen, wenn sie bettelten, ich lernte die weißhaarigsten Urgroßväter, die wie Heilige aussahen, mit kalten Blicken zurückweisen, ich gewöhnte mich an ein treues Gefolge von käuflichen Menschen jeder Art, das ich durch feldherrnhafte Handbewegungen und grobe Zurufe in Schranken zu halten wußte. Ich lernte sogar, mich über Indien lustig zu machen, und ich schluckte die scheußliche Erfahrung, daß der seelenvolle, suchende Beterblick der meisten Inder gar nicht ein Ruf nach Göttern und Erlösung ist, sondern einfach ein Ruf nach Money.

Als ich aber beinahe so weit war, beging ich in meinem Übermut die Tollheit, eines Nachmittags mit meinem Schmetterlingsnetz in der Hand auszugehen. Daß das die Neugierde und vielleicht den Spott der Straßenjugend provozieren würde, hatte ich im voraus bedacht – dagegen war ich von den sonst so gutmütigen Malayen her abgehärtet – und wirklich riefen sämtliche Gassenbuben mit Gelächter mir etwas gurgelnd Singhalesisches nach. Ich fragte einen singhalesischen studierenden Jüngling, der mir mit Büchern unterm Arm begegnete, was der Ausruf bedeute; er lächelte höflich und sagte leise: »*Oh, master, they are telling that you are an Englishman who is trying to catch butterflies!*« Die Buben sahen freilich drein, als hätten sie weniger harmlose Sachen gerufen. Zufrieden ging ich weiter und war auch dadurch nicht zu überraschen, daß zahlreiche andere Jungen sich mir anschlossen, die mir gute Schmetterlingsplätze zeigen wollten, mich mit Eifer auf jede vorüberschwirrende Fliege aufmerksam machten und dabei jedesmal die Hand um einen Penny ausstreckten. Dies alles konnte mich kaum mehr stören, und als die Straße stiller wurde und ein naher, schmaler Waldweg Einsamkeit verhieß, schlug ich aufatmend mit einem Rest von Humor die letzten Peiniger in die Flucht und bog rasch in den rettenden Pfad ein.

So geht der Mensch verblendet seinen Weg und glaubt zu siegen, wo er der elend Geschlagene ist. Während ich stolz dahinschritt und mir einbildete, ich habe es wieder einmal sehr schlau gemacht, war schon das Verhängnis über mir und eine Angel nach mir ausgeworfen, die ich nicht ahnte und an der ich lange zu schlucken haben sollte. Die ganze Zeit her war dreißig Schritte hinter mir ein schöner stiller Mann oder Herr gegangen, mit krausem tiefschwarzem Haar, mit braunen traurigen Augen und einem schönen schwarzen Schnurrbart. Er hieß, wie ich später erfahren sollte, Victor Hughes, und es war mir vom Schicksal bestimmt, dieses Mannes Opfer zu werden.

Mit ehrerbietigem Gruße trat er zu mir heran, lächelte mit feiner Höflichkeit und erlaubte sich, mich in tadellosem Englisch darauf aufmerksam zu machen, daß dieser Weg in einen Steinbruch führe und daß hier keinerlei Ausbeute an Schmetterlingen zu hoffen sei. Dort drüben hingegen, mehr rechts, sei keine üble Gegend und dort südlich, auf der andern Talseite, sei einer der allerbesten Plätze. Ehe ich viel mehr als Ja und Nein und Dankeschön gesagt hatte, waren wir in einer Art von Konversation und persönlicher Verbindung; aus den klugen bekümmerten Augen des schönen Menschen sah mich ein altes, vornehmes, unterdrücktes Volkstum mit stillem Vorwurf an, aus seinen Worten und Gebärden sprach eine alte Kultur wohlgepflegter Höflichkeit und zarter buddhistischer Sanftmut. Ich begann alsbald diesen Mann mit einer Mischung von Mitleid und Hochachtung zu lieben. Als weißer Fremdling im Tropenhut war ich der Herr, der Master und Sahib, vor dem er als armer Eingeborener sich neigte; seine aristokratische Erscheinung aber, seine Orts- und Sachkenntnis und sein vortreffliches Englisch gaben ihm eine Überlegenheit, die ich alsbald empfand. Denn Victor Hughes verstand auch von Schmetterlingen unendlich viel mehr als ich; er nannte mit kollegialem Lächeln ganze Reihen von lateinischen Namen, die ich nie gehört hatte, zu denen ich aber gönnerhaft nickte, um meinen kindlichen Dilettantismus zu verbergen. Ich sagte auch ein paarmal zwischenhinein mit verlegen väterlichem Ton (dem Ton, den der Engländer dem Eingeborenen gegenüber eingeführt hat): »*Yes, yes, my dear man, I know all about Kandy-butterflies!*« Er sprach mit mir über indische Schmetterlinge, wie etwa der erfahrene Obergärtner eines Palmengartens mit einem fremden Besucher spricht, den er für einen Botaniker hält. Mein schlechtes Englisch, mit dem ich möglichst sparsam umging, ließ mich nicht zu Erklärungen kommen, so daß ich unversehens mich immer tiefer in die Lüge verstrickte und, fast ohne etwas zu sagen, mit stummem Spiel immer mehr die Rolle des Kenners und wissenschaftlichen Sammlers übernahm.

Als wir so weit miteinander waren, als ich Herrn Victor Hughes schweigend das Recht zuerkannt hatte, mich als eine Art von wenig höherstehendem Kollegen anzusehen und mir Interessen und Absichten zuzutrauen, die ich gar nicht hatte, da zauberte er, völlig überraschend, aus seinen Gewändern plötzlich eine hübsche kleine Holzkiste hervor, auf seinem edeln Gesicht erschien, meinen sofort emporgeschnellten Argwohn bestätigend, ein schmeichelndes Hausiererlächeln, er öffnete die Truhe mit einer einladenden Gebärde, und ich sah auf weißem Grunde eine wundernette, tadellos präparierte Sammlung von Schmetterlingen und Käfern ausgebreitet, die er mir für die Kleinigkeit von fünfzehn Rupien zum Kauf anbot.

Ich sah sofort den ganzen Umfang der Gefahr; aber ich war wehrlos. Es war mir unmöglich, diesem höflichen und beinahe gelehrten Singhalesen gegenüber plötzlich den Standpunkt zu wechseln, ja, die Enthüllung seiner Absichten, seiner heimlichen Bedürftigkeit steigerte beinahe meine Sympathie oder mindestens mein Mitleid für ihn, und doch hatte ich keinerlei Lust zu kaufen, ich war sogar genötigt, mit dem Rest meiner Reisekasse sehr sparsam umzugehen.

So stimmte ich denn meinen Ton um einen Schatten kühler und erklärte bedauernd, daß ich zwar ein Sammler, nicht aber ein Käufer von Schmetterlingen sei, daß überdies fertig präparierte Exemplare für mich ganz ohne Interesse seien.

Mr. Hughes begriff das vollständig. Gewiß, solche Sammler wie ich kauften ja niemals aufgespannte Falter, er habe sich das gleich gedacht und mir nur eine kleine Probe zeigen wollen. Selbstverständlich würde ich nur frische Exemplare in Papiertüten kaufen, die er mir heute abend zu zeigen gedenke. Er wisse, daß ich im Queens Hotel wohne: ob ich dort um sechs Uhr zu finden sei?

Das wisse ich nicht, antwortete ich kurz, und jetzt sei es mein Wunsch, meinen Spaziergang ungestört fortzusetzen. In bester Form zog er sich zurück, und wieder glaubte ich entronnen zu sein und Ruhe zu haben.

Aber nun war Hughes zu meinem Schicksal geworden. Er stand am Abend in der Halle des Hotels, er begrüßte mich anspruchslos, und wir wechselten ein paar Worte übers Wetter, da zauberte er hinter einer Säule des Vestibüls hervor eine ganze Anzahl von Schachteln, Dosen und Kistchen, und ich sah mich im Augenblick von einer reichen, geschickt ausgebreiteten Schaustellung indischer Falter umgeben. Zuschauer kamen an den Tisch, Victor Hughes zeigte eine Reihe von englischen, amerikanischen, deutschen Anerkennungsschreiben und Bestellbriefen vor, und je mehr Publikum sich einfand, desto weniger mochte ich mich mit meinem übeln Englisch zur Schau stellen. Ich stand plötzlich auf, als falle mir etwas Wichtiges ein, ließ Hut und Mantel liegen und eilte zum Lift, mit dem ich in das dritte Stockwerk entfloh. Mit dieser Flucht hatte ich das Heft vollends aus der Hand gegeben.

Von da an sah ich in Kandy nichts anderes mehr als meinen Herrn Hughes. Er stand an jeder Straßenecke, die ich zu Fuß passierte, er hob den Mantel auf, der mir vom Wagen glitt, er kannte meine Zimmernummer im Hotel und die Zeit meiner Ausgänge und Mahlzeiten. Wartete ich morgens mit dem Ausgehen bis acht Uhr, so stand er an der Treppe, verließ ich andern Tages das Haus schon um halb sieben, so war er auch da. Wenn ich sorglos in einem Kaufladen ausruhte und Ansichtskarten auswählte, erschien er lächelnd am Ladeneingang, eine kleine Kiste unterm Arm, und wenn ich draußen im Walde einen Fehlschlag mit dem Schmetterlingsnetz tat, so bog Hughes um die Ecke, deutete dem entkommenen Falter nach und nannte seinen lateinischen Namen. »Ich habe gute Exemplare davon, auch Weibchen; ich bringe sie um sieben Uhr ins Hotel!«

Nach einigen Tagen hatte er es erreicht, daß ich kein höfliches Wort mehr mit ihm sprach, ihm aber etwas für zehn Rupien abkaufte. Nun hatte ich mir das Recht erworben, ihn zu ignorieren, ihn anzuschnauzen, ihn mit barscher Gebärde von mir zu weisen. Er war aber immer da, war immer schön und höflich, blickte traurig aus braunen Augen, sprach mich freudig an und ließ ergeben die mageren braunen Hände sinken, wenn ich schalt, und immer trug er in der Tasche oder im Lendentuch verborgen ein Kästchen, eine Schachtel, eine Dose bei sich, früh und spät, und immer neue Sachen, bald einen riesigen Atlasfalter, bald ein »lebendes Blatt«, bald einen Goldkäfer oder Skorpion. Er trat aus dem Schatten eines Pfeilers hervor, wenn ich den Speisesaal verließ, er war verwandt mit dem Händler, bei dem ich Zahnpulver kaufte, und befreundet mit dem Wechsler, bei dem ich mein Geld wechselte. Er begegnete mir am See und beim Tempel, im Wald und auf der Gasse, er begrüßte mich frühmorgens nach dem Bade und stand spät abends, wenn ich vom Billardsaal herüberkam, müde und vorwurfsvoll im Vestibül, mit höflich geneigtem Kopf und stillen, wartenden Augen und mit irgendeinem verborgenen Schatz im Gewande. Ich gewöhnte mich daran, ihn von weitem im Gedränge der Straße zu erkennen und zu fliehen, ihn plötzlich nahen zu fühlen und meine Blicke zu versteinern, ich lernte auf Ausflügen jeden Seitenpfad mit Mißtrauen nach seiner Gestalt absuchen und das Hotel heimlich, wie ein Zechpreller, verlassen. Er erschien mir mehrmals im Traum, und ich wäre nicht erstaunt gewesen, ihn abends unter meiner Bettstatt verborgen zu finden . . .

Niemals kann ich mehr an Kandy denken, ohne ihn zu sehen, sein Bild ist mir stärker eingeprägt als alle Palmen und Bambusse, Tempel und Elefanten. Und als ich Ceylon längst verlassen hatte und seit vielen Tagen auf dem Wasser war, passierte es mir noch gelegentlich, daß ich morgens beim Gang von der Kabine aufs Deck mit einem Gefühl von Bangigkeit und Beschämung um mich blickte, ob nicht an einer Türe, hinter einem Pfeiler, in einem Korridor Victor Hughes auf mich lauere . . .

Tagebuchblatt aus Kandy

Es ist Abend; ich liege im Hotelzimmer. Seit einigen Tagen lebe ich von Rotwein und Opium, und mein Darm muß eine rasende Lebenskraft oder einen verzweifelten Todesmut besitzen, daß er trotz allem noch nicht Ruhe gibt. Zum Stehen und Gehen reicht heute abend der Mut und die Kraft nimmer recht, auch haben wir Regenzeit, und draußen liegt eine verregnete, tiefschwarze Nacht, obwohl es kaum erst Abend wurde. Ich muß irgendwie von der augenblicklichen Gegenwart abstrahieren; so will ich denn zu notieren versuchen, was ich vor zwei Stunden gesehen habe.

Es war etwa sechs Uhr und schon fast Nacht; der Regen floß; ich war vom Bett aufgestanden und ausgegangen, schwach vom Liegen und Fasten und betäubt von den Opiaten, mit denen ich gegen die Dysenterie ankämpfe. Ohne viel Überlegung bog ich in der Finsternis in den Tempelweg ein und stand nach einer Weile überm dunklen Wasser am Eingang des alten Heiligtums, in welchem der schöne, lichte Buddhismus zu einer wahren Rarität von Götzendienst gediehen ist, neben der auch der spanischste Katholizismus noch geistig erscheint. Eine traumhaft dumpfe Musik scholl mir entgegen; hier und da knieten dunkle Beter tiefgebückt und murmelnd; ein süßer heftiger Blumenduft überfiel mich betäubend; durchs Tempeltor sah ich in düsternächtliche Räume, in denen viele einzelne dünne Kerzen irrlichthaft und verwirrend brannten.

Ein Führer hatte sich meiner sofort bemächtigt und schob mich vorwärts; zwei Jünglinge in weißen Kleidern mit guten, sanftäugigen Singhalesengesichtern eilten herbei, jeder mit zwei brennenden Kerzchen in der Hand, um mich führen zu helfen. Vorausschreitend beleuchteten sie eifrig, im Gehen tiefgebückt, jede kleinste Stufe und jeden Pfeilervorsprung, an den ich stoßen konnte; und benommenen Sinnes stieg ich in das Abenteuer hinein wie in eine arabische Märchen- und Schatzhöhle.

Eine Messingschale ward mir vorgehalten und eine Eintrittsgabe für den Tempel gefordert, ich legte eine Rupie hinein und ging weiter, die Kerzenträger vor mir her. Weiße süßduftende Tempelblumen wurden mir geboten, ich nahm einige zu mir, gab dem Darbietenden Geld und legte die Blüten in verschiedenen Nischen und vor verschiedenen Bildern als Opfer nieder. Dem Führer folgend, während vor meinen Augen die Finsternis mit hundert kleinen goldenen Kerzenpunkten flammend tanzte, kam ich an kleinen steinernen Löwen und vielen Lotosblumenbildern, an geschnitzten und bemalten Säulen und Pfeilern vorbei und eine dunkle Treppe empor und stand vor einem großen gläsernen Schrein, der war an den Scheiben und Stäben voll von Schmutz und innen voll von Buddhabildern, von goldenen und messingenen, silbernen und elfenbeinernen, granitenen und hölzernen, alabasternen und edelsteingezierten, von Bildern aus dem nördlichen und südlichen Indien, aus Siam und aus Ceylon. In einem üppig ornamentierten Silberschrein aber saß still und fein und unendlich apart ein schöner alter Buddha, der war aus einem einzigen riesigen Kristall geschnitten, und das Kerzenlicht, das ich dahinterhielt, schien farbig durch seinen gläsernen Leib; und von allen diesen vielen Bildern des Vollendeten war dies kristallene das einzige, das ich nicht vergesse und das den schlackenlosen Erlösten wahrhaft ausdrückt.

Hier und überall waren Priester, Tempeldiener und Handlanger in Menge da; Hände streckten sich mir entgegen, und feierliche messingene und silberne Schalen wurden mir allenthalben vorgehalten. Ich gab, um es kurz zu sagen, mehr als dreißig Trinkgelder. Doch tat ich dies, wie auch alle Fragen an

die Priester, nur in einem unzulänglichen Traumzustand und Halbbewußtsein. Ich hatte keinerlei Achtung vor den miserablen Priestern, ich verachtete die Bilder und Schreine, das lächerliche Gold und Elfenbein, das Sandelholz und Silber, aber ich fühlte tief und mitleidend mit den guten, sanften indischen Völkern, die hier in Jahrhunderten eine herrlich reine Lehre zur Fratze gemacht und dafür einen Riesenbau von hilfloser Gläubigkeit, von töricht herzlichen Gebeten und Opfern, von rührend irrender Menschentorheit und Kindlichkeit errichtet haben. Den schwachen, blinden Rest der Buddhalehre, den sie in ihrer Einfalt verstehen konnten, den haben sie verehrt und gepflegt, geheiligt und geschmückt, dem haben sie Opfer gebracht und kostbare Bilder errichtet – was tun dagegen wir klugen und geistigen Leute aus dem Westen, die wir dem Quell von Buddhas und von jeder Erkenntnis viel näher sind? –

Weiter ward ich an Altären und Säulen vorübergeschleppt. Da und dort glänzten Gold und Rubinen auf, mattes altes Silber in Menge, und neben dem phantastischen Reichtum dieser Tempelschätze war die Schäbigkeit der Diener und Priester, die Armut der Holzverschläge und Glaskästchen, die bettelhafte Dürftigkeit der Beleuchtung ganz wunderlich anzusehen. Priester zeigten die alten heiligen Bücher des Tempels vor, die in Silber reich gebunden sind und deren heilige Texte in Sanskrit und Pali sie vermutlich selber nicht mehr lesen können; und was sie selber gegen ein Trinkgeld auf Palmblätter schrieben, war kein schöner Spruch oder Name, sondern das Datum des Tages und der Ortsname; eine nüchterne, schäbige Quittung.

Schließlich ward mir der Altarschrein und das Behältnis gezeigt, worin der heilige Zahn Buddhas verwahrt wird. Wir haben das alles in Europa auch; ich gab meinen Obolus hin und ging weiter. Der Buddhismus von Ceylon ist hübsch, um ihn zu photographieren und Feuilletons darüber zu schreiben; darüber hinaus ist er nichts als eine von den vielen rührenden, qualvoll grotesken Formen, in denen hilfloses Menschenleid seine Not und seinen Mangel an Geist und Stärke ausdrückt.

Und nun zerrten sie mich unversehens in die Nacht hinaus; in der wolligen Dunkelheit strömte immerzu der heftige Regen, unter mir spiegelten die Kerzen der Jünglinge sich im heiligen Schildkrötenteich. Ach, es fehlt hier nicht an Heiligkeit und heiligen Dingen; aber jenem Buddha, der nicht aus Stein und

Kristall und Alabaster war, dem war alles heilig, dem war alles Gott!

Man zog und schob mich, der ich in der Dunkelheit mich blind fühlte und willenlos mitlief, in Eile über einige Treppenstufen und über nasses Gras hinweg ins Freie, wo plötzlich als rotes Viereck in der Nacht die erleuchtete Türöffnung eines zweiten, kleineren Tempels vor uns stand. Ich trat ein, opferte Blumen, ward zu einer inneren Tür gedrängt und sah plötzlich erschreckend nahe vor mir einen großen liegenden Buddha in der Wand, achtzehn Fuß lang, aus Granit und grell mit Rot und Gelb bemalt. Wunderlich, wie noch aus der glatten Leere all dieser Figuren ihre herrliche Idee hervorstrahlt, die faltenlos heitere Glätte im Angesicht des Vollendeten.

Nun waren wir fertig; ich stand wieder im Regen und sollte noch den Führer, die Kerzenträger und den Priester des kleineren Tempels bezahlen, aber ich hatte all mein Geld weggegeben und sah nun, auf die Uhr blickend, mit Befremdung, daß diese ganze nächtliche Tempelreise nur zwanzig Minuten gedauert hatte. Rasch lief ich zum Hotel zurück, hinter mir im Regen die kleine Schar meiner Gläubiger vom Tempel. Ich erhob Geld an der Hotelkasse und teilte es aus; es verneigte sich vor seiner Macht der Priester, der Führer, der erste und der zweite Kerzenjüngling; und fröstelnd stieg ich die vielen Treppen zu meinem Zimmer hinauf.

Spaziergang in Kandy

Das berühmte Kandy liegt in einem bedrückend engen Tal an einem unglücklichen, künstlichen See und hat außer seinem alten Tempel und seinem freilich wunderbar schönen Baumwuchs keine Verdienste, wohl aber alle Laster und Mängel eines von allzu reichen Engländern systematisch verdorbenen Fremdenstädtchens. Dafür aber führen von Kandy weg nach allen Seiten die schönsten Spazierwege der Welt in eine wundervolle Landschaft hinaus. Leider sah ich dies alles trotz einem längeren Aufenthalt nur halb, die Regenzeit hatte sich verspätet, und Kandy lag beständig in einem tiefen Regengrau und Nebelbrei, wie ein Schwarzwaldtal im Spätherbst.

Im leise strömenden Regen schlenderte ich eines Nachmittags durch die ländliche Malabar Street und hatte mein Vergnügen am Anblick der halbnackten singhalesischen Jugend. Ein atavistisches Behagen und Heimatgefühl, das ich zu meiner Enttäuschung der typisch-tropischen Landschaft gegenüber nie empfunden habe, empfand ich doch jedesmal beim Anblick unbekümmert primitiven Naturmenschentums; das gedeiht und vegetiert hier in Indien noch weit schöner und ernsthafter als etwa in Italien, wo wir sonst die »Unschuld des Südens« suchen. Namentlich fehlt hier im Osten völlig die wahnsinnige Wichtigtuerei und Freude am brutalen Lärm, mit der in den mittelländischen Küstenstädten jeder Zeitungsjunge und Streichholzhausierer sich als schallenden Mittelpunkt der Welt kundgibt. Die Inder, Malayen und Chinesen füllen die unzähligen Straßen ihrer volkreichen Städte mit einem intensiven, bunten, starken Leben, das dennoch mit fast ameisenhafter Geräuschlosigkeit vor sich geht und damit unsere südeuropäischen Städte alle beschämt. Speziell die Singhalesen, so wenig sie sonst imponieren, gehen allesamt durch ihr einfaches, leichtes, wenig differenziertes Leben mit einer liebenswürdigen Sanftmut und einem stillen, rehartigen Anstand, die man im Westen nicht findet.

Vor jeder Hütte hing, schwebend zwischen Hauswand und Straßenbord, ein ganz kleines, naives Gärtchen, und in jedem blühten ein paar Rosen und ein Bäumchen mit Temple flowers, und vor jeder Schwelle trieben sich ein paar hübsche, schwarzbraune, langhaarige oder auch drollig rasierte Kinder herum, die Kleineren völlig nackt, aber auf der Brust mit Amuletten, an Fuß- und Handgelenken mit Silberspangen geschmückt. Sie sind, was mir als Kontrast zu den Malayen auffiel, ohne jede Scheu vor Fremden, kokettieren sogar sehr gerne und lernen den bettelnden Ruf nach Money als erste englische Vokabel, oft noch, ehe sie Singhalesisch können. Die Mädchen und ganz jungen Frauen sind oft wunderschön, und schöne Augen haben sie alle ohne Ausnahme.

Ein steil ins dicke wirre Grün verschwindender Seitenweg zog mich an, ich stieg hinab durch eine betäubend pflanzenreiche Schlucht, die wie ein Treibhaus gärend duftete. Dazwischen lagen auf zahllosen, winzigen Terrassen schlammige Reisfelder, in deren Morast die nackten Arbeiter und die grauen Wasserbüffel pflügend wühlten.

Plötzlich, nach einem letzten Absturz des Pfades, stand ich überm Ufer des Mahawelli. Der schöne, vom Regen geschwollene Bergfluß strömte in raschem Fall am dunkeln Urgestein der engen Felsenufer hin, kleine wilde Steininseln und Klippen standen schwarz und blank, wie aus glatter Bronze im bräunlichen Wasserschaum.

An einer breiten Felsenbank legte eben eine floßartige Fähre an, ein alter, blinder Mann ward ans Land geführt und tastete mit geduldigem Gesicht und mit welken gelben Händen, von denen ihm das Regenwasser in die Kleider rann, empor nach dem steilen Ufersteig. Rasch betrat ich das kleine Floß und fuhr hinüber, durch die rötliche, felsige Uferlandschaft, und stieg jenseits über die Felsstufen einen Weg durch neue Buschfinsternis hinan, wieder an Hütten und Reisterrassen vorüber. Die Leute haben soeben geerntet und pflügen nun den Sumpf ungesäumt wieder um, um sofort wieder auszusäen, denn in diesem guten Klima und auf diesem Urbrei von Boden wächst jahraus, jahrein Ernte nach Ernte. Das enge Tal mit roter Erde und überquellend dichtem Wachstum strömte im rauschenden Regen einen Geruch von heißer Fruchtbarkeit aus, als koche überall der weiche Erdschlamm in geheimnisvoller Urzeugung.

Zwei Meilen weiter oben sollte ein buddhistischer Felsentempel stehen, der älteste und heiligste von Ceylon, und bald sah ich das Klösterchen und den kleinen Hausgarten der Priester über mir am steilen Bergabhang kleben. Nun kam der Tempel,

davor der ausgehöhlte Felsenboden voll Regenwasser stehend, eine schäbige Vorhalle mit nackten Mauerbögen aus neuerer Zeit, alles verlassen, dunkel und grämlich. Ein Junge lief und holte mir einen Priester herbei, die erste Tür des Heiligtums ward erschlossen, zwei winzige Stümpfe von Wachskerzen in der Hand des Priesters flimmerten ängstlich und konnten die schwarzen, stillen Räume nicht erhellen, es schwamm nur der greise, schlichte Kopf des Priesters in einem dünnen, roten Lichtschimmer, der da und dort an den Wänden ein Stück uralter Malerei auferweckte. Ich wollte die Wände besehen, und wir leuchteten nun mit den beiden schwachen, rußenden Lichtlein Zoll für Zoll die Wand entlang und bis zum Boden hinab, als wäre die mächtige Freskenwand eine Briefmarkensammlung. In alten primitiven Konturen, schwach gelb und rot gefärbt, kamen unzählige schöne, liebliche, auch lustige Darstellungen aus der Buddhalegende zum Vorschein: Buddha, das Vaterhaus verlassend, Buddha unter dem Bo-Baume, Buddha mit den Jüngern Ananda und Kaundinya. Unwillkürlich fiel mir Assisi ein, wo in der großen, leerstehenden Oberkirche von San Francesco Giottos Franzlegenden die Wände bedecken. Es war genau derselbe Geist, nur war hier alles klein und zierlich, und in der Zeichnung der Bildchen war wohl Kultur und Leben, aber keine Persönlichkeit.

Aber nun schloß der alte Mann die innerste Tür auf. Hier war es völlig finster, im Hintergrunde schloß sich die Felsenhöhle. Dort war etwas Ungeheuerliches zu ahnen, und da wir mit den Kerzen näher kamen, entstand aus Glanzlichtern und Schatten schwankend eine riesige Form, größer als der Kreis unserer schlechten Lichter, und allmählich erkannte ich mit einem Schauder das liegende Haupt eines kolossalen Buddha. Weiß und riesig glänzte das Gesicht des Bildes her, und unser bißchen Licht ließ nur die Schultern und Arme noch erfühlen, das andere verlor sich in der Dunkelheit, und ich mußte viel hin und her gehen und den Priester bemühen und mit den zwei Kerzen Versuche machen, ehe ich dämmernd die ganze Figur zu sehen bekam. Der liegende Buddha, den ich erblickte, ist zweiundvierzig Fuß lang, er füllt die Höhlenwand mit seinem Riesenleib, auf seiner linken Schulter ruht der Fels, und wenn er aufstünde, fiele der Berg über uns zusammen.

Und auch hier fiel mir ungesucht ein ähnliches Erlebnis ein. Vor Jahren trat ich einst in eine kleine gotische Kapelle in einem elsässischen Dorf, das Tageslicht fiel schwach und farbig schräg durch gemalte und verstaubte Scheiben, und aufblickend sah ich mit heftigem Erschrecken über mir im halben Lichte einen riesengroßen, geschnitzten Christus schweben, am Kreuz, mit roten grimmigen Wunden und mit blutiger Stirn.

Wir sind weit gekommen, und es ist schön, daß wir, ein kleiner, winziger Teil der Menschheit, diese beiden nicht unbedingt mehr brauchen, den blutigen Kruzifixus nicht und nicht den glatten lächelnden Buddha. Wir wollen sie und andere Götter auch weiter überwinden und entbehren lernen. Aber schön wäre es, wenn einst unsere Kinder, die ohne Götter aufgewachsen sind, wieder den Mut und die Freudigkeit und den Schwung der Seele fänden, so klare, große, eindeutige Denkmäler und Symbole ihres Innern zu errichten

Pedrotallagalla

Um in der Stille einen schönen und würdigen Abschied von Indien zu feiern stieg ich an einem der letzten Tage vor der Abreise allein in einer kühlen Regenmorgenfrische auf den höchsten Berggipfel von Ceylon, den Pedrotallagalla. In englischen Fuß ausgedrückt, klingt seine Höhe sehr respektabel, in Wirklichkeit sind es wenig über zweieinhalbtausend Meter und die Besteigung ist ein Spaziergang.

Das kühle grüne Hochtal von Nurelia lag silbrig in einem leichten Morgenregen, typisch englisch-indisch mit seinen Wellblechdächern und seinen verschwenderisch großen Tennis- und Golfgründen, die Singhalesen lausten sich vor ihren Hütten oder saßen fröstelnd in wollene Kopftücher gewickelt, die schwarzwaldähnliche Landschaft lag leblos und verhüllt. Außer wenigen Vögeln sah ich lange Zeit kein Leben als in einer Gartenhecke ein feistes, giftig grünes Chamäleon, dessen boshafte Bewegungen beim Insektenfang ich lange beobachtete.

Der Pfad begann in einer kleinen Schlucht emporzusteigen, die paar Dächer verschwanden, ein starker Bach brauste unter mir hin. Eng und steil stieg der Weg eine gute Stunde lang gleichmäßig bergauf, durch dürres Buschdickicht und lästige Mückenschwärme, nur selten ward an Wegbiegungen die Aussicht frei und zeigte immer dasselbe hübsche, etwas langweilige Tal mit dem See und den Hoteldächern. Der Regen hörte allmählich auf, der kühle Wind schlief ein, und hin und wieder kam für Minuten die Sonne heraus.

Ich hatte den Vorberg erstiegen, der Weg führte eben weiter über elastisches Moor und mehrere schöne Bergbäche. Hier stehen die Alpenrosen üppiger als daheim, in dreimal mannshohen starken Bäumen, und ein silbriges, pelzig weiß blühendes Kraut erinnerte sehr an Edelweiß; ich fand viele von unsern heimatlichen Waldblumen, aber alle seltsam vergrößert und gesteigert und alle von alpinem Charakter. Die Bäume aber kümmern sich hier um keine Baumgrenze und wachsen kräftig und laubreich bis in die letzten Höhen hinauf.

Ich näherte mich der letzten Bergstufe, der Weg begann rasch wieder zu steigen, bald war ich wieder von Wald umgeben, von einem sonderbar toten, verzauberten Wald, wo schlangenhaft gewundene Stämme und Äste mich blind mit langen, dicken, weißlichen Moosbärten anstarrten; ein nasser, bitterer Laub- und Nebelgeruch hing dazwischen.

Das war alles ganz schön, aber es war nicht eigentlich das, was ich mir heimlich ausgedacht hatte, und ich fürchtete schon, es möchte zu manchen indischen Enttäuschungen heute noch eine neue kommen. Indessen nahm der Wald ein Ende, ich trat warm und etwas atemlos auf ein graues ossianisches Heideland hinaus und sah den kahlen Gipfel mit einer kleinen Steinpyramide nahe vor mir. Ein harter, kalter Wind drang auf mich ein, ich nahm den Mantel um und stieg langsam die letzten hundert Schritte hinan.

Was ich da oben sah, war vielleicht nichts typisch Indisches, aber es war der größte und reinste Eindruck, den ich von ganz Ceylon mitnahm. Soeben hatte der Wind das ganze weite Tal von Nurelia klargefegt, ich sah tiefblau und riesig das ganze Hochgebirge von Ceylon in mächtigen Wällen aufgebaut, inmitten die schöne Pyramide des uralt-heiligen Adams-Pik. Daneben in unendlicher Ferne und Tiefe lag blau und glatt das Meer, dazwischen tausend Berge, weite Täler, schmale Schluchten, Ströme und Wasserfälle, mit unzählbaren Falten die ganze gebirgige Insel, auf der die alten Sagen das Paradies gefunden haben. Tief unter mir zogen und donnerten mächtige Wolkenzüge über einzelne Täler hin, hinter mir rauchte quirlender Wolkennebel aus schwarzblauen Tiefen, über alles weg blies rauh der kalte sausende Bergwind. Und Nähe und Weite stand in der feuchten Luft verklärt und tief gesättigt in föhnigem Farbenschmelz, als wäre dieses Land wirklich das Paradies, und als stiege eben jetzt von seinem blauen, umwölkten Berge groß und stark der erste Mensch in die Täler nieder.

Diese große Urlandschaft sprach stärker zu mir als alles, was ich sonst von Indien gesehen habe. Die Palmen und die Paradiesvögel, die Reisfelder und die Tempel der reichen Küstenstädte, die von Fruchtbarkeit dampfenden Täler der tropischen Niederungen, das alles, und selbst der Urwald, war schön und zauberhaft, aber es war mir immer fremd und merkwürdig, niemals ganz nah und ganz zu eigen. Erst hier oben in der kalten Luft und dem Wolkengebräu der rauhen Höhe wurde mir völlig klar, wie ganz unser Wesen und unsre nördliche Kultur in rauheren und ärmeren Ländern wurzeln. Wir kommen voll Sehnsucht nach dem Süden und Osten, von dunkler, dankbarer Heimatahnung getrieben, und wir finden hier das Paradies, die Fülle und reiche Üppigkeit aller natürlichen Gaben, wir finden die schlichten, einfachen, kindlichen Menschen des Paradieses. Aber wir selbst sind anders, wir sind hier fremd und ohne Bürgerrecht, wir haben längst das Paradies verloren, und das neue, das wir haben und bauen wollen, ist nicht am Äquator und an den warmen Meeren des Ostens zu finden, das liegt in uns und in unsrer eignen nordländischen Zukunft.

Weg zum Pedrotallagalla

Vor Colombo

In grünem Licht verglimmt der heiße Tag,
Still geht und steht das Schiff im Wellenschlag.
So still und gleich durch diese Welt zu gehn,
So unbeirrt in Kampf und Nacht zu sehn,
War meiner Reise Ziel, doch lernt' ichs nicht.
Und wartend wend' ich heimwärts mein Gesicht,
Zu neuer Tage Wechselspiel bereit,
Neugierig auf des Lebens Grausamkeit.

Für mich ist Stille nicht und Sternenbahn,
Ich bin die Welle, bin der schwanke Kahn,
Von jedem Sturm im Innersten erregt,
Von jedem Hauch verwundet und bewegt.
So fand ich bis zum fernsten Wendekreise
Mich selber nur und kehre von der Reise
Mit aller alten Wandersehnsucht her,
Nach Lust und Schmerz des Lebens voll Begehr,
Zu neuem Spiel und neuem Kampf gesonnen,
Aus allem Abenteuer ungeheilt entronnen.
Ich bin der Erde, nicht der Sterne Kind,
Unruhig ist mein Sinn, bewegt vom Wind,
Vom Meer geschaukelt und vom Sturm geweckt,
Vom Licht getröstet, von der Nacht erschreckt.
Und ob ich hundertmal im Lebensdrang
Um Weisheit flehte und nach Frieden rang,
Stets ruht mein Los gebannt an irdische Zeichen,
Und immer werd' ich meiner Mutter gleichen.

Rückreise

Wieder fahre ich Tage und Nächte, Tage und Wochen auf dem blauschwarzen Meer dahin, wohne in einem winzigen Kabinenloch und stehe zur Abendzeit stundenlang an die Reling gelehnt, sehe die kahle, schwarze Fläche im Abendlicht hell werden, sehe über dem grünen Späthimmel die wunderlich verschobenen Sternbilder flammen und den gleißend blanken Halbmond wagerecht wie ein Boot in der Schwärze schwimmen. Die Engländer liegen in Deckstühlen und lesen alte englische Magazine und Reviews, die Deutschen würfeln im Rauchzimmer mit Lederbechern, ich tue oft mit, und von Zeit zu Zeit entsteht Stille und Spannung an Deck, wenn die wunderbar gewachsene, braunschwarze, tigerhafte Frau aus Honolulu vorübergeht, bei jedem Schritt federnd und von Lebenskraft und animalischem Selbstgefühl gewiegt. Niemand ist in sie verliebt, niemand fühlt sich ihr gewachsen; man sieht ihr nach wie einem schönen, doch übermächtigen Naturereignis, einem Gewitter oder Erdbeben. Verliebt aber sind viele von uns in das zarte, überschlanke, zwei Meter hohe Fräulein aus England, das ein Knabengesicht hat und lächeln kann wie ein Engel. Sie hat in China Verwandte besucht, sie fuhr über Wladiwostok hin und fährt nun über Suez zurück, sie trägt tagsüber feine, diskrete, praktische Reisekleider und abends große Toiletten, und sie verbringt offenbar ihre ganze lächelnde Jugendzeit mit nichts anderem als damit, ihre eigene Lieblichkeit durch alle Meere und Länder der Erde spazieren zu führen.

Meine Wünsche und Gedanken sind schon alle in der Heimat, die trotzdem in ihrer unendlichen Ferne noch halb unwirklich bleibt, während eine Menge von Eindrücken der letzten Monate mich in junger sinnlicher Frische umgibt. Wenn ich über sie nachdenke, so stellt sich heraus, daß nur ganz wenige richtig »exotische« dabei sind; die meisten sind von rein menschlicher Art und wurden mir nicht durch das fremde Kostüm, sondern durch ihre Verwandtschaft mit meinem eigenen und jedem Menschenwesen wichtig und lieb.

Zu den exotischen Bildern, die mich beständig noch in voller Frische bedrängen, gehört der Palmenstrand von Penang mit dem weißen Sandstreifen und den gelben Fischerhütten, die leuchtend blauen Chinesenstraßen der Städte in den Straits und den Malay States, das hügelige Inselgewimmel des Archipels bei Riouw, die Affenzüge im Urwald, die Krokodilflüsse von Sumatra. Der letzte solche Eindruck war oben in Nuwara Elia. Da war alles fast heimatlich einfach, rauh und grau, keine Tempel, keine Palmen. Aber als ich den ersten Ausgang machte, sprach plötzlich eine schöne, weiße Blume zu mir, die rührte bis zu jenem Schatz von frühesten und stärksten Eindrücken hinab, die wir als Kinder aufnehmen und denen es später kein Meer und Gebirge der Welt mehr gleich tun kann. Ich fühlte, nach einem wochenlangen Leben in neuen, fremden, oberflächlicheren Eindrücken, mich von dieser Blume im Innersten berührt und erinnert, und als ich suchte, fand ich bald, daß es dieselbe weiße großkelchige Kalla war, die zu meinen Knabenzeiten im Zimmer meiner Mutter blühte. Und im Weiterschreiten fand ich diese selbe weiße große Blume, die als Liebling und stolze Rarität in meinem Vaterhaus im Schwarzwald gepflegt worden war, zu Hunderten und zu Tausenden stehen und blühen wie bei uns die Butterblumen im April. Es war schön und üppig zu sehen, aber es gefiel mir und freute mich doch nur halb, hier auf Ceylon als mißachtetes Unkraut wachsen zu sehen, was einst meiner Mutter Stolz und liebe Sorge gewesen war.

Von der langen Seereise war das Schönste und Eindringlichste vielleicht die Insel Sokotra, von Norden gesehen, mit den bleichen, toten Sandhängen und dem wilden, jäh zerklüftet starrenden Kalkgebirge, dann das Südende von Calabrien mit den tausendjährig vereinsamten Steinstädten in den rauhen Felsbergen. Nicht zu vergessen das Sinaigebirge, mit den edlen Umrissen gläsern im weichen rosigen Lichte stehend, und den Suezkanal, den ich auf der Rückfahrt im vollen Farbenleuchten ägyptischer Lüfte sah.

Weit stärker noch als alle diese schönen Bilder steht mir der Anblick vieler kleiner menschlicher Dinge im Gedächtnis. Der magere, stille chinesische Diener, der auf dünner Bastmatte am Fußboden vor der Türschwelle seines Herrn schläft. Er wird, einer Kleinigkeit wegen, mitten in der Nacht vom Herrn wach gebrüllt. Müde wendet er den Kopf, einen Augenblick zittern seine Lider, dann blickt er mit den klugen, geduldigen braunen

Augen auf und erhebt sich, wach und resigniert, mit dem ergebenen leisen Ruf: »Tuan!«

Oder der malayische Anführer der Waldarbeiter am Batang Hari, ein Verwandter der früheren Rajahs, aus adliger Familie, mager, mit einem schönen traurigen Gesicht. Ich sah ihn eines Abends lautlos unsre Veranda betreten, seine Laterne löschen und sich beim Hausherrn melden, mit einem Anstand und Adel der Gebärde, wie wir es kaum bei einem feinen adligen Offizier daheim sehen können.

Dann die schwärzlichen Kinderscharen der Urwalddörfer, die der Ankunft unseres Bootes mit starrender Neugierde und Spannung zusahen und beim ersten Schritt, den wir an Land taten, entsetzt und lautlos von dannen flohen und wie Tierchen im Wald verschwanden.

Und wie schön war es, in Chinesenstädten am Abend junge Freundespaare spazieren gehen zu sehen. Feine schlanke Jünglinge mit schönen braunen Augen und lichten, heiteren, geistigen Gesichtern, ganz weiß oder ganz schwarz gekleidet, mit unendlich noblen, schmalen, vergeistigten Händen. Zart und fröhlich ging einer mit dem andern, seine linke Hand lose in die rechte Hand des Freundes oder den Arm auf dessen Schulter gelegt.

Und überall im Archipel die gutmütigen, hübschen Malayen,

111

von den Holländern streng gehalten, höflich und ergeben, und auf Ceylon die sanften, zarten Singhalesen. Man schilt sie und sie machen betrübte Kindergesichter, man befiehlt ihnen und sie beginnen die Arbeit mit geheucheltem heftigem Eifer, man wirft ihnen ein Scherzwort zu und sie lachen breit und selig übers ganze Gesicht. Sie haben alle dieselben schönen, flehenden Augen, und sie haben alle einen Rest von wilder Unschuld und Rechenschaftslosigkeit im leicht bewegten Gemüt. Sie vergessen wichtige Dinge über einer Mahlzeit, und sie verlieren sich im Spiel so maßlos, daß sie manchmal Ernst daraus machen und einander totschlagen, wozu sie im wirklichen Ernst und um wichtige Dinge viel zu feige sind. In Nurelia sah ich einen Arbeiter, der vom Bauplatz weggejagt und vom Aufseher vertrieben und immer wieder geschlagen wurde. Er hatte irgendeine Gaunerei begangen, und er war bereit, eine Strafe zu tragen, aber er wollte durchaus nicht fortgehen, er wollte dableiben, nur dableiben bei seiner Arbeit und bei seinem Brot, bei seiner Ehre und bei der Gemeinschaft mit den andern. Der junge, kräftige Mann ließ sich ohne Widerstand stoßen und mit einem Strickende hauen, langsam wich er der Gewalt, er heulte dazu laut und unbeherrscht wie ein verwundetes Tier, und über sein dunkles Gesicht liefen dicke Tränen.

Schön und nachdenklich war es auch, alle diese Menschen bei ihren religiösen Übungen zu sehen, Hindu, Mohammedaner und Buddhisten. Sie haben alle, vom reichen städtischen Häuserbesitzer bis zum geringsten Kuli und Paria herab, Religion. Ihre Religion ist minderwertig, verdorben, veräußerlicht, verroht, aber sie ist mächtig und allgegenwärtig wie Sonne und Luft, sie ist Lebensstrom und magische Atmosphäre und sie ist das einzige, um was wir diese armen und unterworfenen Völker ernstlich beneiden dürfen. Was wir Nordeuropäer in unserer intellektualistischen und individualistischen Kultur nur selten, etwa beim Anhören einer Bachmusik, empfinden dürfen, das selbstvergessene Gefühl der Zugehörigkeit zu einer ideellen Gemeinschaft und des Kräfteschöpfens aus unversieglich magischer Quelle, das hat der Mohammedaner, der am fernsten Winkel der Welt abends seine Verbeugungen und Gebete verrichtet, und hat der Buddhist in der kühlen Vorhalle seines Tempels jeden Tag. Und wenn wir das, in einer höheren Form, nicht wieder gewinnen, dann werden wir Europäer bald

kein Recht auf den Osten mehr haben. Die Engländer, die in ihrem Nationalitätsgefühl und in ihrer strengen Pflege der eigenen Rasse eine Art von Ersatzreligion besitzen, sind denn auch die einzigen Westländer, die es da draußen zu einer wirklichen Macht und Kulturbedeutung gebracht haben.

Mein Schiff fährt und fährt. Vorgestern brannte noch die unbändige Sonne Asiens auf unser Deck, wir saßen luftig in weißen dünnen Kleidern und tranken eisgekühlte Sachen; jetzt sind wir schon nahe am europäischen Winter, der uns mit Kühle und Regenschauern schon bald nach Port Said empfing. Dann werden die heißen Küsten der östlichen Inseln und die glühenden Mittage von Singapur in der Erinnerung noch an Glanz gewinnen; aber dies alles wird mir nie so lieb und wertvoll werden wie das starke Gefühl von der Einheit und nahen Verwandtschaft alles Menschenwesens, das ich unter Indern, Malayen, Chinesen und Japanern gewonnen habe.

Reisende Asiaten

Eines fiel mir, seit ich die erste indische Hafenstadt sah und solange ich im Osten unterwegs war, täglich stärker auf: Wie viel die Asiaten reisen! Im Westen, in Europa und Amerika, hält man das Reisen und den »modernen Verkehr« für eine Art westlicher Spezialität. Dabei gilt dem Durchschnittsbürger in ganz Europa eine Eisenbahnfahrt von mehr als sechs oder acht Stunden schon für eine bemerkenswerte Reise, und ein Handlungskommis oder Portier, der etwa in Paris, in Genf oder Nizza oder gar in Neapel war, steht im Ruf eines weltläufigen Mannes, der weit herumgekommen ist. Das ist in Asien anders. In Indien, Hinterindien, dem Archipel und einem großen Teil von China reist das Volk unendlich viel mehr als bei uns, für einfache Leute der niederen Klassen gelten Reisen von zwei, drei, sechs, zehn Tagen für gar nichts Besonderes. Unsereiner, wenn er zwischen Colombo und Batavia unterwegs ist, kommt sich schon unternehmend vor und ist erstaunt, zu sehen, daß eine Seereise von drei Wochen, eine Eisenbahnreise von Tagen für Asiaten gar nichts bedeutet.

Der Kuli, der dir in Singapur den Koffer an Land trägt, stammt aus Hankau. Der kleine Händler, dem du in Penang oder Kuala Lumpur eine Badehose oder Leibbinde abkaufst, ist in Peking zu Hause. Der malayische Kaufmann, der dir auf Sumatra Hosenträger und Stiefel verkauft, ist Hadschi und hat die Pilgerfahrt nach Mekka gemacht, was eine Hin- und Rückreise von je etwa zwanzig Tagen bedeutet, das Dreifache einer Fahrt von Europa nach Amerika und zurück.

Wenn bei uns ein Bauer seine Kartoffeln oder Äpfel in der nächsten größeren Stadt persönlich verkauft und dahin drei Stunden mit der Bahn zu fahren hat, so ist das für ihn eine große Sache. Arme, halbwilde Natives auf einer malayischen Insel fahren mit ihrer Ladung Rottang oder ihrem bißchen Baumwolle vier, sechs, zehn Tage ihren Urwaldfluß hinab bis zur nächsten Hafenstadt und brauchen doppelt so lange zurück. Von Nordindien gehen einzelne indische Händler alle paar Jahre auf wilden, anstrengenden und gefährlichen Zügen durch Tibet nach China oder bis zum Baikalsee, ja bis Moskau. In Pelaiang bei Djambi (Südsumatra) hatten wir einen chinesischen Koch, der seine Familie bei Schanghai leben hat und sie öfters besucht! Die chinesischen Großhändler in den Straits, auf Java usw. haben fast alle auch noch daheim in China Besitzungen, oft auch Frauen und Kinder, und reisen häufig zwischen beiden Orten hin und her, über Entfernungen wie zwischen Neapel und Moskau. Es gibt auch indische und arabische Händler, welche Filialen von Colombo oder Bombay an bis nach Peking hin haben und für die eine Seereise von drei Wochen nur eine kleine, oft wiederholte Geschäftsfahrt ist.

Dazu alle die vielen Pilgerfahrten! Leute aus Siam und Burma pilgern nach Ceylon, Gläubige aus Java und Sumatra nach Mekka, Fromme aus dem untersten Südindien hinauf nach Benares. Dagegen ist die Pilgerfahrt eines armen Bäuerleins vom Bodensee nach Lourdes eine Bagatelle.

Die letzten asiatischen Reisenden dieser Art, die ich sah, waren zwei Mohammedaner aus Java. Sie bestiegen unser Schiff in Singapur und fuhren als Beauftragte einer mohammedanischen Gemeinschaft bis Suez, von wo aus sie Tripolis erreichen, zuverlässige Berichte vom Krieg einsammeln und über die beste Art, die kriegführenden Glaubensgenossen moralisch und finanziell zu unterstützen, nach Hause berichten sollten.

Umschlag der Erstausgabe von »Aus Indien«, Berlin, 1913

Drei Briefe

An Conrad Haußmann

Dampfer »York« [Ende November 1911]

Lieber Freund!

Nun fahre ich wieder Tag für Tag und Woche für Woche auf dem blauschwarzen Meer, wohne in einem winzigen Kabinenloch und kuriere an den Schäden herum, die ich mir draußen erworben habe. Da ich nach der Heimkehr (Weihnachten) doch nicht so bald zum Briefschreiben kommen werde, schreibe ich Dir vom Schiff aus noch ein bißchen . . .

Vorderindien, wo ich ohnehin nur eine Reise im Süden geplant hatte, mußte ich aufgeben, teils weil das Leben und Reisen hier draußen weit über meine Verhältnisse und Erwartungen teuer ist, teils weil Magen, Darm und Nieren streiken. Dagegen sah ich die Strait Settlements und Malay States ziemlich gründlich, ebenso den Südosten von Sumatra, und war zuletzt noch 14 Tage, leider meist krank und bei Regen, im Gebirg von Ceylon. Die Inder haben mir im ganzen wenig imponiert, sie sind wie die Malayen schwach und zukunftslos. Den Eindruck unbedingter Stärke und Zukunft machen nur die Chinesen und die Engländer, die Holländer etc. nicht.

Was ich von der Tropennatur sah, war hauptsächlich der Urwald, dann die Ströme von Sumatra, die Inselmengen im malayischen Meer und die fabelhafte Fruchtbarkeit von Ceylon. Als Städte waren namentlich Singapur und Palembang interessant. An Völkern sah ich Malayen und Javaner, Tamilen, Singhalesen, Japaner und Chinesen. Über letztere ist nur Großes zu sagen: ein imponierendes Volk! Die Mehrzahl der andern sind arme Reste einer alten Paradiesmenschheit, die vom Westen korrumpiert und gefressen wird, liebe, gutartige, geschickte und begabte Naturvölker, denen unsre Kultur den Garaus macht. Wenn die Weißen das Klima hier besser vertrügen und ihre Kinder hier aufwachsen lassen könnten, gäbe es keine Inder mehr.

Ich sah und sprach auch viele Kaufleute, Techniker etc. aus aller Welt und sah viel vom großen Handel. Es wird eine Menge guter wertvoller, hiesiger Produkte ausgeführt, eingeführt wird aus Europa und Amerika vorwiegend Schund. Die

Malayen und Inder fallen darauf herein, die Chinesen nicht. Allgemein unbeliebt, ja gehaßt sind die Japaner, speziell im Handel.

Kurz vor der Abreise stieg ich, zum Abschied von Indien, auf den höchsten Berg von Ceylon und sah durch Wolkenzüge hindurch das schöne fabelhaft riesige Bergland bis zum Meer hinunter vor mir liegen.

Jetzt heißt's noch mehr als zwei Wochen Geduld haben und das Schiffschaukeln ertragen, aber ich bin darin nun schon etwas abgehärtet, da ich weitaus den größten Teil der letzten drei Monate auf dem Wasser und auf Schiffen aller Art unterwegs war. Nachher sehen wir einander hoffentlich bald.

An die Redaktion des ›Schwabenspiegel‹

Dezember 1911

Lieber Schwabenspiegel!

Du fragst, ob ich von der Asienreise zurück und wie mir nun zumute sei.

Ja, ich bin seit ein paar Tagen wieder da, die Koffer stehen noch unausgepackt, und auch aus der Erinnerung käme alles, wenn ich jetzt schon aufmachen und hervorziehen wollte, in üblem Reisewirrwarr heraus.

Zumute ist mir etwas flau, die Rückkehr aus der Äquatorsonne in den Bodenseenebel ist kein Vergnügen gewesen, und wäre mein Eingeweide robuster oder die indische Hotelkost genießbarer gewesen, so wäre ich noch lange geblieben.

Die indische und malayische Welt war ein bunter und vergnüglicher ethnologischer Maskenball. Die chinesische Welt aber gab mir den herrlichen Eindruck einer Einheit von Rasse und Kultur, die wir nicht kennen und von der nur die Engländer bei uns eine Ahnung haben.

An Ludwig Thoma

Gaienhofen, 6. 1. 1912

Lieber Herr Thoma!

. . . Mir hat das Reisen ganz gutgetan. Es trieben mich Sachen fort, die in meinem Privatleben nicht stimmen und über die ich jetzt klarer sehe. Gesehen habe ich viel. Ich habe eine Freude am Wachstum sowie an Käfern, Schmetterlingen und solchen farbigen Naturdingen, da war denn im Urwald, auf den großen Strömen von Sumatra, in den Palmenpflanzungen und im Gebirg von Ceylon viel zu finden. Daneben aber ging es mir wie dem Juden Saul mit seines Vaters Eselinnen.

Ich war gegangen, um den Urwald anzusehen, die Krokodile zu streicheln und Schmetterlinge zu fangen, und fand ganz nebenbei und ungesucht etwas viel Schöneres: die Chinesenstädte von Hinterindien und das chinesische Volk, das erste wirkliche Kulturvolk, das ich sah.

Auf das hin fand ich die Heimat zwar rauh und grau, aber doch gut, und habe wieder alle Freude an meinen drei Buben, auch an der Arbeit.

Mit den Englishmen ist's mir komisch gegangen. Ich fand sie alle etwas gereizt, zum Teil auch ängstlich, aber was sie da draußen im Pfefferland treiben und was sie dort als europäische Kultur servieren, ist halt doch bei aller Einseitigkeit recht schön und wird sonst von niemand serviert. Wenn wir 25 Jahre Sport treiben und Landerziehungsheime aufmachen, können wir das freilich auch, aber an dem fehlt's noch.

Hermann Hesse, 1911, portraitiert von Hans Sturzenegger

Am 12. 6. 1911 erfährt Hesse in Winterthur (anläßlich eines Treffens der »Kunstfreunde aus den Ländern am Rhein«) vom Plan seines Malerfreundes Hans Sturzenegger, eine Indienreise zu unternehmen, um u. a. seinen Bruder, den Kaufmann Robert Sturzenegger, zu besuchen, der in Singapur die väterliche Firma übernommen hat. Spontan beschließt Hesse, an dieser Reise teilzunehmen. Entgegen dem ursprünglichen Konzept dauert sie aber nicht so lange wie geplant. Die klimatische Umstellung, unbekömmliche Ernährung, mangelnde bakteriologische Immunität und unerwartet hohe Lebenskosten führen dazu, daß das anfängliche Vorhaben, auf der Rückreise noch den Süden Vorderindiens zu besuchen, aufgegeben wird und die Reisenden bereits nach drei Monaten wieder zu Hause sind.

4. 9. 1911	*Schiffsfahrt rheinabwärts von Gaienhofen nach Schaffhausen, dem Wohnort Hans Sturzeneggers.*
5. 9.	*Reise: Schaffhausen – Zürich – Como*
6. 9.	*Reise: Como – Genua*
7. 9.	*Abfahrt an Bord der »Prinz Eitel Friedrich« des Norddeutschen Lloyd.*
8. 9.	*12 Stunden Station in Neapel. Quarantäne.*
12. 9.	*Ankunft in Port Said. Wegen Pest und Cholera die bis Colombo letzte Möglichkeit an Land zu gehen.*
13. 9.	*Durch den Suez-Kanal ins Rote Meer.*
16. 9.	*Durch Bab el Mandeb in den Golf von Aden.*
17. 9.	*Aden*
23. 9.	*Ceylon, Ankunft in Colombo, Rikschafahrt durch das Eingeborenenviertel zum Fruchtmarkt. Abfahrt von Ceylon noch am Abend desselben Tages.*
27. 9.	*Ankunft im Hafen der Insel Penang (Georgetown), wo u. a. Robert Sturzenegger seinen Bruder Hans und Hesse in Empfang nimmt. Anschaffung von Tropenanzügen. Rikschafahrt durch die Stadt. Besuch eines chinesischen und eines malayischen Theaters.*
28. 9.	*Besichtigung einer Übersee-Handelsfirma mit Robert Sturzenegger. Autofahrt die Küste entlang.*

29. 9.	*Besteigung des Penang Hill (834 m). Abstieg nach Ayer Itam.*
30. 9.	*5-stündige Eisenbahnfahrt nach Ipoh, an großen Kautschukplantagen vorbei. Spaziergang und Rikschafahrt in Ipoh. Kinobesuch.*
1. 10.	*Falterjagd. Weiterfahrt im Zug nach Kuala Lumpur. Rikschafahrt durch die Stadt.*
2. 10.	*Schmetterlingsfang im Öffentlichen Garten von Kuala Lumpur. Bahnfahrt zu den Tropfsteinhöhlen von Batu. Weiterfahrt nach Johore.*
3. 10.	*Von Johore im Boot nach Singapur. Autofahrt zur Küste. Abend in einem malayischen Theater (mit dem weiblichen »Hanswurst«).*
4. 10.	*Aufbruch nach Sumatra (Djambi) in kleinem holländischem Dampfer. Fahrt durch die windstille Darianstraße.*
5. 10.	*Ankunft in Tonkal. Fahrt in die Mündung des Djambi (Batang Hari). Flußaufwärts mit Unterbrechungen in Eingeborenensiedlungen.*
6. 10.	*Ankunft in Djambi. Besuch und Übernachtung beim schweizerischen Kaufmann Louis Hasenfratz, dem Leiter der Holzhandelsfirma »Djambi-Maatschappji«.*
7. 10.	*Aufbruch zur Urwaldexpedition nach Pelaiang. Mit einem kleinen chinesischen Raddampfer flußaufwärts.*
8. 10.	*Zwischenstation in den Dörfern Sung Baoeng, Duson Aro, Muara Singuan und Olak. Ankunft in Pelaiang. Erste Schmetterlingsjagd im Urwald.*
9. 10.	*Ausflug in den Dschungel zu den Waldarbeitern und Fällern der Eisenholzbäume.*
10. 10.	*Falterjagd im Busch. Bootsfahrt flußaufwärts.*
11. 10.	*Jagd auf Nashornvögel und Schmetterlingsfang. Rückfahrt nach Djambi.*
13. 10.	*Einblick in die Beamtenwelt und die Verwaltung des niederländischen Kolonialsystems von Djambi.*
14. 10.	*Falterjagd. Abfahrt auf dem Dampfer »De Kock« nach Palembang.*
16. 10.	*Ankunft in Palembang. Motorbootfahrt der Stadt entlang. Besuch bei Fam. Kiefer. Rikschafahrt*

durch die Stadt.

17. 10.	*Auf dem Bazar von Palembang. Bootsfahrt auf dem Moesi.*
18. 10.	*Im kleinen Dampfer »Alice« den Ogan-Fluß hinauf mit Zwischenstationen in den anliegenden Dörfern. Malayische Tänzerin.*
19. 10.	*Zurück in Palembang. Spaziergang in die Vororte und zu den Chinesengräbern.*
20./21. 10.	*Schmetterlingsjagd. Chinesischer Leichenzug. Flußfahrt.*
22. 10.	*Auf dem Fischmarkt von Palembang. Ausflug nach Pradjen. Krokodiljagd auf dem Moesi.*
23. 10.	*Falterfang. Gang durch Palembang. An Bord der »Maras« zur Rückfahrt nach Singapur.*
25. 10.	*Ankunft in Singapur und Einkaufsspaziergang durch die Stadt.*
26. 10.	*Fahrt in den Botanischen Garten. Besuch bei Fam. Suhl.*
27. 10.	*Ausflug nach Tanyong Katong (Europäerviertel am Meer). Besuch einer Vorstellung chinesischer Akrobaten in der Town Hall von Singapur.*
28. 10.	*Einkaufsbummel und Besuch des Museums von Singapur. Abends im malayischen Theater (Star opera).*
29. 10.	*Fahrt nach Johore, Besuch der »Spielhöllen«.*
30. 10.	*Schmetterlingsjagd im Botanischen Garten von Singapur. Unterwegs in den Chinesenstraßen. Besuch eines chinesischen Kasperletheaters.*
31. 10.	*Bummel im Chinesenviertel. Besuch des Kinos »Alhambra«. Nachtleben von Singapur.*
1. 11.	*Einladung bei Fam. Suhl.*
4. 11.	*Besuch des Chinesischen Theaters.*
5. 11.	*Ausflug in die Antiquitäten- und Trödlerstraße von Singapur.*
6. 11.	*Rückfahrt auf der »Prinz Eitel Friedrich« von Singapur nach Penang.*
7. 11.	*Abschiedsfeier in Penang. Abends Weiterfahrt nach Colombo*
11. 11.	*Ankunft in Colombo. Besuch eines singhalesischen Bordells und Theaters.*

12. 11.	Eisenbahnfahrt von Colombo nach Kandy.
14. 11.	Falterfang bei Kandy.
16. 11.	Im Botanischen Garten von Kandy. Rikschafahrt nach Paradenya.
17. 11.	Schmetterlingsjagd. Besuch des Buddhatempels »Of the Thoots«(?) aus dem 14. Jahrh..
18. 11.	Ausflug in das Tal des Mahawelli Ganga u. a. zum ältesten Felsentempel von Ceylon.
20. 11.	Fahrt nach Nuwara Eliya.
21. 11.	Besteigung des höchsten ceylonesischen Berges Pedrotallagalla.
22. 11.	Ausflug an den Ramboda-Paß.
24. 11.	Rückfahrt nach Colombo.
25. 11.	Museumsbesuch in Colombo. Auf das Schiff »York« zur Heimreise.
30. 11.	Insel Sokotar in Sicht.
2. 12.	Station in Aden.
7. 12.	Ankunft in Suez.
8. 12.	Ausfahrt aus Port Said.
10. 12.	Ankunft in Neapel.
12. 12.	Ende der Schiffsreise in Genua
13. 12.	Rückreise via Zürich nach Gaienhofen.

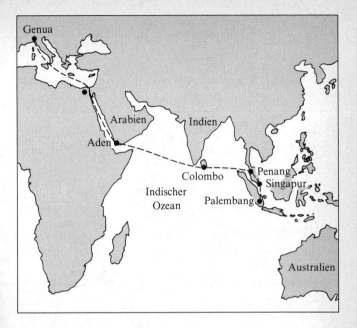

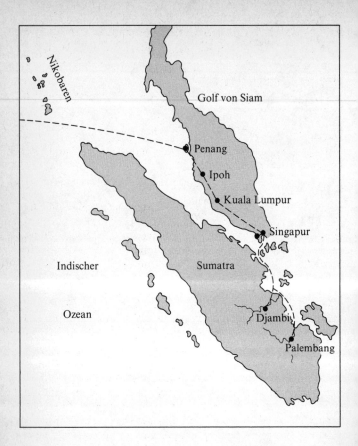

[Notizen von der Indonesienreise
4. 9. 1911 - 11. 12. 1911]*

Montag 4. September [1911].
Abends 5 im Schiff nach Schaffhausen, Abendessen mit Hans Sturzenegger im »Belair«[1].

Dienstag 5. September
Mittags 12 nach Zürich, Gotthard, Como. Übernachten dort, Frau im Balkon[2], Platz am See.

Mittwoch 6. September
Früh Gang durch Como, warm, Fahrt nach Genua, heiß, fast alle Flußbetten leer. Erster Besuch des Schiffs mit etwas Enttäuschung. Hotel Miramare mit Sturzeneggers Freund Brupbacher, der abends seine drollig, dummschlaue Philosophie verzapft (»Hintermann« etc.), Fahrt und Gang auf den »Rigi«, kahle, lila Berge schön im Abend.

Donnerstag 7. September
Schöner Bummel durch Genueser Gassen, Volksgewühl, Italien. Dann Einschiffung, mühsames erstes Einpacken im Schweiß. 12 mittags Abfahrt, an Bord Musik, schöner ernster Moment des Abfahrens, Gedanke an daheim und all meine Sorgen, doch dann bald Beginn sorglosen Bordlebens. Bordplatz neben 2 Ceyloner Offizieren. An Elba vorbei, überall schöne steile Inselsilhouetten, der Abend bei vollem Mond fein und alles guter Stimmung. Ein Paduaner Pertile erzählt uns, er sei etwa 20 Jahre in Singapur gewesen und dort reich geworden, dann habe er die Hälfte davon wieder verloren und sei, nachdem er sich schon zur Ruhe gesetzt, wieder hinaus. Er hatte 2 Frauen, Schwestern, die eine starb in Padua, die andre in Singapur, und jeder setzte er einen gleichen Marmor»engel« aufs Grab, und er rühmte es dem malayischen Marmor nach, daß der dortige Engel ebenso schön und so haltbar sei wie der italienische. Abends müd zu Bette, ohne Schlaf zu finden.

* Dieses Tagebuchmanuskript trägt keinen Titel.
1 Das Haus von Hesses Reisebegleiter, des Malers Hans Sturzenegger.
2 Vgl. die Erinnerung »Die Frau auf dem Balkon« in H. Hesse, »Die Kunst des Müßiggangs«, Frankfurt a. M. 1973, S. 191 ff.

Freitag 8. September

Müde, heiß. Wunderbare Bilder, namentlich Ischia und eine damit durch Brücke verbundene kleine steile Insel mit kühner Architektur. Dann am Festland eine tolle Bergstadt nördlich von Neapel. Im Hafen Neapel Rast und Kohlenfassen von 12 mittags bis 12 nachts, Promenadendeck verhängt, übler Lärm der Lademaschinen, unheimlich und elend die schwarzen Kohlenträger, Italiener und Chinesen, darunter hübsche nackte Kulis. Abends Briefgruß von Frau Spitze. Ein Auswandererschiff fuhr ab, wir winkten einander. In der II. und gar III. Klasse sieht man viel mehr nette liebe Menschlichkeit, Laune und Leben als in der I., wo trotz netter Menschen der Ton ohne Frische und ohne Gemeinschaftlichkeit ist. Abends kam eine Barke mit kitschigen Volkssängern und übte gegen Soldi die übliche musikalisch-ethnographische Prostitution.

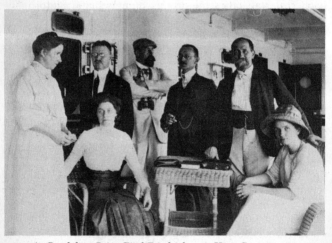

An Bord der »Prinz Eitel Friedrich« mit Hans Sturzenegger (links von Hesse) sowie den Familien Delbrück und Lettenbach

Samstag, 9. September

Fast ganz ohne Schlaf. Abfahrt nachts 3 Uhr. Früh erstes Bad. Englische Lektüre mit Sturzenegger. Mittags Stromboli, später Kalabrien und die Meerenge. Sizilien und Ätna im Dunst, die italienische Küste golden im Licht, groß, wild und pathetisch, Städtchen vom Erdbeben zerstört, ganz am Südende kühne Felsberge, am Fuß eines solchen eine wilde, fremde Stadt, halbrund im Fels wie in einem Rachen. Kokette Französin, Familie Delbrück nett und einfach, Kreis aus Schönenwerd drollig. Nachts mit Veronal guter Schlaf.

Sonntag 10. September

Früh Bekanntschaft mit Delbrücks. Englisch auf Oberdeck, die Tochter Delbrück geht als Braut eines Arztes nach Manila, die Eltern begleiten sie bis Suez. Mit ihr reist das Französlein, ebenfalls als Braut[1] nach Manila, sie kokettiert munter und spielt heftig Klavier. In der II. Klasse Frl. Schäfer (Java) und mehrere Liebenzeller Missionsleute. Bei Tisch neben mir Frl. Donner. Generalkonsul und Frau (Batavia, früher Cincinnati). Seit Messina kein Land in Sicht, blaues Meer, viel helle Wolken, wenige Schiffe, stille See. Brieflein an Papa. Ein englischer Kapitän, der den Zulukrieg mitgemacht und im Burenkrieg gefangen war. Schlechte Nacht.

Montag 11. September

Morgens Spiele auf Deck, schöner kühlender Wind. Mittags Lektüre, Auspacken im Gepäckraum, das Meer abends schön, abnehmender großer Mond. Abends kleiner Ball auf Deck. Früh Brief an Annie. Ich kenne nun den größten Teil der deutschen Mitreisenden und mache erste Versuche der Anknüpfung mit Engländern, verstehe aber wenig. Es sind 7 Bräute an Bord.[1] Das Schiffsleben bequem und beruhigend, angenehme Mischung von bequem und elegant, etwas leichthin und träg. Der Pest und Cholera wegen werden wir bis Colombo nimmer an Land gehen dürfen.

Dienstag 12. September

Früh auf, Knöpfe annähen, turnen. Schöner Morgen. Das bisher dunkelblaue Meer wurde hellgrün wie der Rhein, dann

1 Vgl. die Erzählung »Die Braut« siehe S. 269 ff.

lehmig trübe, das war das Wasser des Nil, der jetzt hoch geht. Es kam die Küste von Damiette in Sicht, ein niederer unwahrscheinlicher Streifen gelben Landes mit einzelnen Palmen, die merkwürdig verlassen und seltsam zwischen See und Himmel standen. Viele schöne Segelboote. Dann Port Said, mit etwas komischen Quarantänemaßnahmen. Der Hafen voll Barken mit schönen Arabern, prächtige große Gruppen der Kohlenträger. Wir blieben von 12 bis gegen 5 abends im Hafen. Die Stadt lag grell und öde in der Sonne, neu und kahl, mit wenigen armen Bäumen.

Suezkanal: endlos, kahl, schmal, links nur Sand und Schlamm, rechts Bahndamm mit Gebüsch, dahinter Sumpf, Röhricht, Seen, ein erster ferner Berg der Sinaihöhen, alles sehr farbig. Großer glühender Sonnenuntergang. Gespräch mit dem Schiffsarzt, Stuttgarter. Gegen Abend viele Moskitos. Ich habe mich beim Rennen etwas verrenkt und hinke stark mit Schmerzen. Plaudere mit Generalkonsul Lettenbauers (Batavia) und Delbrücks. Uns gegenüber bei Tisch ein Herr Böhmer, der auf Borneo Gummi baut, mit lieber netter Frau, Norwegerin. Geheimnisvolle Nachtfahrt auf dem Kanal, langer und lautloser Halt, Mond, Sterne, von allen Seiten grelle Scheinwerfer, völlige Stille, ein paar Palmen rechts, wo sich ein scheuer weißer Hund ebenfalls lautlos herumtreibt, links Stein- und Sandhaufen öd und kahl im Mondlicht. Unser Schiff steht unter Cholera-Kontrolle. Gespräch mit dem Chinesen aus Shanghai, der das Skiking[1] auswendig kann. Hier ist, zum erstenmal, alles fremd, andrer Erdteil. Wir tranken dann lang mit dem Schiffsarzt, und als wir nach Mitternacht auf Deck zurückkamen, sah ich die ödeste und verzaubertste Gegend, ganz fahl weiß im Mondlicht wie beschneit, unsäglich tot und unwirklich.

Mittwoch 13. September

Schöner Morgen, passierendes Schiff, nahe afrikanische Hügel in der Sonne glänzend, die Niederung gelb und rötlich in heftigsten Farben zwischen blauen und opalisierenden Wassern. Viele Quallen, zunehmende Farbenpracht, Suez Stadt und Hafen, dahinter goldbraun mit lila Schatten das schöne

1 Alte Schreibweise für das altchinesische Weisheitsbuch I Ging, das in deutscher Übersetzung (von Richard Wilhelm) erst 1923 erschien.

stille Gebirge. Abschied vom Kreis, Delbrücks, dem Ägypter, die in einem Boot wegfahren und in Quarantäne müssen. Abfahrt 2 Uhr. Fliegende Fische, wie Reihen von Talern aufspringend. Sinailand zart rosig, unwirklich, See leicht bewegt, am Sinaigebirg kühne Felshänge gegens Meer. Der Botaniker von Neuguinea an unsrem Tisch. Tee mit Frl. Delbrück. Abends höhere Wellen. Bei Frl. Schäfer drüben, von der ich erst jetzt erfahre, daß sie Konzertsängerin ist.

Donnerstag 14. September
Schon eine Woche an Bord. Das rote Meer bewährt seinen Ruf, es wird recht heiß. Früh Turnen. Vormittag an Deck mit dem Botanikerpaar. Zunehmende Wärme, Meer ruhiger. Durchfall, darum abends Rotweinkneiperei, im Smoking unerträglich heiß, nachts lang am Hinterdeck mit Frl. Delbrück, herrliche Milchstraße, um Mitternacht Whisky mit Sturzenegger und dem Petroleumbohrer,[1] der von Rumänien und Indien (Affen) erzählt. Ein im Übermut von ihm geschossener Affe schrie völlig menschlich, hielt sich mit der Hand an Ästen fest etc., ehe er herabfiel. – Heiße Nacht.

Freitag 15. September
Schon früh heiß. Turnen. Etwas Kater. Magenkrank. Beim Schiffsarzt. Der Tag wurde heiß, wir fahren und fahren, ohne je Land zu sehen, und liegen bei der Hitze wie tot herum. Dreimal sah ich heute Vögel, darunter 2 Schwalben, und vor Mittag fuhren wir durch eine große Schar Delphine, die hoch aus dem Wasser sprangen. Nachmittags litt auch Sturzenegger von der Schwüle. Ich schwitzte ohne Pause. Abends Suppe auf Deck. Mißglückter Versuch, irgendwo gemeinsam Mörike zu lesen. Rätselspiel.

Samstag 16. September
Tolle Hitze, alles erschöpft, ich aber wohler als gestern. Wenig Wind, der meist mit uns geht, nachmittags schwere glühende Schwüle. Gedrucktes Schundgedicht. Viele Möwen begleiten das Schiff. Vormittags Inseln: »Die 12 Apostel«, später mehrere andre, darunter eine, ziemlich nah, völlig pflanzenlos nackter Fels, zackig wie starre Lava, gelbbraun, glühend und

1 Vgl. den Geologen Stevenson in der Schilderung »Die Nikobaren« S. 15 ff.

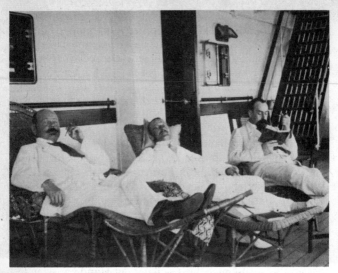

Hesse (Mitte), Hans Sturzenegger (rechts)
an Bord der »Prinz Eitel Friedrich«

verlassen, darauf öd und nackt ein roter Leuchtturm. Die Inseln meist wild und steil. Gelber Abend. Ich fand Müdispacher[1]. Herumliegende Schläfer müd und heiß, halbnackte Chinesen. Etwas Galgenhumor. Abends bis etwa 9 Uhr große Schwüle, Schleim auf Deck, mit Frl. Delbrück hinten auf dem Schiff, plötzlich kühlende Brise, Nähe von Aden. Bis Mitternacht knobeln um Bowle. Schöne Nacht.

Sonntag 17. September

 Kaum geschlafen, früh 3½ auf, Aden. Arabische Händler. Kinderphotographie. Knobeln. Schachturnier. Von Aden an noch heiß, doch leidliche Brise, Schiff etwas unruhig, viel fliegende Fische, schöne Wellen. Spiele, abends Tollen mit den Kindern. Sehr nett und lebendig die 4 Kinder Irraanzawal, das älteste Mädchen, etwa 10jährig, eine Schönheit, der Kleinste (Quico) reizend lieb und gutäugig. Gretchen, 11jährig, nervös

1 Aus Romanshorn stammender Direktor eines Elektrizitätswerkes bei Kuala Lumpur.

und wenig gesund, hängt schon an mir. Mariechen Kulsen, etwa 11 ½, dick, blond, nett, bequem, den gutmütig behäbigen Eltern gleich. Viele Schachniederlagen. Abends Schleim auf Deck. Wetter gut, doch wenig farbig. Aden mit steilem Felsberg tot und traurig. Abends Bowle mit Dichtspiel etc., ohne Stimmung.

Montag 18. September

Früh beim Verlassen des Golfs mehr Seegang, stärkere Schiffsbewegung. Rechts die afrikanischen Randgebirge und Abessinien und Somali ziemlich nah, steil mit schönen Formen und Abstürzen. Bald hoher Seegang, böse Schwankungen. Nur die Kinder merken es kaum, und bald lernen sie die stets entstehenden schiefen Ebenen flott zum Wagenfahren auszunützen und werden wild vor Vergnügen. Arrangements zu den Wettspielen. Kreidezeichnungen der Kinder, angeregte Laune an Bord, nicht ohne Galgenhumor. Die Französin liegt schon seekrank. Später viel Seekranke, prächtige große Wellen, bei Tisch mehr Stühle leer als besetzt. Ich blieb leidlich wohl und machte den Kranken den Hanswurst, war den ganzen Tag auf den Beinen. Sturzenegger wenig wohl. Das Meer aufregend schön und wild, kühler starker Wind, abends wärmer. Man prophezeit neue Hitze, wenn der Sturm vorbei ist. Tiefer Schlaf mit Veronal.

Dienstag 19. September

Wenig Wind, wärmer, See ruhiger, Leute wohler. Besuch bei Frl. Schäfer und den Missionsfrauen. Frau Böhmer noch leidend, Französin auch. Grauer, trüb verwölkter Tag. Nachmittags mit Delbrück vorn am Bug, Müdispacher dabei, viel fliegende Fische, die kleinen silbern in großen Scharen, die großen schön und pfeilsicher fliegend und schwimmend, oben ein großes dunkles, unten ein kleines gläsern bläuliches Flügelpaar. Violette Quallen. Sturzenegger Schachsieger. Scheffelbord-Spiel. Abends Smoking, Schach, Anekdotenstunde mit [Bädeker?].

Mittwoch 20. September

See ruhiger, die meisten Kranken erholt. Wettspiele, dabei reizend das Kinderwettlaufen. Frl. Delbrück unwohl. Ange-

Scheffelbord-Spiel auf dem Promenadendeck.
Zeitgenössische Darstellung von F. L. Bergen

regtes Leben an Bord, ich leider müde und ärgerlich, mit Magenweh. Schönes Wettrennen der Engländer, Kissenkampf, Apfelrennen etc. Fein lief Frau Böhmer. Abends beim Wein in II. Klasse.

Donnerstag 21. September

Krank. Fasten. Kopfweh. Arzt. Abends Maskenball, Saal und Deck dekoriert. Gute Kostüme: Amerikaner als Indianer, kleine Spanierin, Singalese als Koch. Thiele ausgelassen lustig, singt, dirigiert die Musik etc.

Freitag 22. September

Früh, etwas im Kater, Gespräch mit der Missionarin. Hitze. Abends erzählt Falkwitz von Texasjagden. Später wunderbares Meerleuchten, als sei die ganze Tiefe feurig und es bedürfe nur eines leichten Durchbrechens der Oberfläche, um das kühle grüne Feuer offenzulegen. Spät abends Frl. Delbrück wunderlich von der Nacht erregt, phantastisch tanzend. Morgens Ceylon. Schlechte heiße Nacht.

Samstag 23. September

Heiß. Gegen 10 Uhr Ceylon sichtbar. Nach 11 Ankunft Colombo. Hafen schön und weit, am Wellenbrecher riesige Brandungswogen. Besuch von Colombo, Falkwitz Führer. Die neue Stadt lebendig und hübsch, doch brutal europäisiert, toller kleiner Tempel mit hundertfiguriger Fassade, innen heilig goldene Dämmerung und nasale Dudelsackmusik. Herrliche Gärten, Bäume, Blütensträucher, erster großer Falter. Markt der Eingeborenen, Mangofrucht[1] saftig aromatisch, eine Art Mispeln, wässrig kühl. Von allen Seiten einstürmend bunter greller Orient, köstlich und märchenhaft, schöne dunkelbraune Menschen, die Frauen mit Goldplatten in den Nasenflügeln, bettelnde Kinder, die meine Hand mit kühlen Händen berühren, überall hohe Würde und Groteskerie nah beisammen. Fahrt mit Pferd ins Gall Face Hotel, am Meer, etwas kahl, toll elegant, englisches Billard mit Pertile, dann mehrstündige Rikschafahrt. Wundergärten, kleine Läden des Volks, große Anlagen, Spielplätze, Polospiel, Badeplatz, viel grellfarbige Trachten, weiße indische Soldaten mit Turban,

1 Tropische Pflaumenart.

schöne Männer, die Zähne rot von Betel. Das war der erste tropische Eindruck, stark und schön, grelles Gassenleben und dahinter stille heimelige Bungalows in schönen Gärten. Die Singalesen durchwegs sehr dunkel, leicht und zart gebaut, höflich, gern lachend, kindlich. Ankunft im Hafen eben noch zur Zeit, Übersetzen im nächtlichen Hafen in kleinem Boot mit primitiver Laterne, Löffelruder. Beim Gall Face Händler, auch mit Faltern und Käfern, doch zu teuer, Gaukler mit Cobra, Mungo und Zauberstückchen.

Abfahrt abends 8 Uhr, Dunkelheit, ich allein an Deck. Gleich beim Verlassen des Hafens heftiger warmer Wind, schöne Wellen, deren breite weiße Kämme in schwachem Meerleuchten brennen. Die 2 singhalesischen Offiziere Ilwardeina stiegen hier aus, einige neue Passagiere kommen. Abends saßen wir lang mit Gehrmann und Falkwitz.

Sonntag 24. September

Gottesdienst der Missionare. Rauhe See. Gegen Abend Scheffelbord. Magen etwas besser.

Montag 25. September

Schlaflose Nacht bei stark bewegter See, ewiges Rollen im Bett. Früh werden die Deckstühle wieder angebunden. Abends Cotillon[1], ich in der II. Klasse drüben, langes Gespräch mit dem Missionar. Je weiter ich ihm entgegenkam, desto mehr sah ich mich vom Kern des christlichen Glaubens getrennt.[2]

Dienstag 26. September

Heiß. Packen. Abends Ball in der II. Klasse. Bowle mit Falkwitz, Sturzenegger, Kulsens, Delbrück und andern.

Mittwoch 27. September

Trüber Regenmorgen, dunkel, fast kühl, dann bald schwüle Wärme. An Bord frohe Abschiedsstimmung. Nach Mittag kamen schöne baumbewachsene Koralleninseln in Sicht, dann die bergig schöne, großzügige Küste von Penang. Den Hafen erreichten wir etwa 4 Uhr, Abschied an Bord. Sturzeneggers

1 Tanz.
2 Vgl. die Erzählung »Robert Aghion« S. 278 ff.

Bruder, Tschudi und Suhl holten uns ab, leichter Regen. Im Rikscha durch Penang zum Hotel, vorher noch malayischer Schneider, Maßnehmen für weiße Anzüge. Das Hotel sehr weit. Jeder Gast hat Vorzimmer, Schlafzimmer, Waschraum, Badzimmer, viel bequemste Liegestühle, asiatischer Komfort, vor den Veranden Palmen und Meer, Riesenbett mit Moskitonetz. Die Stadt drollig elegant, eine Art Pseudorenaissance an allen Amts- und großen Kaufhäusern, die Chinesenhäuser einfach, leicht, hübsch. Abendessen im Hotel, wo Captain Heugh und viele von den Schiffspassagieren waren, dann kam Müdispacher, Gang im schönen Garten am Meer. Dann tolle Rikschafahrt durch die Stadt: überall brennendes Leben, Chinesen- und Malayen- und Hindustraßen. Läden, Handwerker, kleine Händler, vorwiegend Chinesen, Teehäuser, Spielhäuser, Dirnen aller Rassen. Chinesisches Theater europäisiert. Der perspektivisch gemalte Hintergrund, das Gestühl, elektrisches Licht, sonst in Musik und Handlung alles echt chinesisch. In der Musik nur das ewige Becken- und Paukenschlagen störend, das andre fein und delikat, etwas zirpend, mit einer stets wiederholten köstlichen Melodie, rhythmisch äußerst sicher und durchgefühlt. Die Spieler in strengem alten Kostüm, die Frau ganz beschminkt, mit sehr studierten rhythmisch streng gehaltenen Gebärden und Schritten, alles voll Stil und Ceremonie, das Sprechen nasal und mit einer Art maskenhafter Kopfstimme. Das Theater voll von Chinesen, Zopf an Zopf, vor den Frauengalerien schwebend Teeschenk mit Kupferkessel, Männer mit Früchten, Erdnüssen. Dann in ein malayisches Theater: Musik völlig europäisch, übler Opernstil, ein Mime sehr gut naturalistisch-komisch, schlechte Kostüme, Harmonium, alles variétéhaft, unsinnig herausgeschminkt und faustdick grell, mit viel Schießen. Die vielen Prachtkulissen von einem Chinesen Chek May gemalt, das Tollste von europäisch-gebildetem Ungeschmack, lächerlich grotesk. Denkmal 1. January 1910. Man spielte die Geschichte von Ali Baba, mit greulichen Schrecknissen in der Höhle etc. Alles ohne eigene Kultur, aber geschickt imitiert und oft gut gespielt, die Singstimmen grell und heiser. Guter Schlaf ohne Mücken.

Donnerstag 28. September

Während ich aufstand, erschien im Vorraum geheimnisvoll Tee, Brot und Bananen, danach aßen wir unten noch Eier etc., dann mit Sturzenegger ins Geschäft. Warm, doch kräftige Brise vom Meer. Einblick ins überseeische Geschäft, malayische, chinesische und indische Händler kaufen ein, chinesische Schreiber klug und still mit feinen zarten Händen und freundlichen Gesichtern. Der Import versaut den Osten mit Kleiderstoffen, üblen Tassen, Tellern, Schuhen, Whisky, Spielkarten etc. Einkauf von Buchbänden etc., im Rikscha heim. Vor der Hotelveranda alte Bäume, bewegtes hell braungrünes Meer mit schaukelnden Dschunken. Zum Dessert feine Frucht Mango, bräunliche Schalen, innen rosa, der eßbare aromatische Kern weiß.

Abends 4 bis 7 Uhr lange schöne Fahrt im Autobus, immer am Strand entlang: primitive Rohrhütten und Dörfer der Fischer etc., ich sah Schmetterlinge, viel Kokos- und einige Fächerpalmen. Büsche mit violetten und großen feuerroten Blüten, viel Farne und üppige Blattpflanzen, flacher feiner Sandstrand mit zerstreuten runden Felsblöcken. Rückweg am botanischen Garten mit Wasserfall vorbei. Später in der Stadt Plauderbesuch bei einem reichen hiesigen Händler (ein Klung) im Laden. Abend im Hotel bei Musik mit den Schweizern.

Freitag 29. September

Früh 6½ auf, kühl und regnerisch, trüb. Per Rikscha mit den 2 Sturzeneggers[1] bis zum Fuß des Penanghügels. Hier liefen ein Dutzend Kulis uns vor und nach, schöne Buben dabei. Wir nahmen einen als Träger mit und bestiegen in etwa 1½ Stunden den Hill (Cray Hotel), heißer Aufstieg, oben sehr kühl. Bad und Kleiderwechsel, Lunch und ein köstlicher Cocktail, sehr teuer (zu etwa 40 frcs.). Oben war es kühl und trüb, wechselnde Wolken, bald tiefer Nebel wie daheim im Gebirg, bald flüchtige blaue Ausblicke auf grüne Taltiefe und bläuliches Meer mit nebeldampfenden Inseln, das Hotel glich in dieser Witterung mit seinem leichten Holzbau ganz einer Paßherberge in den Alpen oder im Schwarzwald. Abstieg in der

1 Am 27. 9. 1911 waren Hesse und Hans Sturzenegger von dessen Bruder Robert, der damals als Kaufmann in Singapur tätig war, in Penang empfangen und auf ihrer weiteren Reise begleitet worden.

Selbstportrait des Malers Hans Sturzenegger

Mittagszeit nach Ayer Itam (black water) schwelend heiß im Dampf der fruchtbaren Täler, der Weg grün verwachsen, eng zwischen Farnwildnis, große edle Bäume einzeln stehend. Unterwegs fing ich meine ersten Tropenfalter, zuerst den ganz großen dunklen (Priamus? Nein), dann mehrere andre. Unten endete der Weg in grünen Kokoshainen, Dörfer darin, Schweine im Bach, vor den Hütten auf Tüchern trocknend Muskatnüsse. Chinesischer Tempel, groß und grotesk, neu und unedel, schön nur die 2 Tempelteiche, der eine voll von heiligen Schildkröten, der andre von Fischen, gleich jungen

Karpfen, die in Schwärmen zu Tausenden wimmeln. Dann tauchte mitten in der grünen Tropenwildnis plötzlich eine Trambahn auf, mit der wir um 3 Uhr die Stadt wieder erreichten. Kurzer Imbiß, Ruhe im Vorraum. Abends bei Tschudi. Am Abend sind die luftigen, durchsichtigen, erleuchteten Villen der Europäerstraßen gar hübsch, festlich und froh aus den weiten dunkeln Gärten schauend. Die Deutschen erzählten Handelsgeschichten. Japanische Händler seien ganz unmöglich, weil gaunerisch, chinesische besser, wie überhaupt hier die Chinesen als ernsthaft und arbeitsam gelobt und geschätzt werden.

Ich hörte viel Geschichte von gaunerischen Bankrotten etc., auch mehrere von Selbstanzünden versicherter Läden, wobei nur die vom Täter mit Petrol begossenen Kisten etc. verbrannten und ihn verrieten. Sturzeneggers Bruder erzählte lustige Sachen aus ihrer Kinderzeit.

Samstag 30. September

6 Uhr auf, Bad, fertig Packen. Abfahrt nach Ipoh, erst im Dampfer ans Festland hinüber, französische Missionare dabei, dann per Bahn in 5 Stunden nach Ipoh. Anfangs ziemlich eben, viele Rubberpflanzungen, Urwaldrodungen, friedliche Kampongs (Dörfer) mit großen trägen Wasserbüffeln, die sich im Sumpf wälzen und deren manche schwärzlich grau, manche seltsam rosarot sind. Dann ansteigend durch schönes Bergland, wenige Tunnels, gegen Ende recht heiß. Herrliche Vegetation, Riesenbäume, grellrot blühend üppige Schlingpflanzen. Schließlich eine schöne, ganz phantastische Landschaft: die Berge hegau-artig einzeln aufschießend, meist dick bewaldet, zum Teil wild felsig und zerklüftet mit vielen Höhlen. Marmorbrüche. Ankunft in Ipoh heiß und ärgerlich: Sturzenegger hat 2 Koffer verloren, peinlicher Nachmittag. Schwül, nahe Gewitter, müde. Sturzeneggers Bruder hat Geschäfte, wir zwei besehen später die kleine Stadt ohne viel Reiz mit neuen, zum Teil protzigen Chinesenstraßen, kahlen people's garden, braunem Flüßchen. Herrliche, schwere Gewitterhimmel mit dicken Regenstrichen über den steilen Bergen, Messerkauf mit einem Chinesen, Badende im Fluß. Abends nochmals eine Stunde im Rikscha unterwegs, die Stadt bei Licht lebendiger und weniger nüchtern, die schwarzen Berge ringsum

mächtig. Vergeblicher Gang zur Bahn. Beim Abendessen halbe Wiederherstellung des Humors. Nachher Kinematograph: gedrängt voller, sehr großer Raum, Publikum von Ungeduld pfeifend und tobend, später viel lachend und klatschend. Üble europäische Filme, von trotzdem befriedigtem Volk nur halb kapiert, das Ganze begleitet von einer kleinen Musikband (europäische Musikfragmente von Malayen gespielt), die mit vielen Verirrungen und zaghaften Angstpausen miserabler und rührender spielte als irgendeine kleine, hilflose, besoffene heimische Dorfmusik. Nachts im Hotel ein schwer bezechter Engländer. Schlaf mit Veronal.

Sonntag 1. Oktober

Heißer Morgen. Keine Koffer. Szene mit Sturzenegger, daß man doch nie Geduld lernt! Kurze Falterjagd in heißem Gestrüpp. Alles arbeitet; kein Sonntag. Mittags 1 Uhr Abfahrt nach Kuala Lumpur. Viel Rubberplantagen, neben jedem Baum ein kleiner Pfahl mit einem kleinen Becherlein. Stundenlang durch Urwald, öde Rodungsgebiete mit Feuern, roter Sonnenuntergang. Beim raschen Fahren brach ein Stück aus der Wagenwand und fiel mir aufs Bein, beinahe Unglück. Sonst sind die Züge schön und bequem, 1. Klasse in jedem Coupé 4 breite Ledersitze, deren 2 zusammen ein Bett bilden können. In Kuala Lumpur neuer nobler Bahnhof, schneeweiß, Moscheestil, erster Eindruck der Stadt elegant, wohlhabend, schön gediegen. Feines Hotel Empire, teuer, äußerlich imponierend, doch nicht gut, Kost und Bedienung schlecht, in den Zimmern ungeleerte Nachttöpfe etc. Sturzenegger bekommt seine Koffer wieder, was die Stimmung sehr hebt. Abendliche Rikschafahrt durch die belebte Stadt, des Sonntags wegen ist kein Theater (waiong[1]), sonst alles tätig. Da und dort chinesische Musik, zuweilen mit Gesang, stets eine Wiederholung derselben Melodie mit winzigen Variationen, rhythmisch äußerst kompliziert und sicher. Kleines Privatfest bei einem Chinesen: in der kleinen Vorhalle kauernd 5 Musiker, immer alles sehr hell erleuchtet. In jedem Chinesenhaus, auch in den Bordellen, ein Hausaltar mit Lichtern und Goldglanz, dem Eingang gegenüber. Bäcker und Schuhmacher in den offenen Läden an der Arbeit, meist nackter Oberkörper. Die Chinesen

1 Javanisches Schattenspiel

sieht man fast ohne Ausnahme einfarbig und geschmackvoll gekleidet, den Kuli mit kurzer Hose und vorn offenem, ärmellosen Jäckchen, meist blau Leinen, andre Chinesen viel in schwarzen, glänzenden, weiten Hosen, stets gut aussehend. Ich unterscheide 2 Chinesentypen: der eine dicklich, mit klugen bequemen Komikergesichtern, der andre hager, alle gescheit und meist sympathisch, die Rikschakulis kindlich rührend, gern lachend, mit guten Augen. Wir sahen einen Shiwatempel mit Gottesdienst, Vorbereitungen zu einer Prozession: geschnitzte moderne Tierfiguren mit Schmuck etc., darunter ein richtiger Karussellgaul. Später Billard im Selangor-Club. Nacht ohne Moskitos, doch lärmig.

Montag 2. Oktober

Öffentlicher Garten, sehr schön. Darin reiche Blumenbeete, voll von Faltern. Ich fing einige, doch war mir früh beim Rikschafahren mein Glas zerbrochen.[1] Bedeckter Himmel, schwül. Essen mit Müdispacher, dann alle per Bahn nach den Batu-Höhlen, steiler Treppenaufstieg, 2 große herrliche Höhlen, besonders die erste, größere äußerst phantastisch, wohl 35 Meter hoch, mit wilden Tropfsteingehängen wie groteske Skulptur. Blaue Schillerfalter. Müdispacher erzählt von Hunden und Jagd, einem hohen englischen Beamten seien neulich auf einer Jagd 12 europäische Hunde zerrissen worden, deren jeder gegen 200 Dollars wert war. Zauberflötenhöhle, an den Wänden wie bei uns die Namen naiver Besucher, darunter sehr schöne, kunstvolle chinesische Inschriften. Langer warmer Rückweg, einige Meilen mühsam zu Fuß, der Rest Rikscha, durch schöne Rubber-Estates und Tamildörfer. Naive Gerichtsszene: der Manager eines Estate verurteilt auf der Straße einen Tamilburschen (Kling) wegen eines kleinen Vergehens zu Prügeln, die er alsbald von seinen Kameraden kriegt. Die Tamil sind sehr dunkel bronzefarben, oft mit schönem langem glänzend schwarzem Haar, die Weiber tragen all ihr Vermögen in Gold als Schmuck an sich, in Ohren, Nase etc.; sehr hübsche blitzäugige Kinder. Vergnügter Abend, 8½ Abfahrt im Zug, schöner Speisewagen, bequemes Bett auf 2 Sitzen, doch kein Schlaf zu finden, schnarchender Holländer, Moskitos.

1 Glasgefäß, in welchem die Falter vor dem Präparieren chloroformiert werden.

Dienstag 3. Oktober

Früh etwa 6 Uhr im Zug auf, etwa 7 Uhr Ankunft in Johore, schön am Wasser, im Trajektboot rasch über den schmalen Meeresarm, heißer Morgen, nach 8 Ankunft in Singapur: Insel nur kleine Hügel, viel Jungle und Sumpf. Nach 8 Uhr in Singapur, heiß, müde. Den ganzen Nachmittag Packen, dann abends 5 noch schöne Fahrt im Auto durch rote Straßen und Kokoswald ans Meer, Hütten am Wasser, Chinesendörfchen, überall Kokospalmen. Viel Chinesen in Rikschas unterwegs; die sonst sehr sparsamen Chinesen haben, außer dem Hasardspiel, auch eine Leidenschaft dafür, abends in Rikschas spazieren zu fahren. Den Abend verbrachten wir im malayischen Theater: ähnlich wie in Penang, doch weit besseres Spiel. Ein modernes Ehe-Rührstück, mit vielen kitschigen Gesangseinlagen. Schöne junge Malayin mit herrlichem Gang. Musik schlecht europäisch: 1 Klavier, 1 Baßgeige, 1 Horn, 1 Klarinette, 3 Geigen. Das ganze lustige Zeug wurde durch eine merkwürdige Rolle bedeutend. Es war da ein weiblicher Hanswurst, in schlechtem schwarzem Kostüm, weiß geschminkt, auf der rechten Wange schwarzer Herzfleck, Mund grellrot gemalt. Diese Schauspielerin, deren Rolle eine populär possenhafte war, ging in grotesker Komik, meist improvisierend, ins Geniale. Oft war sie einfach Clown, oft parodierte sie plötzlich die Sentimentalität der Handlung, sichtlich ganz dem momentanen Einfall folgend. Eine sehr magere junge Frau mit ausdrucksvoll herbem Profil und überintelligenten, wachen, überlegenen Augen. Oft saß sie lang, ganz außerhalb des Spieles, allein abseits im Vordergrund am Boden und sah kühl und unheimlich gescheit im Haus umher, dann griff sie spaßhaftgrotesk in die Handlung ein, ein paar schlagende Worte oder Gebärden hinwerfend, oder inaugurierte grimassenhaft das Orchester. Den Hornisten brachte sie einmal, offenbar echt, so zum Lachen, daß er ins Schwanken kam und aufhören mußte. – Bis Mitternacht Whisky im Singapur-Club, mit dem Blick aus der schönen Halle aufs Meer. – Die Ortsnamen und Inschriften auf den Bahnhöfen sind viersprachig: Englisch, Malayisch, Tamil (kling) und Chinesisch. Chinesenhäuser meist heftig waschblau.

Mittwoch 4. Oktober

Vormittags Bank etc., mittags Abreise nach Sumatra in großer Hast mit unsern 15 Gepäckstücken. Unser Boot wurde angefahren, das andre Boot trug ein großes Loch davon. Behagliches holländisches Dampferchen »Brouwer«, etwa wie ein Bodenseeschiff, wir 3 die einzigen Gäste I. Klasse. Kartenspielende Chinesen, malayische Bedienung, eine Chinesin mit so sehr verkleinerten Füßen, daß die ihres etwa 2½ jährigen Bübchens größer sind als ihre. Wundersame Fahrt im hellgrünen Meer zwischen Hunderten von Inseln und Inselchen, viele mit roten Felsen, alle bewaldet. Abends bei Sonnenuntergang verrichtet ein graubärtiger Mohammedaner mit rotem Turban aus der III. Klasse lang und feierlich seine Gebete und Verbeugungen. Zutrauliche Schiffskatze, schwarz mit weißen Flecken. Äquator. Die Brüder Sturzenegger treiben malayisch und holländisch. Abends stellt sich der Kapitän und der erste Offizier vor, nette freundliche Holländer, die mit uns auf Deck im Frieden die Mahlzeiten nehmen. Schöner Abend, teilweise sternhell, ruhig, trotz angenehmer Abkühlung durch Brise und ferne Gewitter beständig leises Schwitzen, auch die Nacht durch.

Donnerstag 5. Oktober

Früh gleich nach 6 Uhr, als ich aufstand, fuhren wir gerade in die braune Flußmündung hinein und kamen in langsam vorsichtiger Fahrt (nur bei Flut möglich) nach 7 Uhr in Tonkal an. Im dicken braunen Wasser kleine Aale und andre Fische, Besuch auf der Kommandobrücke. Halt in Tonkal, wo viele aus der III. Klasse aussteigen. Einer Malayenfamilie mit 4 Kindern hatten wir bei der Morgentoilette zugesehen, Frisieren, die Kleinen mit Halsperlketten, silbernen Fußspangen etc., die Natives sind alle sehr nett mit ihren Kindern. Es kamen ziemlich viele Boote, meist spitze schmale Einbäume, von 2 Leuten mit ganz kurzen Löffeln völlig aus freier Hand gerudert. Es kam auch der einzige Europäer des Orts, ein junger holländischer Beamter. Frühstück mit den Offizieren. Tonkal ist ein Dorf am Fluß, sichtbar nur etwa 25 Hütten, lauter Pfahlbauten, alle durch einen hohen schmalen Laufsteg verbunden, unten Schlamm, Hinterland Kokospalmen, das übrige Flußufer dick bewaldet. 10 Uhr Abfahrt, Meer spiegel-

glatt, von hellgrünen Pflanzensamen bedeckt. Fauler Vormittag mit Herumliegen. Großer Wolkenhimmel. Etwa 12 Uhr fuhren wir in die Strommündung ein und fuhren auf dem breiten Wasser zur Flutzeit durch überschwemmten Wald mit einzelnen Fischerhütten. 2 Uhr hielten wir 1½ Stunden in einem stattlichen Kampong[1], an beiden Ufern gelegen, wurden von Booten aller Art umringt und nahmen Waren und viele Passagiere auf. Wundervoll ist die Geschicklichkeit der Natives[2] im Rudern, viele haben als Ruder nur ein abgeschnittenes Palmblatt. Rudernde Chinesen hockten ohne jeden weiteren Halt sicher auf den Fußsohlen im schwankend hohen Bootsende und ruderten freihändig so stark und flink wie mit Hebelkraft. Die kleinfüßige Chinesin im knallblauen Kleid mit den ebenso wild-farbig gekleideten Kindern stieg hier aus, sie vermag auf ihren Stöckchen kaum zu gehen. Bei den Kampongs kleine Strecken Kokospflanzungen, sonst ununterbrochen Urwald, oft riesige Bäume, oft wirres Farn- und Kräutergewimmel. Da und dort Natives auf Bötchen unterwegs, zuweilen mit Segel. Der Fluß heißt Batang Hari. Zwei-

1 Malayische Bezeichnung für Siedlung, Ortschaft.
2 Englische Bezeichnung für Eingeborene.

145

mal große und häufig kleinere stille Nebenflüsse. Abends ein Riesenfalter, einen kleineren fing ich. Das Schiff hielt in der Dämmerung, und es erschien plötzlich ein neuer Passagier, mit dem ich die Kabine teilen sollte. Hiese aus Ulm, mit schwachen Resten schwäbischer Aussprache, ist seit 16 Jahren draußen, spricht fließend Holländisch, noch besser und lieber Malayisch und Javanisch. Er lobt Land und Leute seiner Gegend sehr, verachtet die Europäer, die er fast alle für Gauner erklärt, und lebt allein unter Natives, Tigern, Schlangen, Krokodilen, von denen er erzählt – unter andrem, daß hier bei Hochzeiten die Braut feierlich auf einer großen Waage gewogen wird. Der Kapitän gesteht, er habe seit langer Zeit nimmer soviel Kajütenpassagiere gehabt (wir sind 4). Nächtliche Fahrt durch den Urwald bei halbem Mond im Gespräch mit dem Ulmer, einem großen, grob hübschen, sympathischen Mann mit komisch kleinen, zierlich kurzfingrigen Händen. Schlaflose Nacht.

Freitag 6. Oktober

Nachts 1 Uhr blieben wir unterhalb Djambi liegen und konnten des Wasserstandes wegen nicht weiter. 7 Uhr holte uns Herr Hasenfratz[1] ab, Fahrt im kleinen Boot 1 Stunde nach Djambi, wo wir seine Gäste sind. Todmüde. Einfahrt in Djambi an Fischer- und Handwerkerhütten vorbei, die auf Flößen aus Baumstämmen oder Bambus schwimmen, überall Katzen, häufig geflochtene glockenförmige Vogelbauer aus Bast oder Rottang, meist mit Waldtauben. Auf dem Floß vor jedem dieser Wasserhäuschen ein rührendes winziges Gärtchen und ein paar Blattpflanzen und Topfblumen in alten Blechdosen. Im Innern dieser Hütten manchmal ganz moderne Möbel: in einem sah ich ein Renaissance-Buffet und eine Regulator-Uhr. Hasenfratz' Bungalow am Fuß des kahlen Parks, liebe nette Frau und Mädchen (Yolantha). 6 reizende ganz junge Alligatoren, etwa 1 ½ bis 2 mal handlang, in einem Wasserbecken; drolliger schwanzloser Affe. Üppiges Frühstück, draußen beginnende Hitze, Besuch beim Kontrolleur und beim Residenten. Djambi hat etwa 12 000 Einwohner, schöner breiter Fluß, ringsum Wald, kleine Hügel, alles grün,

1 Louis Hasenfratz, vermutlich ein Freund der Brüder Sturzenegger, Kaufmann und Versicherungsagent, an der Eisenholzgewinnung der »Djambi Maatschappji« bei Pelaiang beteiligt.

ziemlich heiß, doch gutes Klima. Die Händler sind, außer Hasenfratz, hier wie überall meist Chinesen, ebenso die meisten Schiffer, unter denen man gewaltige, athletische Menschen sieht. Yolantha singt drollig für sich eine Menge deutscher Lieder halbrichtig, lustiges Baby. Vergebliche Schlafversuche. Vor dem Haus schöne große Bambus-Büsche. Abends 5 im leichten Regen, der wohlig abkühlt, Spaziergang, Besuch des europäischen und eines chinesischen Ladens, in letzterm bewunderten wir die sinnvoll einfache hölzerne Rechenmaschine[1], die der Kaufmann mit äußerster Behendigkeit handhabt, und die schöne dekorative chinesische Schrift in den sehr sauber geführten Geschäftsbüchern. Der Mann führt alle Waren, schöne und auch üble europäische Sachen, und hat 15 Angestellte. Gang am hohen Ufer, das der Fluß bei Hochwasser stets ausfüllt, wo er gegen jetzt um volle 5 bis 6 Meter steigt. Der niedere Wasserstand wie jetzt, wo die Dampfer nicht ganz bis Djambi fahren können, ist nur etwa 3 Monate im Jahr. Schließlich noch bei stärkerem Regen kurzer Besuch im Junggesellenhaus des Kontrolleurs, daheim Bad, die andern gehen zum Club, ich zu müde. Auch hier, wie seit Penang überall, an allen Wänden der Häuser die hübschen kleinen rosig-grauen Eidechsen, die fleißig Fliegen und Motten fangen, zwischenein fröhlich laut schnalzen und zuweilen im Kampf mit größeren Insekten herunterfallen. Große Gastlichkeit, liebe Menschen, auch die holländischen Beamten nett. Der Kontrolleur und der Leutnant kommen abends, nettes Dinner nach 9 Uhr, sehr vergnügt. Schlaf bis 6 Uhr mit Veronal.

Samstag 7 Oktober

6 Uhr auf. Beim Bad erscheint stets im offenen Giebel der Hütte der Affe mit seinen langen Armen und seinem kleinen schwarzen, vom weißen Bart umrahmten Gesicht, versucht auch etwa einem die Kleider zu stehlen. Es hat die halbe Nacht geregnet und ist noch grau. Vor den Fenstern ein Baum mit wenigen gefiederten, weißen Blüten, intensiv süß duftend, Japacca, die Blüten stecken sich die Malayinnen gern ins Haar oder legen sie zwischen die Wäsche. Die Natives sind hier gegen alle Weißen sehr respektvoll. Vor Tisch Bummel mit Sturzenegger, Libellen im Sumpf, hübscher kleiner Tempel bei

1 Abacus.

147

Brücke. Mittags 12½ Aufbruch unserer Expedition[1]: Hasenfratz, die Brüder Sturzenegger und ich. Wir haben Matratzen
und Bettzeug, Flinten, Brot, Eßkisten und jeder einen Koffer
mit. Wir fahren auf dem kleinen chinesischen Raddampfer,
der jede Woche etwa 3 Tagreisen flußaufwärts fährt, und
haben das kleine Heck für uns. Zu beiden Seiten Busch und
Wald, zuweilen Kampongs, die man auch hier von weitem an
den Kokospalmen erkennt. Nackte und halbnackte Kinder,
manche badend, eine große Büffelfamilie im Wasser. Flußab
fahrende kleine Bötchen mit Rottang. Schöne einzelne mächtige Bäume: Rengasbaum, hoch, fast wie Eiche, Kapokbaum
(aus dem man Bastschwimmgürtel etc. macht) mit starkem
weißem Stamm, die Äste alle gerade und horizontal, stilisiert
regelmäßig, sehr spärlich belaubt, sieht japanisch aus. Die
mitreisenden Natives haben alle Matratzen etc. mit, liegen
schlafend auf Deck. Einer verrichtet sein langes Islam-Gebet,

1 Flußdampferfahrt von Djambi nach Pelaiang (kleine Siedlung mitten im
Urwald)

mit 16 verschiedenen Körperstellungen, dann liegt er lang und singt halblaut, melodisch klagend und monoton, aus einem arabisch gedruckten Büchlein. Haltestelle, wo Ziegel eingeladen werden. Unser Schiffchen hat 2 Verdecke, auf dem obern die Passagiere, unten stehen viele junge Paranuß-Pflanzen in Kistchen. Waringabäume, sehr hoch, weite runde Kronen, oft wie Linden. Schöner Abend, fast voller Mond, Wetterleuchten. Ich schlief an Deck neben den Chinesen, die 3 andern hinten im Verschlag.

Sonntag 8. Oktober
Früh 6 Uhr auf, Toilette, Zähne mit Sodawasser, Kaffee. Halt an einem großen Kampong, der 4 Dörfer vereint. Sung Baoeng, Duson Aro, Muara Singuan. Wir stiegen aus, lang über Floßbalken und schwanke schmale Bretter ans Land. Dorf Olak; unser Ziel Pelaiang. Wir durchliefen und besahen die Niederlassung, stets eng begleitet von einem stillen Chinesen in grauer englischer Mütze, der unsre ganze Reise nur als Spion der chinesischen Konkurrenzfirma mitmacht, gelegentlich höflich zur Verfügung steht und nie von uns weicht. Ich sah Kokospalmen, einzelne Kaffeebäume, Mango, Kapokfrucht und Wolle, dressierte Affen, die die Kokosnüsse herabholen, wir sahen einen: er lief rasch den Stamm hinauf, an einer Schnur befestigt, hielt sofort bei den grünen Früchten und wurde durch Zurufe und Schnurziehen zu einer reifen geleitet, die er nun durch beständiges Drehen um den Stiel löste und fallen ließ. Dies besorgt nur eine bestimmte Art Affen, wie Meerkatzen, grüngrau, mit winzigem Schwanz. Wir traten auch in ein Haus und ließen's uns zeigen, es war die Hütte eines Wohlhabenderen, auf Pfählen, eine Holzstiege führt hinauf, nur 2 Räume: den offenen Vorraum (Veranda) und den großen kahlen Wohnraum, mit feinen, schönen, reinen Bastmatten ganz belegt, darin ein ganz riesiges Ehebett mit einer Masse brokatgeschmückter und gestickter Kissen, das Hochzeitsprachtstück, ebenso von der Hochzeit her vergoldete künstliche Blumensträuße an den Wänden. Primitive Reismühle. Ich kaufte hier für 10 cts. eine als Wasserflasche bearbeitete Frucht, unten am Ufer ein Käfig, der zum Fangen von Vögeln dient. Überall in Käfigen Wildtauben oder Wachteln. Aufwärts wundervolle Flußlandschaft, der Strom stets in Windun-

gen, erhöhte Ufer, mächtige Bäume. An Deck ist ein junger Schneider (tukandjahit), der eine Naumann'sche Nähmaschine auspackt und arbeitet. Gegen 11 Uhr Ankunft in Pelaiang; feines Häusl auf Pfählen, Wände aus gespaltenem Bambus und Palmblättern, Tisch aus Eisenholz fabelhaft schwer. Das Bungalow liegt schön, dicht am Urwald überm Fluß, gleich hinterm Haus riesige Waringabäume. Noch vor Tisch Falterjagd: grüner Riesenschmetterling, den ich aber nicht bekomme. Pelaiang ist ein ganzer kleiner Kampong, über 100 Leute, lauter Kulis der Djambi Matschappy, auch ein kleiner chinesischer Kaufladen da. Bei Tisch half ein chinesischer Kuli servieren, er trug den langen Zopf zierlich aufgesteckt, weil das Langhängenlassen desselben in unsrer Gegenwart respektlos wäre. Im Urwald überall ohne Pause vielstimmiges Getön großer Insekten, sehr viel Vögel. Ein schwarzes Eichhörnchen mit weißem Bauch und roten Vorderbeinen, andere kleinere braune in Mengen. Erste Stunden allein im Urwald, ich sah unerreichbare große Falter und gegen Abend ein ganzes Affenvolk, hoch oben mit Getöse und mächtigen Sprüngen in den Ästen wandernd. Unser Wirt Hasenfratz sehr lieb und sorglich, wir haben gutes Essen, Bier, Weine, Sodawasser, Schnäpse mit. Sein Koch ist ein Chinese, von einer Insel bei Hong Kong, hat seit Jahren seine Familie dort leben und verlor neulich seine Frau. Er hat in Palembang über 150 Gulden auf Zinsen ausgeliehen. Mondabend. Nächtlicher Insektengesang. Kurzer, doch guter Schlaf.

Montag 9. Oktober

Halb 6 Uhr auf, der Fluß ist über Nacht um fast 1 Meter gestiegen, gelb und voll Schaum und Holz. Nach 7 Uhr Aufbruch, 4 Stunden hin und zurück, der Bahn nach durch den Wald, riesiger Yeloton-Baum 35 Meter hoch, Schleppen der Eisenholzbalken aus Schluchten herauf am Drahtseil mit großen Winden. Dann allein noch eine Stunde an den Falterplatz, den ich morgens entdeckt; völlig erschöpft 12½ Uhr zurück. Bad, Essen mit zuviel Wein, worauf die andern schlafen, indes ich mit Hasenfratz nochmals in den Jungle gehe, 2 Stunden, diesmal ohne Weg durch dick und dünn, äußerst anstrengend. Ich schieße auf einen großen Nashornvogel, den ich leider fehle. Kurz vor der Heimkehr Ausbruch eines Gewitterregens,

der uns in 2 Minuten völlig durchnäßt. Sehr müde, Kopfweh. Stundenlang heftiger Regen. Schlaf mit Veronal.

Dienstag 10. Oktober

Nach 6 auf, kalter Nebelmorgen. Abfahrt der mit Eisenholz beladenen Prauwen. Alles trieft, die Zündhölzer gehen nicht an, ich gehe fröstelnd in nassen Kleidern aus. Dann Sonne, von 8 bis 12 Uhr heiße Falterjagd mit viel Enttäuschungen. Mein Hauptjagdplatz: ein Tal von etwa 1000 Meter Länge, ½ Stunde vom Haus, ehemalige Reispflanzung der Natives mit Kampong, der nun bis auf 2 Hütten leer steht und zerfällt, die Pflanzung ist jetzt wilder Busch und teilweise zugänglich. Es begleitet mich häufig rührend, doch störend ein Malaye mit Bub. Daß ich seine Sprache nicht verstehe, begreift und glaubt er nicht. Er zeigt mir vorbeifliegende Falter, und ich soll sie fangen, dann sieht er mit Interesse meinen Sprüngen zu und grinst und ruft ooo, wenn ich sie verfehle. Mittags im Kampong beim trüben Entensumpf immer viel grüne große Falter, wie Schwalbenschwänze, spielend. – Die »Djambi-Matschappji«, deren oberster Manager Hasenfratz ist, hat in dem eben erst pazifizierten Djambigebiet die ersten Kulturunternehmungen kürzlich begonnen: zunächst das Kappen, Bearbeiten und Verschiffen von Eisenholz, Balken bis zu 20 Meter

151

Länge und 40 cm Dicke, deren jeder einige hundert Gulden wert ist, das meiste geht an Schiffswerften. Nachmittags aus, vor 4 Uhr wieder Platzregen. Gegen 5 fuhren wir ohne Sturzenegger, der zum Zeichnen blieb, in der schlanken Prauw eine Stunde lang flußauf, wunderbarer abendlicher Fluß mit märchenhaftem Baumufer, die großen Bäume alle voll Affen. Wir hatten Flinten mit, ich schoß eine große Waldtaube, Hasenfratz auch eine. Heimfahrt in der Dämmerung, bald nach 6 schon Nacht. Die Tauben andern Tags zum Frühstück.

Mittwoch 11. Oktober

Nebelmorgen wie gestern. Erfolglose Jagdfahrt im Boot 3 Stunden, dann heiße gute Falterjagd. Warten auf das Schiff. Das Dampferchen kam nach Tisch, etwa halb 3 Uhr, und wollte gleich weiter. Wir befahlen aber einen Halt bis 5 Uhr, und ich ging, nachdem ich gepackt hatte, ruhig noch 1½ Stunden auf die Schmetterlingsjagd. Gewitter. Kurz vor 5 Abfahrt. Pelaiang ist der erste Ort, auf dieser Reise, der mir sehr gefiel und wo ich gern noch lang geblieben wäre. Malayenfamilie an Bord: 2 Frauen und 3 Kinder, ein hübsches dunkles lockiges Mädel dabei mit silbernen Armspangen, alle Kinder in Hemdhosen; sie haben allen Komfort bei sich, essen auf einer Matte, waschen sich dann die Hände und die Frauen

152

zünden Zigaretten an. Regen und Gewitter, früh dunkel. Der gute dicke chinesische Koch Gomok sorgt stets treu und lächelnd für uns, kocht brillant. Wir hatten 19 Flaschen mit lauter verschiedenen Drinks auf dem Tisch.

In Südsumatra heißt ein kleiner Laden (Bude) Warong, ein großer Toko. Abends nach Anzünden der Laternen wildes Gewimmel von Millionen Eintagsfliegen. Saufabend. Nachts langgezogenes Singen der Arbeiter: tiga puloh, tiga puloh dua etc., beim Laden von Holzscheiten. Äußerst phantastisches Nachtbild. Ich schlafe wieder bei den Natives auf dem Hauptdeck, großer Gestank. Fackelträger auf der Königstreppe. Stockfinster, rätselhaft wie der Schiffer fahren kann. Erregte Nacht fast ohne Schlaf auf dem halbdunklen, halbblau wimmelnden Verdeck, nackte Chinesenfüße an meinem Kopf vorbei, sich aufrichtende Schläfergestalten, zuweilen zündet einer eine Zigarette an. Mondschein. Früh vor 3 Uhr in Djambi an, halbtot. Das lockige Malayenkind im Hemd kommt und sieht mich lang an, die Kulis beginnen zu packen und auszuladen, die Brüder Sturzenegger können auch unter diesen Umständen weiterschlafen. Laterne, draußen grünes Mondlicht, Djambi lautlos traurig.

Donnerstag 12. Oktober
 Früh im Schiff wach, schöner sonniger Morgen. Müde Heimkehr zu Hasenfratz' Haus, Kaffee, Yolantha. Schlimmer Tag. Umkehrentschluß. Abend im Club. Seltsam der Abschied nachts auf der Gasse: das Trüpplein Europäer unterm Nachthimmel zwischen den Hütten.

Freitag 13. Oktober
 Schwerer Schlaf mit Veronal, nicht erfrischt.

Samstag 14. Oktober
 Gegen Mittag mit Sturzenegger überm Fluß. Heiß, erfolglose Falterjagd. Abends 5½ Abfahrt, ganz Djambi festlich zuschauend am Ufer, alle Beamten etc. kamen noch plaudernd und Abschied nehmend aufs Schiff, auch Frauen und Kinder. Soldaten an Bord, bei der Abfahrt Gesang. Bedienung miserabel. An Bord mit uns Ehepaar Schlimmer, Ingenieur Beckmann, das Schiff ganz voll. Hasenfratz, mein Kabinengenosse,

schläft auf Deck, so hatte ich allein eine leidliche Nacht und einige Stunden Schlaf. Das Schiff heißt De Kock.

Sonntag 15. Oktober

Früh blieben wir einige Stunden an der Station oberhalb der Flußmündung liegen, auf die Flut wartend. Grauer wolkiger Morgen, später silbern stiller Regen, die nassen Waldufer zart graugrün, erst von Mittag an warm und schwül. Das Meer ölglatt, fern immer die unendliche niedere Waldküste von Sumatra. Ich lese Macaulay[1] und bin gespannt, ob ich in Palembang Post finden werde.

Montag 16. Oktober

Erwachen nach wenig Schlaf in grauer Nebelfrühe 5½ Uhr, Krokodilinsel, Ankunft in Palembang, Hotel (heißt hier ru-mah-makan = Haus des Essens). Keine Post! Lange Fahrt durch die phantastisch malerische Pfahlbau- und Wasserstadt, Gang durch den üppig bunten, furchtbar stinkenden Bazar. Die Stadt liegt beidseitig am großen, stark befahrenen Fluß und den zahllosen kleinen Zuflüssen, über lauter Sumpf, bei Ebbe ist alles starrender, giftig stinkender Dreck, in den außerdem alle Abtritte etc. münden. Die alten Sultangräber draußen in grüner Wildnis mit ruinenhaften Portalen und Mauern von herrlich schöner Backsteinarchitektur.

Ziemlich heiß. Hinterm Hotel, wo Gomok für uns kocht, Seitenkanal mit lebhaftem Gondelverkehr. Überall schwimmende Haufen von wildem, fettem Sumpfgekräute, an dem die Enten herumbeißen. Brief von Mia. Magenweh, entzündete Augen. Abends 1½ Stunden Fahrt im Motorboot flußab und -auf, der ganzen ausgedehnten Stadt entlang, höchst reger Wasserverkehr überall, viele Flöße, worauf unter Bambus-schutzhütten die Baumwollernte vom Oberland kommt, die Leute liefern die Baumwolle ab, verkaufen das gute Bambus-material der Flöße und kehren ohne alle Last heim. Am Ufer der »heilige Baum«, ein ganz majestätisch alter Warunga-baum, malerische Hütten dabei. Bild an Bild unerschöpflich: am jenseitigen Ufer auf Flößen schwimmende Kaufläden der Chinesen, alle sauber bunt und manche fast elegant. Weiter

1 Thomas B. Macaulay (1800-1859) engl. Politiker u. Historiker, 1834-38 Gouverneur in Indien.

154

draußen Wohnungen Ärmerer: ein altes blättergedecktes Schiff auf ein Floß gestellt, nackte Kinder überall, Prauwen elegant gerudert. Fast alle Ziegeldächer haben in siamesischer Art als Schmuck aus Mörtel nachgebildete Büffelhörner, zu dreien oder vieren geordnet:

Landen bei tiefer Dämmerung, kurzer Besuch bei Herrn Kiefer, mit dicker drolliger Halfcast-Frau. Mein Unwohlsein, obschon ich's über der Menge heftig einstürmender Bilder oft vergesse, erscheint mir namentlich das Ertragen des intensiven Gestanks, der mich bis ins Hotelzimmer verfolgt. Im Strom wird wenig gebadet, der Krokodile wegen, sonst aber badet jung und alt, taucht und schwimmt in der braunen Gülle der kleinen Kanäle.

Abends nach Tisch, wo die andern wieder Post erhalten hatten, wollten wir in eine Oper gehen, doch wurde nicht gespielt, und wir machten statt dessen eine Rikschafahrt. Unterwegs hielten wir uns eine gute Weile in einem japanischen Hasardspiel auf, das ebensosehr Lotterie wie Kaufladen war: man schoß durch Federzug eine Kugel ins Zahlenbrett und gewann je nach der Nummer einen kleinen Gegenstand, elendeste Warenhaussachen. Regen.

Dienstag 17. Oktober

Schlaf mit Veronal. Kühlnasser Morgen. Ich erinnere mich wieder mit Unbehagen der zu langen Fahrt gestern abend: wir saßen zu zweit im Riksha und der Kuli mußte sich mit Schwitzen und Stöhnen abschinden. Heut beim Frühstück verlangte Hasenfratz vom chinesischen Boy ein frisches Messer; der Boy sagte, es sei keins mehr da, aber der Herr könne ja das beim Käse liegende Messer nehmen. Wegen dieser eigenmächtigen Bemerkung ward der Diener tüchtig ausgescholten und wieder die Notiz gemacht, daß die von den Engländern zu sehr verwöhnten Natives aus Singapore etc. alle zu frech seien, während die unter Holland Stehenden in Zucht gehalten seien. Immer wieder wundert und verletzt mich die Selbstverständlichkeit, mit der auch nette und redliche Weiße die Natives als Unterworfene und weit niedrigere Wesen ansehen. In der »Industrielle Matschappji« hier, die auch eine kleine Papeterie und Buchhandlung betreibt, sind die wildesten holländischen Detektivromane (übersetzte) und die Schriften von Karl May etc. zu haben, aber von Multatuli[1] nichts. Was in den beiden Europäerläden an Geschenkartikeln (Glas, Zinn, Silber, Uhren, Schnitzwerk) ausgelegt ist, ist geschmackloser und rückständiger als daheim in der Kleinstadt. Leider kaufen, benutzen und tragen auch die Malayen immer mehr schlechtes Importzeug, Kleiderstoffe, Geräte, Schmuck etc., während jeder ärmste japanische Bastflechter ein Künstler ist und Dinge macht, die es in Europa kaum mehr gibt. – Es gab hier oder gibt noch in der Gegend ein altes Grabmal, von dem in Palembang die kühne Sage geht, darin liege Alexander der Große begraben! Vormittag meist schreibend im Hotel. Der hiesige Kontrolleur kennt die Sarasins[2], er war 8 Jahre auf Celebes, zum Teil im Krieg. – Bei jungen Chinesen sieht man oft feine, dunkeläugige, sympathische Gesichter; chinesische Frauen sollen zuweilen sehr schön sein, was ich wohl glaube. – Wenn man auf dem Hotelbalkon sitzt, erscheinen häufig lautlos Händler oder Händlerinnen, breiten still ihre Spitzen, Brokatgewebe und Elfenbeinsachen aus. Nachmittags langes Schauen und Einkaufen im großen Bazar, ich kaufte u.a. einen alten Selendang, aus chinesischer Seide, den mir Hasenfratz von 8 auf 3 ½ Gulden herabhandelte, nachher fuhren wir drei in einer Prauw ein schmales Seitenflüßchen hinauf, soweit es ging, mit der flußauf treibenden Flut vom 80 km entfernten Meer her. Erst kleines Kanalleben, Netzfischerei jeder Art, braunes nacktes Kindergewimmel, viel Badende oder Notdurft Verrichtende, dann hörten die Häuschen auf, der Wasserarm wurde immer schmaler und wir fuhren still in eine märchenhafte Wildnis hinein, das Wässerchen durchaus von phantastisch vielarmigen, ineinander verwachsenen Bäumen mit tausendfach verschlungenen, hochstelzigen Wurzeln übersponnen, wir ganz in der feuchten grünen Dämmerung, der

1 Vgl. S. 51 Anmerkung 2.
2 Basler Familie, mit Hesse bekannt.

Eingeborene beim Fischfang mit Bambusreusen.

Bach in vielen Windungen mit stagnierenden Buchten weiter-
führend, jeden Moment überraschend neues Bild. Über uns
Affen, die sich über unser Kommen ärgerten und wie toll
fauchten und zeterten, es waren große langschwänzige graue
Tiere, zwei sehr alte dabei, die über uns mit mächtigen Sprüngen die Wipfelwildnis belebten und oft absitzend uns halb-
feindlich betrachteten, aus allernächster Nähe. Schließlich
mochten 80 bis 100 Affen da beisammen sein. Dann Rückfahrt
in den Abend hinein und eine Strecke auf dem großen Fluß, wo
auf den kleinen Schiffen und Flößen überall Kochfeuerchen
brannten.

Wenn ein Chinese ein Glas, eine Tasse etc. mit besonders
betontem Respekt überreichen will, bietet er sie mit beiden
Händen dar.

Die Frau eines Chinesen, wenn sie auf sich hält, verläßt China
nie. Der Mann geht auf Arbeit oder Handel fort, weit in der
Welt herum, und sie bleibt daheim und bleibt seine Frau,
während er in der Fremde überall nach Bedürfnis wieder
Frauen nimmt, ehelich oder sonst.

Europäische Geschäftsleute verabscheuen und meiden unter

157

ihren Kollegen vornehmlich die Armenier, die Araber und die Japaner, die alle Gauner seien.

Auf dem Fluß und den Kanälen fahren beständig fliegende Händler mit Erfrischungen: Wasser, Fruchtsaft, Limonade etc., und bimmeln dazu mit einem kleinen Glöckchen, wie bei uns die italienischen Eishändler auf den Straßen.

Die kleinen, mückenfressenden rosa Eidechsen, die man hierzuland überall hat, fand ich auch an den Wänden der ganz von Wasser umgebenen Floßhäuschen. – Überall sieht man in aller Unschuld jemand seine Notdurft verrichten, meist auf der untersten Treppenstufe, und dicht daneben einen Hausgenossen mit demselben Wasser die Zähne spülen oder Reis waschen.

Mittwoch 18. Oktober

Früh auf, 6¼ Uhr Abfahrt mit der »Alice«. Überall Badende, Marktfahrer mit Fischen und Krebsen. Im winzigen Boot fährt ein Hausierer zwischen den Floßbuden hin und bietet Kram und Gebetbüchlein an. Die Frauen hier wiegen sich alle beim Gehen stark in den Hüften und schlenkern die Arme sehr stark; die Figuren sind hier meist zarter und leichter gebaut als bei den Javanerinnen.

Wir nahmen erst Holz ein, dann fuhren wir den Fluß Ogan hinauf; wir haben 7 Mann Schiffsbedienung mit. – Die Malayen sind sehr zum Faulenzen und Flanieren begabt, hinter den Mädels her, es gibt eine Menge Bummler hier, morgens 9 Uhr sah ich sie schon überall die malayischen Billardhallen füllen. – Regen, kühl, schöne stille Waldufer, breiter Fluß, am Ufer überall weiße Reiher und blau schillernde Eisvögel. Palembang sei nur etwa 2 Meter über Meereshöhe. Petroleumleitung einige hundert Kilometer vom Innern her, das darin fließende Rohöl wird in Palembang raffiniert. Im ersten größern Kampong nahmen wir den Häuptling (mit hoher, feingeflochtener, kronenartiger Mütze) als Lotsen an Bord. Wundervolle Bäume. – Die Chinesen sind sehr nett mit Kindern und human mit ihrem Vieh, doch ohne Mitleid für fremde Menschen; einem Ertrinkenden zuzuschauen, kann ihnen ein Hauptvergnügen sein. Die Malayen quälen oft Tiere. – Die Malayen haben z. B. kein Wort für »Taube«, wohl aber Namen für alle einzelnen Taubenarten. –

Buaja = Krokodil. Buaja darat = (Landkrokodil) = Betrüger, Dieb. – In jedem Dorf eine kleine Moschee, deren Turm

Hans Sturzenegger, Motiv in Palembang.

meist nur aus 4 Stangen besteht, mit kleinem bedachtem Boden oben. Am Strand sammeln sich da und dort große Gruppen von Kindern und Weibern, um uns anzustarren; sobald wir näherkommen, und speziell wenn ein Feldstecher auf sie gerichtet wird, fliehen sie alle rennend und mit den Händen vorm Gesicht davon, kehren aber sofort zurück, wenn wir uns entfernen. Der Fluß geht in hundert Windungen durch ein ganz ebenes Land, das bei Hochwasser meilenweit überschwemmt ist, und wo die Malayen da und dort Reis bauen, doch nur für den eigenen Bedarf. Haben sie große Ernte, so verkaufen sie das Überflüssige, bei schmaler Ernte darben sie. Da und dort Drachensteigen. Tapioka[1], Zuckerrohr, Singo, viel Bananen (Pisang). Von den Flußwindungen sind viele durch Kanäle abgeschnitten, die wir teilweise benützen. Das Ufer stark und primitiv bevölkert, Massen von nackten Kindern, die Mädel schalkhaft verschämt, paradiesische Idylle, die Landschaft mit herrlichsten Bäumen wunderbar. Beim Mittagessen bemüht sich der Häuptling, uns diskret mit Flaschenöffnen und Einschenken dienstbar zu sein. Buben, die

1 Stärke, aus tropischen Wurzeln und Knollen hergestellt.

rasch in winzigen Einbäumen herüberrudern, um sich von den Wellen unseres Steamerchens schaukeln zu lassen, andre, die bei unserm Nahen auf Kommando alle zugleich ins Wasser springen. Der Häuptling, obwohl Mohammedaner, trank ruhig die ihm geschenkte Flasche Bier. Man sieht manche kleine malayische Einzelansiedlung mit ausgesuchtem Geschmack angelegt: der Zugang eine Holzstiege vom Fluß herauf, unter hohen Bäumen, mit einem feinen gebogenen Rottang-Geländer versehen, dahinter in Pisangbäumen die Hütte. Aussteigen und vergebliches Suchen nach einer jungen Schönen, die uns vorher zugewinkt hatte; bei unsrer Landung floh alle Jugend davon, dafür folgten uns etwa 25 Männer und Greise. Im nächsten größern Dorf hielten wir wieder, stiegen die »Königstreppe« hinan, wurden vom Häuptling empfangen und ins Regierungsgebäude geführt, das Absteigequartier der Beamten bei Inspektionsreisen. Gegenüber zog uns zu Ehren eine kleine Musik auf, fünf sitzende Männer: einer hat eine Holztrommel, 2 einen Rahmen mit 8 Metallkesseln von diverser Größe und Klang, einer eine Holztrommel, die er mit der Hand schlägt, und einer eine doppelte Metallpauke. Nun ward auch eine Tänzerin gebracht und nahm mit Mutter und Geschwistern in der Ecke unserer Fürstenveranda Platz. Dann stand sie sehr schüchtern auf, sie trug an allen 10 Fingern krallenartige Verlängerungen, nach oben gebogene silberne Hörner, an deren Spitzen Silberglöckchen an Silberkettchen leise klirrten. Ihr Tanz bestand hauptsächlich in leisen Bewegungen der Arme, Hände und Finger, dazu das Klirren im Takt, sie überschritt den Raum eines Quadratmeters nicht und die Bewegung der Füße bestand nur in einem schleichenden Tasten mit den Sohlen und ganz leichter Kniebeugung, wobei abwechselnd einer der Füße balancierend auf die äußere Kante gestellt wurde. Sie trug zum gewöhnlichen Sarong[1] einen breiten Goldgürtel mit großer schwerer Goldplatte vorn. Stille Heimfahrt, sonnig goldener Abend, alles grün leuchtend, viele Flußadler. Sehr schön und reizvoll die Prauwen mit kühn-elegant geschwungenem Dach. Kapokbäume haben genau die Form von Lärchen. Einfahrt in die Stadt bei Dämmerung. Plötzlich Nebel und rasche Nacht.

1 Rockähnliches, röhrenförmiges Kleidungsstück der Malaien.

Hans Sturzenegger, Skizze eines indischen Ochsenkarrens.

Donnerstag 19. Oktober

Früh Kopfweh und wenig wohl, sehr heißer Tag. Ich blieb
den Morgen im Hotel und schrieb. Furchtbar schwüle Hitze.
Nachmittags allein 1½ stündiger Gang landeinwärts, rote
Straße durch Höfe und Kampongs, überall mohammedanische Friedhöfchen, üppige große Chinesengräber mit Gold-
inschriften. Schönes zutrauliches Vieh überall am und auf
dem Wege, ein Chinese spazierend feierlich-edel mit großem
Sonnenschirm. Fuhrleute haben, des Schattens wegen, unter
ihren 2rädrigen Karren ein Stück Sackleinwand gespannt
und liegen darin, 2 cm überm Boden fahrend, zwischen den
Beinen ihrer Ochsen oder Pferdchen durchschauend. Eine
Kuh mit hölzerner Glocke. Rast daheim, dann abends nochmals mit Robert Sturzenegger eine Stunde spazieren, Vor-
stadtviertel teils dörflich, teils mit einfachen Villen, Rückkehr durch die Hauptgasse, chinesische Hasardspielbuden
bei Lampenlicht: die Spieler meist mit nackten gelben Ober-
körpern, stehend und kauernd, Kupfergeld in Haufen rol-
lend, sehr still, das Spiel entscheidet ein Kreiselwürfel, der
nach dem Andrehen mit einer Blechkapsel bedeckt und dann

Hans Sturzenegger, Motiv in Palembang.

enthüllt wird. Abends auf der Veranda, schlafende Kinder
des Yonges. Starker Regen.

Freitag 20. Oktober

Den ganzen Morgen bis 12 Uhr Falterjagd bei den Chinesen-
gräbern, viel belustigt und belästigt durch die neugierigen
Malayen, wohl 20mal wurde ich über mein Netz etc. befragt,
von vielen herzlich ausgelacht. Alter dicker Blinder, von seiner
Frau am Bambusstab geleitet, jeder Gang über die Straße Bild
an Bild, schön schreitende, kauernde, liegende, rudernde Menschen, Gruppen vor den Moscheen, Wasserträger, Fischer.
Sturzenegger deprimiert. Ich war 2 Stunden in dem Buschwin-
kel von Chinesengrab. Nachmittags verstimmte Regenfahrt
mit Sturzenegger. Abends Einladung bei Herrn Kiefer, lustig
dessen servierende Töchterlein. Kiefer ist seit 31 Jahren in den
Tropen, zieht das Klima hier dem daheim vor und will nimmer
nach Europa. Ich hörte die Kaufleute allerlei erzählen: auf
Java machen die katholischen Wohltätigkeitsanstalten jährlich eine Lotterie, wobei sie 50% gewinnen, es werden Lose für
½ Million Gulden ausgegeben, die Gewinne betragen ¼ Mil-

Hans Sturzenegger, Motiv in Palembang.

lion. Der Staat freut sich drüber, denn er kriegt 10% Steuer, also jährlich 50 000 Gulden. Das Drollige ist nun, daß an diesem frommen Katholikengeschäft sich die Chinesen beteiligen, ja es in die Hand nehmen: seit die Lotterie so sehr beliebt worden ist, kauft alljährlich eine chinesische Handelsgesellschaft alle Lose sofort auf und verkauft die Zehnguldenlose zu 12 Gulden! Von Siam erzählte Nägeli: die Bahn von Bankok nach dem Norden wird zur Zeit nicht weiter gebaut, weil sie alles Geld für die südliche Strecke brauchen. Den Bau dieser Strecke hat England inspiriert und hat zur Ausführung den Siamesen eine Anleihe aufgedrängt; so muß Siam die Bahn bauen, mit der England Siam einzustecken denkt. Doch ist die Regierung von Siam neuerdings sehr mißtrauisch geworden und gibt z. B. längs der neuen Bahn absolut keine Landkonzessionen her. – Etwa 30 Meilen von hier im Land sitzt ein Schweizer namens Brunner, der stets große Pläne hat, aber kein Glück, er hat mehrmals ein Vermögen verpflanzt, zuletzt in Rubba, und scheint ein Original zu sein. Er und Hiese etc. nicht unsympathische Vertreter des halbromantisch abenteuernden Europas im Osten, vielleicht Novellenfigur. –

Hans Sturzenegger, Motiv in Palembang.

Unser Schiff Maras, das Freitag eintreffen sollte, ist Freitag nachts noch nicht da.

Samstag 21. Oktober

Grau, Regen. Nach 9 Uhr Sonne, ich ging zu meinem Falterplatz und wurde von einer großen Affenschar empfangen. Falterfang bis 12 Uhr. Die Straße wimmelte von Chinesen, alle tadellos ganz in weiß, und um 12 kam ein großer, überaus pompöser Leichenzug: die Männer alle weiß, dazwischen zu Pferd und rauchend ein würdiger Mann in Ornat mit roter Mütze, von den Frauen trugen die vorderen leichte weiße Kutten mit Kapuzen, ganz verhüllt, die folgenden waren in Schwarz und Dunkelblau, alle mit uniformen blau und gelben Sonnenschirmen. Dazwischen eine Menge Fahnen, Girlanden und Riesenlampions in Vasenform, der Leichenwagen in hundert grellen Farben mächtig aufgeputzt, zwei Malayenkapellen mit dröhnender, lustiger Europäermusik: Metallschalen auf Brettern, teils getragen, teils auf einem Wagen, und ganz hinten extra noch in einer Rikscha zwei Bläser, deren Instrumente Klarinetten mit großem Schalltrichter glichen, aber

164

Hans Sturzenegger, Motiv in Palembang.

genau wie Dudelsäcke tönten. Nebenan Festordner, mit weißen Fähnchen Zeichen gebend, das Ganze betäubend und
mächtig grell, doch um nichts komischer als die verunglückte
Feierlichkeit und Hilflosigkeit heimatlicher Leichenzüge. Robert Sturzenegger schenkt mir 2 Sarongs. Abends von 5 an
besuchten wir alle in etwas zu großer Prauw, öfter auf Grund
fahrend, den Märchen-Wurzelwinkel, wunderbar in der Dämmerung, Heimkehr bei Nacht, Bäume und Luft oft belebt mit
ganzen Funkenregen von Leuchtkäfern. Wir hatten auf 7 Uhr
Gäste geladen, die alle schon ½ Stunde auf uns gewartet, als
wir endlich kamen.

Sonntag 22. Oktober
 6½ Uhr, das Schiff ist, 2 Tage zu spät, gestern Abend ange-
kommen. Keine Post. Gang über den grausigen Fischmarkt.
Vor 8 Uhr Abfahrt zum Krokodilstrand mit der »Alice«.
Fehlschüsse auf den Adler. Schwimmendes Krokodil. Dorf
Pradjen, wo wir über 1 Stunde blieben, geführt wieder vom
Häuptling und mit großer Gefolgschaft. Die Leute müssen
schon vom 12. Jahr an Steuer zahlen, Ledige 4 Gulden, Ver-

heiratete 8. Der Häuptling führte uns in sein Haus, das Heiligtum hinten mit den Frauen blieb unsichtbar, der große Hauptraum in 3 Terrassen, echt malayisch; sehr groß und licht, die Möbel etc. zum Teil europäisch, der Boden mit schönen Matten bedeckt. Alte Frau Reis stampfend, Dorfweg rein und hübsch, fast 1000 Einwohner. – Unser Dampfer Maras, der am Samstag mit uns abreisen sollte, soll nun Montag Abend gehen! – Fahrt in einem stillen schmalen Seitenfluß, immer noch zu hohes Wasser, gegen 2 Uhr Rückkehr nach Pradjen, wo wir eine große prächtige Prauw bekamen, Pinsang und eine trockne Kokosnuß, sowie für jeden eine grüne zum Trinken, und Eier gab es auch, so aßen wir an Bord. Dann erfolgte Krokodiljagd, wir sahen 3 Stück, die aber alle, ehe ein Schuß möglich war, verschwanden. Sehr müde zurück.

Montag 23. Oktober

Den ganzen Vormittag am Schmetterlingsplatz. Heut sollen wir reisen. Sehr heiß. Nachmittags bis 4 Uhr am Packen. Abends mit Sturzenegger letzter Gang durch Palembang, fast unerträgliche Depression. Ich hatte den ganzen Tag ziemlich ununterbrochen heftig geschwitzt und war vor Müdigkeit innen und außen halbtot, als wir nachts nach 9 Uhr im Bötchen nach dem Dampfer Maras fuhren. Die erneute Zollrevision unsres Gepäcks wurde durch das Geschenk von 2 Zigarren verhütet, in tiefer Dunkelheit kamen wir an, tasteten halsbrechend auf dem Wasser über fremde Boote weg und ins Schiff, wo noch geladen wurde. Kapitän mit Frau, Besuch der Schweizer an Bord, Bier. Die Kabinen neben Dampfröhren glühend heiß fast ohne Blick (kaum größer als das Zifferblatt einer Sackuhr).

Halbnackter Kuli auf seinem Rottangboot auf dem Rücken schlafend. Um 10 brach heftiger Regen aus, der stundenlang dauerte und das Laden verzögerte. Wir saßen, alle todmüde, oben auf Deck im kümmerlichen Regenschutz und hielten uns mit Zigarren munter, draußen klatschte der Regen, das Schiff dröhnte vom Arbeiten der Ladekranen. Es wurde die ganze Nacht geladen. In den Kabinen des Schiffs, das in Deutschland gebaut ist, waren elektrische Lampen und Ventilatoren, die aber längst nimmer funktionierten, und man half sich notdürftig mit stinkenden Petrollämpchen. Es war die schlimmste Nacht der ganzen Reise bis jetzt: Müdigkeit, Hitze, Gestank, Lärm, Enge und Mangel an Bequemlichkeit. Wir spüren auch, daß wir seit 5 Tagen nimmer gebadet haben, da es in Palembang des Wassers wegen nicht ging. Ich blieb bis nach 1 Uhr an Deck, dann lag ich bis gegen 6 Uhr früh in der Kabine wie in einem Dampfbad, über mir gingen dröhnend die andern hin und her, auf allen Seiten war Lärm und Leben, Geschrei und Gestank.

Dienstag 24. Oktober

Unser Maras, der eigentlich am Samstag abend, dann gestern abend wegfahren sollte, liegt immer noch ruhig da und nimmt langsam Mengen von Rottang ein. Die übrige Ladung ist Yeloton und Baumwolle. Feuchter bleicher Morgen, niemand hat auch nur eine Stunde geschlafen. Nachts habe ich wieder lange Zeit von einem Ladenden mit junger Stimme das ampat-lima-Lied gehört, mit bereicherter persönlicher Melodie. Und nun stehen und sitzen wir müd und nüchtern an Bord, ich rauche schon seit 6 Uhr Zigarren und sehe im Morgengrauen Palembang liegen, von dem wir nicht wegkommen. Immer wieder pfeift die hiesige miserable Eisfabrik, die oft wochenlang kein Eis liefert, aber täglich und stündlich mit ihrer tollen Dampfpfeife daran erinnert, daß sie noch existiert. – Seltsam ist's, wenn ein Europäer seinen chinesischen Diener aus dem Schlaf weckt, wie ich's mehrmals wegen Bagatellen tun sah: auf den Ruf »Boy« hin (der im dünnen Ton eines strengen, doch guten Vaters getan wird, als ob nicht meistens der Chinese der Klügere wäre) wird der Boy im Schlaf unruhig, er bewegt die Schultern, seine Augenlieder zittern, und gleichzeitig mit dem Öffnen der Augen sagt er müde, doch ergeben und dienstbereit sein »Tuan!« – Ein kaltes Gußbad mit gründlichem Abseifen des ganzen Körpers brachte vorübergehend Erfrischung. Es war eine ganze Anzahl verschiedener gefangener Affen an Bord; außerdem hatte das Kapitänspaar einen blonden, hochbeinigen, räudigen chinesischen Hund und ein halb Dutzend junge Katzen. In der Verzweiflung fing ich morgens 8 Uhr an, eine Flasche Bordeaux zu trinken. Der Kapitän hat auch noch etwa 10 Vögel in Käfigen an Bord, und eine große Markensammlung. Bei Tisch wird ein Bleistift herumgeboten, mit dem jeder seine Serviette signiert. Elf Uhr endlich Abfahrt. Alle müd und still. Gegen 5 erreichen wir die Flußmündung, gegenüber tiefblau die Insel Banca. Ich bin viel bei den Affen, die mich unterhalten. Beim Nachtessen wurden die Kapitänsleute munter, luden uns zu Portwein ein und ließen dann den ganzen Abend ihr großes Grammophon spielen. Nachts in der heißen Kabine.

Mittwoch 25. Oktober

6½ Uhr auf, es hat nicht geregnet. Früh guter Kaffee. Bad. Schöner Morgen. Berginseln blau und prächtig. Wir nähern uns wieder dem großen Inselgewimmel; beim Weg hierher waren wir durch die Doerian-Straße gefahren, diesmal geht's durch die Luki(?) Straße. Wunderschöne Fahrt durch alle die vielen Inseln, nachmittags Singapur. Außer den Affen etc. waren noch 2 Gürteltiere, 1 junger Jaguar und 1 Stachelschwein an Bord, die chinesischen Matrosen kaufen diese Tiere billig auf den Inseln und verkaufen sie teuer in Singapur. Zum Abschied ließ die Kapitänin das Grammophon wieder los und winkte uns heftig nach, als wir im Hafen in einem Sampan[1] wegfuhren. Müde Ankunft. Endlich Post! Bei Dämmerung mit Hasenfratz Bummel die herrliche Allee der Esplanade entlang und durch die High Street, wo wir chinesische, japanische und indische Läden besuchten. Singapur gefällt mir diesmal mehr, wir wohnen teuer aber gut im Raffels Hotel, das Essen ist auch hier schlecht. Nach dem Dinner unterhielt uns lang ein elfjähriges Chinesenmädel mit schwarzen Hosen, blauer Bluse und langem, schönem Zopf und Simpelfransen bis zu den Augen, das mit Spielsachen Straßenhandel treibt und dies Gewerbe, mit dem sie sich und 4 Personen ernährt, schon seit 6 Jahren übt: eine kluge, kleine, smarte Person, jedem Feilschen und Scherzen gewachsen. In den Läden Schätze jeder Art, eine Augenlust. Ich kaufte Spielsachen und Photographien. Abends Auspacken und Schreiben, das Riesenhotel ist schauderhaft akustisch und dröhnt in seinen ungeheuren Gängen und Treppenhäusern wie eine Trommel. Schlaf mit Veronal.

Donnerstag 26. Oktober

Erst nach 7 Uhr auf, schwer, müde, ringsum Lärm. Briefschreiben. Geselliges Mittagessen mit Suhl und Brandt. Suhl

1 Kleines chinesisches Boot

erzählte aus Bangkok, es sei dort eine mohammedanische Versammlung abgehalten worden, um zum italienisch-türkischen Krieg[1] Stellung zu nehmen. Man habe beschlossen, irgendwie den türkischen Glaubensgenossen zu helfen, und einer habe vorgeschlagen, man solle ihnen Geld schicken. Sofort erhoben sich drei, vier Wohlhabende und erklärten sich bereit, je tausend Tikal zu geben. Aber da stand ein neuer Redner auf und sagte feurig, mit Geld sei in der heiligen Sache nichts getan, hier könne nur Allah selbst helfen, – und alsbald stimmten die Vorigen innig bei und zogen mit innerer Erleichterung ihre Gelder wieder zurück.

Abends nach 5 Fahrt in den botanischen Garten, bei Dämmerung und zunehmendem Sichelmond schöne wohnliche Bungalows aus einer reichen Parklandschaft grüßend. Schwere, dichte Baumgruppen als Silhouetten, in der Nacht. Besuch und Schnaps bei Suhl, im hübschen Landhaus draußen, 2 Kinder, 1 Baby und ein reizender lustiger Bub von 3 Jahren, der nur englisch spricht. Nachtessen im Hotel, wie immer bei Musik, die Boys sind ganz weiß gekleidet, die überwachenden Oberkellner ganz schwarz. Am Nebentisch amüsiert uns und jedermann ein fideler Betrunkener, er verliert seinen Lackschuh und angelt ihn wieder mit dem Fuß etc. Er ist ein englischer Administrativbeamter, der seit Jahren hier ist und fast jeden Abend so bezecht an seinem Hoteltischchen sitzt. Fahrt in den deutschen Teutonia-Club, wo wir bis nach 11 Uhr eine englische Kegelpartie spielten, mit 10 Kegeln und wahnsinnig großen und schweren Kugeln, wir schwitzten toll und wurden todmüd.

Freitag 27. Oktober

Spät auf, ganz zerschlagen von gestern, sehr warmer Tag. Ausflug per Tram und Rikscha, unendlicher Kokospalmenhain mit Kampongs und Europäerhäusern, schöner Meerstrand. Die chinesischen Kulis tragen meist blaue Leinenhosen, an denen sie ein Bein lang hängen lassen, das andre bis zum Knie aufgekrempelt. Hübsche junge Chinesin in Rikscha. Mittagessen im Singapur-Club fein mit Rheinweinbowle, nachher Photographienkaufen, alles scheußlich teuer. Regen.

1 Endete 1912 mit dem Frieden von Lausanne, durch den die Türkei ihre letzten Besitzungen in Nordafrika Tripolis und Cyrenaika an Italien verlor.

Abends heiß im Smoking, weil wir eine chinesische Akrobatenvorstellung in der Town Hall besuchten. Es war aber wenig Publikum da und fast gar keine Europäer, sondern lauter Chinesen und namentlich Chinesenfrauen, einige fabelhaft dick und stolz. Die Vorstellung begleitete ein geckenhafter Halfcast auf dem Piano, ohne etwas zu können. Die Akrobaten, dabei 4 Kinder, arbeiteten fein und sicher, mißglückt war nur die Nachahmung europäischer Zirkusclowns, diese Art Humor liegt den Chinesen nicht. Hervorragend und zum Teil sehr schön waren: Han Ping Chien mit Zauberstückchen, er ließ unterm Tisch große Glasschalen und 7 Gläser voll Wasser erscheinen, Würfelgaukelei und lustiges Spiel mit 5 Silberringen, die bald einzeln waren, bald ineinander hingen, Chien war dabei drollig wohlwollend komisch, mit echtem Chinesenlachen. Dann Han Ching Wen als Equilibrist mit großer Porzellanvase, Chiang Chin Ju, der eine Art Doppelhellebarde kreisen ließ, sie lief kreisend über Arme, Kopf, Rücken etc. Weiter derselbe Artist mit 4 kleinen Porzellanschalen, die er auf Stäben kreisen ließ, und der kleine Han Lien Ching auf der Leiterstelze. Die Bühne und Ausstattung kitschig, einige Kostüme schön.

Samstag 28. Oktober

Feucht und schwül, früh Regen. Vormittags bis 11 Bummel zu Fuß und kleine Einkäufe in der Stadt. Mittagessen mit dem alten Schweizer, mit ihm dann Besuch des Museums (Schmetterlinge!) und Spazierfahrt, abends mit Hasenfratz Einkäufe, nach dem Abendessen waren wir alle wieder in der Star Opera. Statt der schwarzen Hanswurstin gab es diesmal einen gar nicht genialen, aber gut komischen Hanswurst, sonst war trotz neuer Kostüme und Dekorationen alles übel, zwischenein malayische Couplets etc. Nachts fuhren wir alle über ½ Stunde weit in 5 Rikschas in tollem Galopp nach dem Lloydschiff, auf dem der alte Schweizer (Bébier) weiterreist. Die Fahrt ging durchs Chinesenviertel mit glühend lebendiger Nachtgeschäftigkeit, Hunderte von Verkaufsbuden lampenerleuchtet in allen Straßen, die Häuser hier zum Teil auch dreistöckig. Wir tranken auf dem Schiff eine Flasche Wein und fuhren nachts 1 Uhr wieder zurück.

Sonntag 29. Oktober

Heut nacht war im großen steinernen Spielsaal unseres Hotels bis 12 Uhr Rollschuhlaufen, wovon wir aber nichts sahen. Nachher, als wir nach 1 Uhr heimkamen, trieben sich noch ein paar angeheiterte junge Engländer mit Fußballspieler-Brutalität in der Halle herum, schlugen dem armen Postkartenhändler seinen Schaukkasten in Scherben und schrien, tobten und boxten sich die halbe Nacht herum wie Säue. – Vormittags fuhren wir, als Gäste Brandts, per Bahn nach Johore, unterwegs im Zug trafen wir Pertile an, der uns erfreut begrüßte. Ich gratulierte ihm zu seinem Artikel über Italien und den Krieg, er erzählte aus seiner Jugend, sein Vater war ein bekannter italienischer Rechtshistoriker, dessen Büste in der Universität Padua steht. Wir fuhren an seiner Rubberpflanzung vorbei, er stieg aus, nachdem wir uns für morgen zum Treffen im Club verabredet hatten. Übersetzen über die Meerenge und Ankunft in Johore bei Regen, doch alle vergnügter Stimmung, die den ganzen Tag anhielt. Es war ein Sonntags- und Ausflüglerbetrieb auf der Bahn und namentlich auf den Landungsstegen, ganze Züge voll Chinesen fahren zum Spiel hinaus, dabei eine Menge von Dirnen und Hurenmüttern, alle gleich schwarz gekleidet mit glänzender schwarzer Frisur und oft Goldschmuck darin, manche hatten ihre kleinen Buben in Weiß an der Hand, smarte und frühreif blasierte Chinesenbengel, deren es viel gibt und deren ich zwei (kaum über 12jährig) tags zuvor im Theater amüsiert beobachtet hatte. Wir stiegen im netten Hotel Johore ab, Cocktail, dann gingen wir in eine der Spielhöllen, sahen die Chinesen und ihre Weiber still und gespannt um die Spieltische drängen. Auch wir spielten, und jeder verlor etwas, ich wenige Dollars, Sturzenegger aber etwa 35. Mittagessen im Hotel, im Speisesaal saß auch mit Umgebung der Sultan, ein großer beleibter Mann, Figur wie Ludwig Thoma, mit schwarzem Schnurrbart in Kakiuniform. Der Pächter der Spielkonzession muß ihm monatlich 60 000 Dollars zahlen, doch hat er auch bessere Geldquellen und war einer der ersten Rubberpflanzer. Nach Tisch kauften wir hiesige Briefmarken auf der Post, die wir uns abstempeln ließen. Nachmittags besuchten wir 3 Spielhöllen, in denen es wie in Bienenkörben summte, abends fuhren wir spazieren, dem Meer entlang, wo die Militärmusik spielte (auch Lohengrin) und durch Gärten

171

zur neuen Moschee, an der trotz allem Prunk nur die Badevor-
halle schön ist. Wir mußten die Schuhe ausziehen, um ins
Innere und auf die Dachterrasse gehen zu dürfen. Nachher
erreichten wir knapp das letzte Boot und mußten im arg überfüllten Zug auf dem Trittbrett des letzten Wagens stehend
heimfahren. Nachts zu vieren Billard im Hotel. Englischer
Sonntag: keine Musik bei Tisch, miserables Essen.

Montag 30. Oktober

Vormittags Irrgang und Falterfang um den botanischen Garten herum (bot. Garten heißt Kubon bunga = Blumengarten).
Schöner Tag, heiß. Tiffin im Club mit Pertile und Sturzenegger, Pertile immer wieder lieb und nett, der Urtyp des geschei-
ten und kultivierten Italieners, ziemlich rhetorisch, aber klug
und fein. Von 4 bis 6 war ich mit Sturzenegger in Chinesenstraßen unterwegs, ich sah ein chinesisches Kasperletheater mit
betäubender Musik, Läden, Küchen, Buden und Werkstätten.
Chinesen, die sich mit einem Gesicht voll Hingebung, Sorgfalt
und Geduld ihr schönes, langes schwarzes Haar kämmen und
flechten lassen oder denen der Kopf rasiert wird. Abends
müde, nach Tisch Billard und früh zu Bett.

Dienstag 31. Oktober

Sonnig, stechend heiß. Vormittagsbummel durchs nahe Chinesenviertel, ungeheuer belebt und dabei fast still, oft an Italien
erinnernd, aber regsamer und ohne das kindische Gebrüll, mit
dem in Italien jeder Streichholzbub seine Bagatelle ausschreit.
Leider kann ich mit den Leuten kaum reden und erreiche wenig;
ein malayischer Straßenhändler nahm mir den kleinen Koran,
den ich kaufen wollte, wieder aus der Hand und gab ihn für kein
Geld her. Da und dort sah ich chinesische Drucker an der
Straße auf Holzplatten chinesische Lettern stechen, äußerst
rasch, exakt und geschickt, aber es gelang mir nirgends, für Geld
einige Abzüge (Visitenkarten, Familienanzeigen, Geschäftsre-
klamen etc.) zu bekommen, auch keine Bilder. Ich sah eine
Reihe von Tierläden, wo lebende Affen, Eichhörnchen und
namentlich Hunderte von Papageien, Kolibris, Wachteln und
andern Vögeln feil waren. Ein Chinese ließ sich den ganzen
Rücken barbieren. Die Chinesen haben ziemlich ausnahmslos
braune Augen. Schlosser und Schmiede, Korbflechter, Garkö-

che, auch fliegende Eßwarenhändler, die ihr Feuerherdchen mit sich herum trugen, eine runde geschlossene Welt, die uns nicht braucht. Kolossale Hitze. Mittags plötzlich Regen. Zu Tisch kam Brandt, und ich ging nachher mit ihm in sein Geschäft, wo Sturzenegger malte und wo ich die großen Haufen von Perlmuscheln sah, die bei Japan, den Philippinen etc. gefischt und von Chinesen hierher verkauft werden. Brandt ging mit mir und half mir Bilder, Flöten etc. einkaufen, wir gingen in den tausendfigurigen chinesischen Tempel, wo wir überall Zutritt fanden. Ich bekam sogar, etwas teuer freilich, einige heilige Stäbchen, Ablaßbriefe etc. verkauft. Die Stäbchen stehen in diversen Vasen auf dem Altar, werden von den Gläubigen genommen und gegen eine Art Ablaßzettel umgetauscht. Schöne, groteske Figuren und Reliefs, zwei Bassins mit heiligen Schildkröten. Um 4½ ins Hotel, nach 5 mit Hasenfratz auf Einkäufe aus: Stempel, Abzüge von solchen, Goldbrosche, Messingwürfel, der nicht leicht zu kriegen war. Spiel in Johore, wozu ich den Würfel kaufte: Einsatz auf die Zahlen wird beim Gewinn dreifach ausbezahlt, auf den Diagonalen doppelt.

Gewonnen hat die Zahl, auf die das Rot im Würfel zeigt, und deren Diagonalen.

Abends wollte ich mit den Brüdern Sturzenegger in die Star Opera, doch war dort nichts Neues los, wir kehrten um und gingen in den Kinematographen Alhambra, kamen nach 11 heim und wollten schon zu Bett, als Hasenfratz kam. Da es der letzte Abend mit ihm war, nahmen wir einen Whisky miteinander und fuhren zu dritt wieder durch die Chinesenstadt. Diese Nachtfahrten oder Gänge in die Chinesenstraßen sind jedesmal wieder großartig. Die chinesischen Bordelle, die sehr hübsch aussehen, scheinen nur für Gelbe zu sein, wir wurden nur von den Chinesinnen angerufen und eingeladen; für die Weißen sind, in andern Straßen, Bordelle mit Japanerinnen da. Übrigens soll die Mehrzahl der Freudenhäuser, die eine sehr hohe Rente geben, (portugiesischen oder französischen) Missionspatres gehören.

Mittwoch 1. November

Heiß. In der Frühe Ärger und Streit wegen des Boy, gestohlener Kleider etc. Ich muß vorn und hinten, weil ich mit den reichen Sturzeneggers reise, Geld ausgeben. Vormittag kein Lloyd, 11½ Rendezvous im Club, Abschied von Hasenfratz, dem lieben netten heitern Mann, den ich nicht vergessen will. Drollige Stimmung mit 3 Cocktails.

Charakteristisch für Singapur: 1) die Chinesenstadt. 2) die breite Esplanade mit den mächtigen Bäumen und kühler Seeluft, der Blick aufs Meer mit 100 Schiffen, vormittags immer schöne helle Turmwolken dahinter stehend. 3) Nachts das intermittierende starke Signal-Licht auf dem Hügel. 4) das viertönige Singen der Turmuhr von Town Hall. 5) das Rikschafahren, die fleißigen, gern lachenden, sympathischen Wagenzieher. Der Blick beim Fahren auf ihren nackten mattbraunen Rücken, wo allmählich von der Nackengrube aus der Schweiß zu perlen beginnt, bis endlich der ganze breite Rücken im Schweiß glänzt und spiegelt. Alle Rikschakulis haben sehr starke, schön entwickelte Beine und Rücken, die Arme im Verhältnis etwas zu dünn, sie tragen bei warmem Wetter nur eine Art Badehosen, blau Leinen oder Baumwolle.

Die Mittagsstunden warm glühend heiß, nach Tisch ruhte ich bis 4 Uhr, badete und fuhr in den botanischen Garten, wo ich spazieren ging. Vorm Eingang ein Rikschakuli, dem ein langsam vorbeifahrender, schwerer zweirädriger Lastwagen mit Ochsen das am Boden ruhende Vorderteil seiner Rikschadeichsel gebrochen hatte. Er stürzte mit Geschrei dem Wagen nach, hing sich hinten an und suchte ihn aufzuhalten; als das nicht ging, riß er einen schweren Sack vom Wagen, worauf der bisher gefühllose Fuhrmann sofort Halt machte und umkehrte, so konnte denn das Verhandeln seinen Anfang nehmen. Abends Einladung bei Suhls. Wir fuhren mit 3 Rikschas hinaus, waren um 7½ Uhr draußen und hießen die Kulis warten, und sie blieben geduldig und zufrieden, ohne doch für die Wartezeit bezahlt zu werden, bis 11 Uhr vor dem Garten wartend. Lustiger Abend mit Suhls, schöne nächtliche Heimfahrt durch das herrliche Garten- und Parkland, der Himmel vom kühlen Nachtwind reingefegt, bei hellem halbem Mond alle Sterne intensiv strahlend, der Orion hoch oben am Himmel wunderlich schief stehend. 12¼ im Hotel zu Bett.

Donnerstag 2. November

Schon früh mächtig heiß, ich ging zu Fuß nach der High Street, die Straßen glühten, ich kaufte allerlei ein und spazierte durch die herrliche Allee zurück. Wieder stand der Horizont überm Meer voll von den hohen hellen Turmwolken. Vormittags Arbeit daheim. Gegen 1 Uhr wahnsinniger Sturm und Regen. Nachmittags packte ich die große Kiste. Gegen 5 ging ich spazieren, wundervolle Wolken, nach 10 Minuten überraschte mich ein mächtiger Platzregen, ich floh in den Club zu einem Whisky. Dann saß ich den ganzen Abend allein, sehr müde und verstimmt.

Freitag 3. November

Unser Schiff soll Montag Mittag gehen. Ich war den Vormittag zum Schmetterlingsfang bei Suhls Haus draußen, schwül, mehrmals Regen und kurze Gewitter. Nachmittags Lektüre, Einkäufe; einsamer Cocktail im Club.

Abends war Sturzeneggers große Einladung im Hotel, elegantes Dinner mit gegen 20 Gästen, Kneiperei und ausgelassene Lustigkeit, nachher trieben wir uns zu dritt bis nachts 3 Uhr in den Hurengassen herum, Schlägerei eines rabiaten Engländers, viele russische Dirnen.

Samstag 4. November

Schlimmer Kater. Beim Arzt. Lunch mit Sturzenegger als Gäste Suhls in van Wyks Hotel. Böser Tag, abends im Chinesentheater, noch echter und altmodischer als in Penang, eine blaue Dame und gelb und schwarze Männer in Staatsgewändern und mit breiten archaischen Bärten, die Musik ganz reich und fein, mit einer rhythmisch überaus abgestuften Holztrommel wie Kastagnetten. Auf den Straßen sieht es immer fein und lieb aus, wenn zwei junge chinesische Freunde oder Brüder Hand in Hand gehen. Durchs Chinesenviertel, kleine Einkäufe in Buden, ich kaufte u. a. einen Kamm für 10 cts. für den erst 50 cts. verlangt wurden. Chinesischer Club in den oberen Stockwerken eines Eckhauses, mit schöner intensiver Musik, die äußerst charakteristisch und leidenschaftlich ist, dabei fast monoton scheint, aber voll Variationen ist, stets mit stark betontem Rhythmus. Im Hotel war wieder Rollschuhabend bis 12.

Sonntag 5. November

Ordentlich geschlafen, sonst nicht besser. Die Brüder Sturzenegger machten vormittags einen Ausflug, ich blieb im Hotel mit Packen etc. Das Kofferpacken habe ich nun wenigstens einigermaßen gelernt, da ich's nie dem Boy überließ. Nachmittags Billard mit Sturzenegger, dann holten wir Robert im Geschäft ab und fuhren in die North Bridge Road mit den Antiquitäten- und Trödelläden, wo ich gern auch gekauft, wenn noch Platz im Koffer und Geld im Beutel wäre. Schöne Schmucksachen, goldne glotzende Fische an Goldketten etc. Dann im Automobil, nachdem wir im Hotel den Kapitän Malchow getroffen hatten, zu Suhls hinaus, um Abschied zu nehmen. Wir mußten eine halbe Stunde warten, dann kam Frau Suhl und war von einer auffallend unbeherrschten Ärgerlichkeit, wobei mir plötzlich die drollige Unschönheit ihrer Unterarme und Handgelenke auffiel. Dann schöne schon nächtliche Rückfahrt im Mondlicht durch den botanischen Garten und die herrliche Parkvorstadt. Beim Nachtessen schrieb mir der Gerant Müller einige malayische Sprichwörter auf, er ist seit 3 Jahren hier und kann allerlei erzählen. Unter andrem sagte er, ein Hotelleiter, der einige Jahre hier gewesen, sei in Europa nimmer zu brauchen, da man sich hier notwendig daran gewöhnen müsse, in 100 Dingen ein Auge zuzudrücken und 5 gerade sein zu lassen.

Montag 6. November

Heut sollen wir also reisen, und ich soll von Singapur und Hinterindien Abschied nehmen. Früh Ärger mit Sturzenegger. Ich fuhr gegen 10 Uhr allein zum Schiff, begrüßte Kapitän, Schiffsarzt, Stewards, Innenkabine groß, aber heiß. Es kamen noch Pertile, Suhls, Brandt etc. an Bord. Abfahrt 12½ Uhr mit Musik. Schöne Buchten und Inseln überall. Nachmittags beim Arzt, der mir all seine Einkäufe aus Japan zeigte. Suhl aus Penang fährt mit. Ganz wohliges Gefühl, wieder im bekannten Schiff zu sein. Abends knobeln mit dem Schiffsarzt und seiner fidelen Tafelrunde.

Dienstag 7. November

Früh Regen. Um 7 Bad. Schöne Fahrt an Berginseln hin. Nachmittags Einfahrt in Penang durch Tausende von großen

Quallen hindurch. Ich stieg in Penang aus, überfülltes Dampferchen, Ankunft bei Donnerschlägen und rauschendem Platzregen, Aufenthalt im Office. Vor der Abfahrt abends 6 kam eine Menge Penanger an Bord, großes Abschiedfeiern im Rauchsalon, das der Signalpfiff jäh abbrach. Wir fahren in die Nacht hinein. Während der Abendstunden wurde der Himmel hell und der fast noch volle Mond. Schlaf mit Veronal.

Mittwoch 8. November
Nordspitze von Sumatra, der ungeheuren Insel, in deren Nähe wir nun seit 5-6 Wochen waren. Wir gewinnen den freien Ozean, fern hängende Regenwolken, warm. Mittags sehr heiß. Wir würfelten um Bier und Wein, Schnaps und Zigarren, und waren fast studentenhaft fidel. Dreimal fuhren wir durch stürmische Stellen im Meer mit eigentlich scharfer Abgrenzung. Gegen Abend Scheffelbord.

Donnerstag 9. November
Jene heftig bewegten Stellen im fast stillen Meer sollen sehr selten zu sehen sein, unser alter Kapitän traf sie in all den Jahren nur einmal, sie scheinen aus dem Gegeneinanderdrücken von Flut und Ebbe zu entstehen. Unter der Mannschaft ist ein gewöhnlicher Matrose, der früher Oberleutnant in der Marine war, ein Bayer. Unter den Mitreisenden Herr Ellon, etwa 45 Jahre alt, Sohn eines überaus reichen Berliners; er verlor noch jung sein Vermögen in Monte Carlo und ist seit langem Sprachlehrer in Japan, auch Lehrer der japanischen Prinzen, spricht viele Sprachen, ist gescheit und feingeschliffen, aber trinkt stark. Die 4 oder 5 jungen Doktoren knobeln dauernd und erzählen Medizinerwitze, momentan lustig, auf die Dauer aber übel.

Freitag 10. November
Wieder fast 3 Tage nur Meer. Wer unfroh und müde ist, für den ist langes Seereisen schwer. Wann lerne ich Geduld, wann finde ich Ruhe und Genügen? Die Schwermut umgab mich heut so dicht, daß ich mit allem Galgenhumor und allem Wein kaum für Viertelstunden ein Loch hineinreißen konnte.

Tropische Meeresbucht, kolorierte Skizze von Hesse, 1911.

Samstag 11. November

Tiefer Schlaf mit starkem Schlafmittel. Unerwartet früh kamen wir schon nach 8 Uhr in Colombo an, Abschied vom Schiff. Der Vormittag, grausam heiß, verging mit Zoll, Gepäckärger und Irrfahrten zwischen den Hotels. Colombo mutete mich schön und schon vertraut an mit der weiten Brandung am Palmenstrand und den vielen Krähen, von denen die Gassen wimmeln. Bristol Hotel, anständig doch teuer (10 Rupien pro Tag). Nach Tisch sahen wir vorm Hotel die Stücke eines Zauberers, die üblichen Sachen mit Schlangen, Mungo etc. Hübsch war das Balancieren einer rotierenden Schale auf der Spitze eines elastischen Stabes, der sich wie eine Schlange bog. Nachmittags Gewitter und heftiger Regen. Um 5 fuhr ich zum Schiff hinüber, die andern kamen nach und wir feierten Abschied von Suhl, Rosenbaum und unserm Schiff. Gang durch Buden, dann abends fuhren wir, um singalesische Mädchen zu sehen, in ein Freudenhaus, erst in ein europäisches, das wir sofort wieder verließen, dann in ein primitives echtes. Wir wünschten einen singalesischen Tanz zu sehen, für 15 Rps. erschienen 6 Mädchen nackt und tanzten, konnten aber wenig, sie waren 16–17jährig, sprachen fast alle etwas englisch, sie sangen noch näselnd und lachend ein bißchen, dann gingen wir weg und in ein singalesisches Theater, genau im Stil der ma-

178

layischen und noch übler. Die Musik war ein schäbiges schmales Harmonium mit 3½ Oktaven, eine Geige und eine schöne einheimische Fingertrommel. Das sentimentale Stück ward öfter durch kleine Farcen einzelner Schauspieler unterbrochen, der Gesang war sehr schlecht.

Sonntag 12. November

Früh auf. Schon um 5 Uhr, bei noch voller Finsternis, schauen alle: die vielen Dohlen draußen. Gestern wurde ich an Bord den ganzen Tag das Schaukelgefühl und den Seefahrergang nicht los, nun ist's besser. Um 6½ fuhr ich zur Bahn, besorgte mit Hilfe des Portiers und mit Sprachschwierigkeiten Billet und Gepäck, alles ging geheimnisvoll zu und überall stand irgend jemand, der mir irgendwas erzählte, mich auf irgend etwas aufmerksam zu machen hatte, und der schließlich Geld haben wollte. Schöner Zug mit Speisewagen, ich war in einem Coupé I. Klasse fast allein. Frühstück im Zug. Vor der Abfahrt erschien z. B. ein Schaffner in Uniform, fragte ob alles all right sei, empfahl mir der Aussicht wegen rechts zu sitzen und erklärte dann, ich sähe ihn nun nicht wieder, also bitte Trinkgeld. Schöne Fahrt, erst flach durch Sümpfe und Reisland. Dunkelbraune Männer mit Ochsen einen rotbraunen Fluß durchschreitend, blau ferne Berge. Aus den Tälern voll fabelhaft überquellender Fruchtbarkeit steigen weiche Waldberge und schöne kühne Felsberge. Die vielen kleinen Bäche sind überall zur Bewässerung für Reispflanzungen benutzt, die wie zahllose kleine Teiche in Stufen übereinander liegen, man sieht die sorgfältigste, drolligste Terrassenkultur. Baumstämme als Brücken über kleine Flüsse. Raben häufig auf dem Rücken der Ochsen und Büffel. 11½ Ankunft in Kandy, Fahrt zum Hotel Florence Villa, das mich sofort arg enttäuscht. Ich bekomme ein sehr schäbiges Zimmer, nebenan schreiendes Baby, verlange aber bald ein andres. Wenn ich ein besseres Hotel finde, ziehe ich um. – Kaum war ich installiert, zog ich denn auch auf die Suche und fand im großen nobeln Queen's Hotel, das ich hatte vermeiden wollen, ein Zimmer. Furchtbares bronzenes Reiterdenkmal nah beim See und Tempel. Herrliche Bäume überall, u. a. große Bäume mit riesigen brennendroten Blüten. Ich kam um 2 Uhr zum Tiffin ins Hotel zurück, schweigsames Essen an englischen Familientischen, doch überraschend gute Küche, so daß mir mein Entschluß fast leid tat. Aber nach Tisch spielten lärmend Kinder vor meiner Tür, die Bäder sind unsauber, es ist doch nichts. Schade, das kleine Hotelchen wäre sonst nett, schön in einem großen Garten gelegen mit Bäumen jeder Art, und nette aufmerksame Diener. Ich ging nachmittags um den See ins Städtchen und kaufte Karten, alles ist lieblich-schön, aber ganz à la Interlaken zum Fremdenort verdorben. Leider regnet es seit Mittag wieder fast beständig. Drollig steht den meist groß und hager gewachsenen Singalesen der hohe Haarkamm mit vorgebogenen hörnerartigen Spitzen, den Männer und Frauen tragen. Man sieht viel Betelkauen und rote Zähne, alle Menschen dunkel braunschwarz mit starken Glanzlichtern wie Bronzen, viel schöne Figuren und schöne Frauengesichter, dünne Beine und Arme, meist schlechte Kostüme.

Gegen Abend nochmals Spaziergang und heißes Bad. Schön das gewaltige Rauschen des Windes in den hohen Bäumen bei Nacht. Vor dem Dinner brachte mir der Boy mit Wichtigkeit die Nachricht, es werde eine Dame an meinem Tisch speisen, ich nahm es als Wink und erschien widerwillig im Smoking, aber weder die Dame noch das in vollkommenem Schweigen verlaufende Abendessen war solcher Umstände wert. Nach Tisch fand ich endlich den Manager, der heut am Sonntag frei gehabt, und sagte ihm offen, daß und warum ich das Hotel

morgen wechsle. Er nahm es so nett und höflich auf, daß es mir fast wieder leid tat. Sollte ich nun im Queen's Hotel doch hereinfallen, so will ich künftig es so halten, daß ich das Hotel nicht wechsle, ehe ich wenigstens 24 Stunden drin gewohnt habe. – Die Diener etc. reden einem hier mit Master an, manche rufen auch Tuan. Es wird ziemlich viel gebettelt, wovon in den Straits gar nichts zu merken war. Ein kleines Mädel heut abend vor ihrer Hütte rief mir einen Gruß zu, kaum hatte ich tabeh gesagt und gelächelt, so lief sie mir nach und rief: »money!«

Montag 13. November
  Guter Schlaf bis morgens nach 3 Uhr, dann wachte ich fröstelnd mit großem Unbehagen auf und wurde von Übelkeit und heftigem Durchfall befallen. Erst bei Mondlicht, später bei heftigem Regen wanderte ich bis früh 8 Uhr zwischen Zimmer und Lokus hin und her. Dann Tee und Packen. Ich siedelte mit Sack und Pack ins andre Hotel über und blieb dort den Vormittag liegen, immer wieder von Diarrhoe überfallen. Um 1 Uhr riskierte ich 2 Eier mit Rotwein und einem halbstündigen Gang ins Inderviertel. Die Leute sind alle etwas verdorben, aber gutmütig und oft nett, schöne asketische Gesichter mit ernsten Augen und wundervollem Haar, auch die lebhaftesten Straßen ruhig; ich sah einen Streitenden, vielleicht betrunken, von einem eingeborenen Polizisten abführen, alles

mit einer erstaunlichen Geräuschlosigkeit und Sanftmut. Ich hatte mich früh bei dem kühlen Regen etwas wärmer gekleidet und mußte nun bei der dampfenden Schwüle elend schwitzen. Ich lag den größten Teil des Tages und las einige alte spanische Novellen im Bülow[1]. Gegen Abend war ich nochmals 1½ Stunden unterwegs, von Schmetterlingshändlern und Bettelbuben belästigt, doch auch unterhalten. Ich ging bergab die ganze lange Malabar Street an all den Häusern und Hütten der Natives hin, Barbiere und kleine Händler, Schuljugend und Babys, hübsche Mädchenköpfe. Überall blühen an Bäumen die großen weißen, kelchförmigen tempel flowers, die dem Buddha geopfert werden. Auch hier gibt's unter den Natives manche junge »élégants« und drollige Stutzer, mit Strohhütchen und Sportkravatte. Lästig und beschämend ist mir's, daß fast alle Natives, mit denen man zu tun kriegt, besser Englisch sprechen als ich. Kaum war ich daheim beim Tee, als der Regen wieder losging. Komischerweise habe ich nun meine allzu große Apotheke durch die halbe Welt mitgeschleppt, ohne andres als Chinin zu brauchen, und nun, wo ich so nötig Opium haben sollte, liegt das Zeug in der deponierten Kiste unten in Colombo. Als ich abends nach der Apotheke fragte, war sie schon geschlossen. Dafür hörte ich im Hotel im Nebenzimmer unvermutet Schweizerdeutsch reden und begrüßte einen Schweizer Chemiker aus Ostafrika, der zwar kein Opium hatte, aber nett war, leider nur einen Tag hier ist. Sein Freund, ein Züricher, hatte Bismuth und gab mir davon, wir aßen zusammen und saßen bis nach 9 in der Halle.

Dienstag 14. November

Schlaf bis nachts 2 Uhr, dann ging die Diarrhoe wieder los. Ich stand nach 7 auf und suchte eine Apotheke, Opium war ohne Rezept nicht zu kriegen, und ich bekam statt dessen ein Glas voll rätselhafter rotbrauner Arznei, deren Wirkung abzuwarten ist. Ich schlenderte eine Stunde um den See herum, dann fand mich der raffinierte Schmetterlingshändler[2] wieder, der alle lateinischen Namen weiß, ich kaufte ihm für 8 Rps. ab, kaufte auch Photographien, da meine eigenen Aufnahmen

1 Eduard v. Bülow (1803-1853) Schriftsteller. Herausgeber einer vierbändigen Edition spanischer, italienischer u. französischer Novellen.
2 Vgl. den Bericht »Indische Schmetterlinge«, S. 91 ff.

doch alle nichts werden. Gegen Mittag trafen die Brüder Sturzenegger ein, und ich bekam nochmals ein Opiat zu schlucken. Nachmittags Gang bei den Steinbrüchen und dem Reservoir, einige Falter. Ich werde ohne Pause von dem Faltermann verfolgt, von dem ich heute kaufte, das Spazierengehen hier ist eine Qual, alle 3 Meter kommen Bettler, Kutscher etc., Eltern schicken grinsend ihre vielen Kinder zum Betteln herüber, man ist nie einen Augenblick allein und in Ruhe. Abends Billardpartie.

Mittwoch 15. November

7 Uhr auf, 2 Stunden mit Robert Sturzenegger spazieren, schöner Waldweg in der Höhe, mit herrlichen Ausblicken, wir sahen auch eine große Schlange von etwa 2½ Meter. Auf dem Rückweg gerieten wir in den Privatpark des Gouverneurs oder sonst eines hohen Beamten, als wir unten aus dem zum Glück offenen Portal traten, standen da 2 Soldaten, der Korporal befahl Gewehrpräsentieren, und wir gingen wie Generäle zwischen der salutierenden Wache durch. Schwül, öfters Regen. Taktgesang der Bauarbeiter vorm Hotel. Gegend Abend erfolgloser Faltergang, Regen, im Hotel letzter Kauf bei Victor Hughes[1]. Im Lauf des Nachmittags kam auch der Durchfall wieder mit neuer Kraft, ich verzichtete aufs Essen ganz und nahm dafür abends Robert Sturzeneggers Rezept, eine Portion half and half Brandy und Port, womit ich zu Bett ging. – Eine kräuterartige niedere Mimose ist hier sehr häufig und bedeckt ganze Bodenstrecken, die bei Berührung mit der Hand oder mit dem Stock die Blätter zusammenfaltet. Das geht so rasch, daß ein paar Streifungen mit dem Stock genügen, alsbald einen Quadratmeter Boden in Form, Licht, Farbe zu verwandeln.

Donnerstag 16. November

Vom Fasten etwas geschwächt. Wir fuhren früh in Rikschas nach Peradenya, durch eine lange lustige Natives-Vorstadtstraße und ein Dorf. Dann waren wir den ganzen Morgen im herrlichen, sehr großen botanischen Garten: eine dunkle unzählbare Menge von fliegenden Hunden in der Luft, Riesenbambus etwa 22 m hoch, wunderschön, Talipotpalmen-Allee,

1 Vgl. den Bericht »Indische Schmetterlinge«, S. 91 ff.

immer wieder Nebelregen, dazwischen schwülwarm. An der Station Heilsarmee-Mann, Tee- und Kakaopflanzungen. Rückkehr per Bahn 11½ Uhr. Mittags wagte ich ein bißchen Essen mit Rotwein. 3-5½ Spaziergang allein auf jenem schönen Höhenweg, Blick in das weite Palmental und die gewitterig verwölkten Berge, ich saß lang oben auf der Steinbank, über meine Reise und die Heimkehr denkend. Trauriger Abend, kein Nachtessen, früh zu Bett.

Freitag 17. November

Früh wieder Durchfall. Wir wollten Automobil fahren, bekamen aber keinen Wagen, dann war ich 3½ Stunden draußen auf Falterjagd, todmüde zurück, nach Tisch ins Bett. Abends 6½ Besuch des Tempels, der 20 Minuten dauerte und etwa 20 Mark kostete, es wimmelte von Führern und tiefst untertänigen Kerzenträgern, Priestern, Bettlern, dargereichten Opferschalen, man konnte sich hier von allem Buddhismus loskaufen. Geheimnisvoller Gang, treppauf und -ab bei dünnem Kerzenlicht, überall intensiv der süße Duft der Tempelblumen, bei dem bißchen Flimmerlicht fast nichts zu sehen, dafür mystischer Gesamteindruck von Geheimnis, Betende, Bettler, üble Priester, Reliquienschätze, Malereien und Skulpturen, alles voll ornamentaler Schnitzerei, Silberarbeiten in Menge, Gold und Elfenbein, in einem Nebentempel mächtig der 18 Fuß lange liegende Buddha, im innern Tempel unter vielen hölzernen, metallenen, alabasternen Buddhas auch einer aus einem einzigen klaren Stück Kristall! Ich gab etwa 25 Trinkgelder und wurde, da ich das letzte Geldstück weggegeben hatte, von einem letzten Tempeldiener noch ins Hotel begleitet, wo ich Geld holen und auch ihn noch bezahlen mußte. Der Abend einsam und trostlos mit Fasten und Rotwein.

Samstag 18. November

Vormittags 10½ bis 12 Wagenfahrt, wunderschön ein Stück vom Tal des Mahawelli Ganga: bald eingeengter wilder Bergstrom zwischen Felsen, bald breit und wirr über Geröllfelder hundert Adern, dazwischen eine Menge kleiner Fels- und Bauminseln. Es regnet fast ohne Pause, ziemlich kühl, mir graut ein wenig vor der Kälte, die wir in Nurelia zu erwarten haben. Ich sah eine blühende Talipotpalme (die nur einmal blüht und dann stirbt): oben am mächtigen Stamm eine weiße große Krone von Blütenzweigen, doldenartig herabhängend. Nachmittags in Rikschas von der Malabar Street aus steil und wild zum Fluß hinab, wildes Wasser und Felsenufer, Übersetzen auf einer Fähre, von da zu Rikscha und zu Fuß in den ältesten Ceyloner Felsentempel. Langweiliger Vorbau, innen schlechtes Licht von wenig Kerzchen, zuhinterst im Felsen ein ungeheurer liegender Buddah, 42 Fuß lang, aus Granit und bemalt, gewaltig. Wände und Plafonds alle alt bemalt, Darstellungen aus der Buddhalegende, zum Teil sehr schön. Alles bei Regen. Über den Fluß zurück und heim.

Sonntag 19. November

Es regnet immerzu. Befinden wenig besser, kein Mut etwas zu essen. Des Regens wegen und weil auch Robert Sturzenegger unwohl ist, wird beschlossen, heute nicht nach Nurelia zu reisen. Gehorsam packe ich wieder aus, wie ich gehorsam auf Befehl eingepackt hatte. Bei Tisch ward mir die Suppe verboten usw. Nachmittags wurde Robert Sturzenegger wieder krank mit viel Erbrechen und Ruhr! Es ist ein übler Zustand: wir alle ziemlich erschöpft und krank, draußen endloser Regen, und doch muß eben diese Woche, bis das Schiff geht, vollends hingebracht werden. Ich bin heut den ganzen Tag in meinem Hotelzimmer gesessen und gelegen. Von Hans Sturzenegger lieh ich ein zerfetztes einzelnes Reclambändchen von Eckermanns Gesprächen, und das Bild dieser lichten Kultur sprach mich plötzlich tröstend und ermahnend an. Ach, wer Geduld und Heiterkeit lernen könnte! – Mittags war ich eine Viertelstunde aus und sah mir die blühende Talipotpalme nochmals an, die mächtige Blütenkrone war wohl über 2 Meter hoch. Später und am Abend wiederholte Darmanfälle.

Montag 20. November

Früh von 5 Uhr wieder Darmanfall. Ich schluckte nun seit 7 Tagen immerzu Opiate, Rotwein und Bismuth, ohne jeden Erfolg. Beschluß abzureisen. So fuhren wir denn nach 10 Uhr ab und hatten einen guten, zum Teil sonnigen Tag für die herrliche 6½ stündige Bahnfahrt durchs Gebirge hinauf. Weite grüne Täler, Blicke in blaue weite Fernen, schöne bewal-

dete und einzelne Felsberge, überall Teepflanzungen, worin da und dort Pflücker und Frauen arbeiten. Schöne wilde Bergflüsse, Bäche in Schluchten, Wasserfälle. Die letzte Stunde kleine wacklige Schmalspurbahn. Wir kamen um 5 in Nurelia an, es ist kühl und ich friere, Tee und Kaminfeuer im Salon. Schlechtes Zimmer, nebenan schreiendes Baby. Der Manager des Hotels ist ein Deutscher, der aber nur noch mühsam Deutsch spricht. Nachts doppelte Wolldecke.

Dienstag 21. November

Morgens kühl. Ich ging von 8 ½ bis 1 allein auf den Pedrotallagalla. Bei der Rückkehr ins Tal Sonne und eine Menge großer Schmetterlinge. Nachmittags Bummel bei den Goldschätzen, müde, Darm besser.

Mittwoch 22. November

Den ganzen Vormittag allein aus, erst eine Stunde an den Ramboda-Paß hinauf, schöne gewundene Paß-Straße, überall die große weiße Calla zu Tausenden wild blühend, Teeplantagen. Oben schöne Aussicht ins Tal von Nurelia, noch weit schöner und mächtiger jenseits ins tiefblaue Gebirge. Schmetterlingsfang bis 1 Uhr. Nachmittags sehr müde. Auf einem kleinen Gang fand ich eine Menge blühender und duftender Veilchen.

Donnerstag 23. November

Das gestern genommene Veronal wirkte so gut, daß ich früh um 5 durch eine neue Darmexplosion zwar geweckt wurde, aber dann nochmals bis 8 ½ Uhr fest schlafen konnte. Es war ein sonniger Vormittag, ich blieb fast die ganze Zeit bis nach 1 Uhr im Hotelgarten und fing gegen 40 Schmetterlinge, so war dieser letzte Jagdtag der beste der ganzen Reise.

Nachmittags schöne Rikschafahrt rund um den See, begegnende Teepflückerinnen, nackte silbergeschmückte Kinder auf den Hüften der Mutter reitend. Abends Gang mit Robert Sturzenegger, der mir viel vom Export und Import und Welthandel erzählte. Samstag nacht soll unser Schiff York abfahren, morgen früh wollen wir nach Colombo fahren. Ich bin froh, daß heut ein guter schöner Tag die meist verunglückte, kranke Ceyloner Zeit versöhnlich abschloß. Nun geht es ernstlich heimwärts.

Freitag 24. November

Kalter Regentag, Packen, Abfahrt nach Colombo 8 Uhr, das ganze Land tief in Nebel und Regen, ich fror elend. Wir fuhren 9 Stunden Bahn durchs ganze Land bis ins heiße Colombo hinab, herrliche Reise. Ein Büffel mitten im Fluß angebunden. Reisterrassen. Sehr müde Ankunft im Gall Face Hotel. Dort schlimmer neuer Darmausbruch, so daß ich auch nicht essen konnte. Abend im Empire-Kinematograph.

Samstag 25. November

Kühler Tag, ging früh ins Museum. Nachmittags aufs Schiff »York«, wo ich ein winziges Kabinenloch im Innern erhielt, wo an Schlafen nicht zu denken ist. Ich bekam an Bord Post von Hause, zum Teil 2 Monate alt, darunter die Anzeige von Frau Weltis Tod![1] Abfahrt nachts 12 Uhr. Es gilt jetzt eben die lange Heimreise noch auszuhalten!

Sonntag 26. November

7 Uhr auf, Turnen. Keine gute Badezeit mehr frei. Nachmittags wieder Darm. Nähere Bekanntschaft mit Leuthold[2] aus Bangkok, er ist derselbe, an den ich von Andreae[3] und Baumann empfohlen war, geht nach Zürich, um seine Braut Frl. Sprecher[4] zu heiraten. Wir fahren wieder immerzu durchs ewige schwarzblaue Meer, ich bin stets ganz allein auf der heißen gemiedenen Sonnenseite des Decks, alles ist äußerlich gleich und innen so anders als bei der Herreise.

Montag 27. November

Früh Turnen. Beim Arzt. Heftiger Wind auf meiner Deckseite, kaum Lesen möglich. Das Meer ist nicht stark bewegt, aber das Schiff hat wenig Ladung und rollt heftig, es gibt schon Seekranke. Leuthold flieht den Tisch der Schriftstellerin Bunsen[5] und kommt an unsern. Ich darf nur Schleim etc. essen und

1 Frau des mit Hesse befreundeten Malers Albert Welti.
2 Fritz Leuthold. Er und seine Frau gehörten später zu Hesses nächstem Freundeskreis.
3 Der mit Hesse befreundete Komponist, Dirigent und Direktor des Zürcher Konservatoriums Volkmar Andreä.
4 Alice Sprecher, spätere Frau von Fritz Leuthold.
5 Marie von Bunsen (1860-1941) Verfasserin des Romans »Gegen den Strom« 1893, sowie von Biographien und Reisebeschreibungen.

nichts trinken, die lange Diarrhoe hat noch einen lästigen Blasenkatarrh mitgebracht. Schöner Abend nach Sonnenuntergang: starker Wind von vorn, schwarzes Meer, der Himmel am Horizont noch hellgrün und leicht rosig, oben blauschwarz mit blankem Sichelmond.

Dienstag 28. November

Wind schwächer, kühl, teilweise bedeckt. Scheffelbord. Abends im Norden ein langes, gleichmäßig hohes, blaues Wolkengebirg. Wenig Schmerzen.

Mittwoch 29. November

Brief abgefertigt an Papa, Haußmann, Welti, Langen, Fischer[1]. Auf unserm Schiff ist als Passagier ein Lloydkapitän, der wiederholt Pech gehabt hat mit Auflaufen seines Schiffs (Australien), nun ist er zurückberufen und fährt heim, wo er seine Entlassung zu erwarten hat. Gutes rotes Gesicht mit grauem Schnauzbart, er spielt den Fidelen, sobald er mit Leuten zusammen ist. Heut sprach mich die Literatin v. Bunsen an, war in Japan, China, Indien. Abends kleiner Ball auf Deck.

Donnerstag 30. November

Gegen Mittag kam Sokotra in Sicht, wir fuhren diesmal nördlich ziemlich nah vorbei, sahen auch ein gestern gestrandetes Schiff daliegen. Sokotra mit kühnen Bergen und Felstürmen wild und schön, große weiße Sandrutsche in der Sonne leuchtend. An Bord Wettspiele, Bekanntschaft mit Konsul Freudenberg. Nett sind Dr. Kriegs aus Shanghai, die mit Kindern heimreisen, die Frau zeigte mir unten im Gepäckraum viel schöne chinesische Stickereien und Gewebe.

Freitag 1. Dezember

Befinden nach 6tägiger strenger Diät mit Arznei viel besser. Wir sind nun eine ganze Woche unterwegs und haben bald den indischen Ozean hinter uns. Heut früh kam eine Schwalbe aufs Schiff, morgen früh sollen wir in Aden sein. Die Wettspiele gehen weiter, viel Lesen und Knobeln (Kamerun). Es ist wieder heiß. Abends rechts arabische Berge. Gro-

1 Der befreundete Politiker und »März«-Mitarbeiter Conrad Haußmann, der Maler Albert Welti, die Verleger Albert Langen und Samuel Fischer.

ßer glühender Sonnenuntergang. Frau Krieg schenkt mir chinesische Bilder.

Samstag 2. Dezember

Aden wunderbar. Früh bald nach 5 weckte mich das Halten des Schiffs und die Pfeife, ich ging hinaus, es war noch Nacht, aber leise beginnende grüne Dämmerung, mit zunehmendem Licht kamen die Felsen von Aden und das weit kühnere Gebirg gegenüber heraus, die Barackenstadt, fern ein Karawanenhalteplatz. Wir blieben bis 9½ liegen, ich kaufte allerlei von den braunen Händlern mit den schönen Zähnen. Dr. Prowazek schenkte mir einen bastgewebten Gürtel von der Südsee und zeigte mir Sarongs und Schlangenhäute. Haifische am Heck. Wunderbare Ausfahrt aus dem Golf, die wilden kahlen brennend sonnigen Felsgebirge mit einigen nadelspitzen Zähnen und weißen, golden leuchtenden Sandwüsten, auf einer davon in toter kahlster Sandöde ein Dorf! Der Schwabe Winker aus Schramberg lud mich und Kriegs zu seiner Geburtstagsfeier mit Sekt ein, nachher Pillow-fight, wobei ich einmal Sieger blieb, dann aber verlor. Glänzend schöner, doch heißer Tag, herrliche Fahrt durch die Straße von Bab el Mandeb. Dr. Krieg ist drolligerweise der Bruder seiner eigenen Frau: sein Vater, Witwer mit Söhnen, heiratete eine Witwe mit einer Tochter, die der eine Sohn aus erster Ehe dann heiratete. Zauberhafter Abend, die Berge von Arabien rosig fern, nach dem Sonnenuntergang hinter Abessinien große nordlichtähnliche Strahlung in großem Fächer über den ganzen Himmel.

Sonntag 3. Dezember

Ziemlich heiß. Langer Morgengang auf Deck mit Leuthold, den ich über Siam ausfragte. Die Frau aus Manila erkundigt sich nach Bern. Nachmittag heiß!

Montag 4. Dezember

Bedeckt, Wind dreht sich, Wetterumschlag, viel kühler. Ich packe warme Kleider aus. Abends kommen die Doktoren und Freudenberg mit dem Plan einer Mimik. Ich aß zum erstenmal wieder, mit Mißtrauen und wenig Appetit, abends am Tisch mit.

Dienstag 5. Dezember

Heute wird es wohl der letzte Tag im Tropenanzug sein, der Morgen war schon kühl. Leuthold telegrafiert wegen Kairo, Sturzenegger präpariert neue Wettspiele. Ich bin mit Kiplings »Kim«[1] fertig, alles fein und schön, und alles läuft auf eine indianer- und detektivhafte Verherrlichung der Spionage hinaus!

Mittwoch 6. Dezember

Immer kühler, und bei stetigem kräftigem Gegenwind beginnen wir nachmittags zu frösteln. Mit der Fahrt nach Kairo ist's nichts. Gegen Abend tauchten die Küsten auf, leider fahren wir nun bei Nacht durch den herrlichen Suezgolf. Schönes Gebirge von Afrika, dahinter die Sonne unterging, der Sinai fern und kühl. Abends sang Frau Krieg Schumann. Nachts bei Vollmond fabelhafter Anblick der afrikanischen Küste: die steilen zackigen Berghöhen dunkel am Himmel, darunter zwischen Berg und Meer die Sandwüsten, auch noch im Mondlicht warm gelb, seltsam leuchtend.

Donnerstag 7. Dezember

Morgens früh bei 12-13° Réaumur froren wir alle so, als wäre Frost. Bei der Ankunft in Suez, vor 6 Uhr früh, ging ich an Deck: über Afrika war noch Nacht, überm Gebirge Mond und kalte Bläue, jenseits über Arabien schon morgenrosiger Himmel. Im Schatten und Wind blieb es dauernd kühl, doch wird es ein glänzend sonniger Tag, die gelbe Sandlandschaft mit Kamelen und blauem Wasser leuchtete intensiv. Glänzende Fahrt durch den Kanal. Man fühlt sich schon sehr nördlich und fast heimatlich, da man die vor wenigen Tagen noch gefürchtete Sonne nun dankbar aufsucht, ich trug heut auch zum erstenmal wieder europäische Kleider. Prächtiger Sonnenuntergang mit tausend winzigen glühenden Wolken, und während das noch lebte und glühte, kam auf der andern Seite schon der große Vollmond aus der Wüste herauf. Wir lagen lange fest und ließen fremde Schiffe passieren. Fellachenbuben liefen bettelnd nebenher, Kamele standen regungslos, mit scharfer Silhouette im Himmel stehend, ein abendliches Lager

1 Der 1901 erschienene klassische Roman der englischen Indienliteratur von Rudyard Kipling.

einer Familie am Feuer. Kalter Abend. Gespräche mit den Doktoren und Dr. Ebbecken, der mir gestern seine Gedichte aufschrieb. Das war der letzte orientalische Abend, morgen Nacht werden wir schon weit im Mittelmeer sein.

Wunderliche Nacht: ich ging müd mit wieder revoltierendem Magen gegen 10 Uhr zu Bett. Um 12 kamen wir in Port Said an, ich war kaum erst eingeschlafen. Ich stand wieder auf, ließ mich an Land bringen und ging allein in die seltsam häßliche Stadt hinein, wo auf unsre Ankunft hin sofort Läden, Cafés etc. hell wurden und sich öffneten. Im Laden von Simon Arz, wo ich Messingsachen aus Damaskus kaufte, traf ich Freudenberg, Weisflog und andre Passagiere und schloß mich an. Ein ältlicher Gauner führte uns durch die Stadt, d. h. in die Bordelle, deren wir 3 besuchten, es war wie überall, und ich werde nie mehr versuchen, an solchen Orten Interessantes zu sehen. Merkwürdig war mir's nur, die Lebemänner meiner Begleitung zu beobachten. Gegen 3 Uhr hatte ich genug und lief weg, allein durch die groteske Stadt und zum Hafen, nach 3 kam ich wieder ins Bett, es wurden aber die ganze Nacht Kohlen geladen.

Freitag 8. Dezember

Sehr müde um 7 Uhr wieder auf, ohne geschlafen zu haben, Abschied vom alten Engländer aus Neuseeland und seiner Frau. Nach 9 Ausfahrt aus Port Said am faden Lesseps[1] vorbei, unsichere Kriegsberichte von Tripolis. Frau Moser zeigte mir eine große alte chinesische Stickerei. Umzug in große Kabine. Die Nacht an Land war warm gewesen, nun auf See wird's wieder kühl, die afrikanische Küste verschwindet.

Samstag 9. Dezember

Früh sehr kühl, dann Sonne. Abends sollen wir Kortir passieren. In einer Woche bin ich längst zu Hause. Magenbeschwerden. Mittags war ich mit Freudenberg beim Kapitän oben, sah dessen Wohnung, stand am Steuer des Schiffs etc., der Kapitän rechnete aus, daß die von Norddeich bei Emden gekommenen Telegramme, die wir heut nacht 12 Uhr drahtlos aufnahmen, 2926 Kilometer weit her gekommen sind. Ich las den

1 Denkmal des Erbauers des Suezkanals Ferdinand Lesseps.

Pankraz von Keller[1]. Neben mir liegt die kranke Frau Moser aus Hankau, die während der chinesischen Revolution unter Brand und Kanonenschießen geflohen ist. Abends erzählt mir der Kapitän viel drollige Geschichten, nahm mich noch mit in sein Zimmer und setzte mir ein halbes Wasserglas voll Gin und Vermouth vor. Kühl, windig, rauhe See. Durch die schöne Meerenge von Messina fahren wir nun leider in dunkler, kühler Nacht bei Sturm und Regen, das Schiff rollt arg und es gibt Seekranke.

Bis Suez hatten wir 2 Mohammedaner aus Java an Bord, Abgesandte der malayischen Mohammedaner, die den Türkenkrieg an Ort und stelle studieren und dort für die Glaubensbrüder tätig sein sollen. Mit Grausen sehe ich die kurzen trüben Tage näher rücken, bin aber gern auf dem Schiff und kaum mehr reisemüde.

Sonntag 10. Dezember

Früh schon fuhren wir an Stromboli vorbei, starker Wind und rauhe See, doch kein Regen mehr. Um 11 Uhr sah man Capri. Vormittags lustige Begräbnismimik mit dem etwas seekranken Freudenberg. Ich stand wohl 2 Stunden, meist allein, vorn am Oberdeck im schneidenden Wind und sah dem wilden Meer zu. Nach 1 Uhr glänzende Einfahrt in die Bucht, an Amalfi, Capri, Sorrent vorbei, die Felsenufer in der Bläue vielfarbig schön. Ankunft in Neapel 3 Uhr, Quarantäneformalität höflich und nett durch bloßes Abzählen erledigt. Brief von Mia aus Basel. Der Vesuv herrlich im kühlen Licht. Wir konnten gegen halb 5 Uhr an Land fahren, im Hafen eine Masse von Soldaten, viel schöne Bersaglieri und andre Truppen, die für den Krieg nach Afrika verschifft werden. Die meisten sahen ernst und beklommen aus. Wir nahmen einen Wagen und fuhren durch die schönen, einfach stilvollen Palaststraßen, zuerst zum Teatro Bellini und nahmen Billete für die Vorstellung um 6 Uhr, zu vieren eine Loge für 12 frs. Dann schlichtes, gutes italienisches Nachtessen mit gutem Chianti, dann zum Theater. Man gab Verdi's »La forza del destino«[2], dessen kriegerische Stellen aktuell klangen. Feine schwung-

1 Die Novelle »Pankraz der Schmoller«, die Gottfried Kellers Novellenzyklus »Die Leute von Seldwyla« einleitet.
2 »Die Macht des Schicksals«.

volle Verdimusik, nobel instrumentiert, nettes Theater, guter großer Tenor. Nachher wieder Essen und Wein, dann Café und um Mitternacht zurück zum Schiff. Ein alter Mann stieß, als ich Postkarten einwerfen wollte, mit dem Finger den Blechdeckel des Briefkastens auf und forderte dafür zwei Soldi.

Montag 11. Dezember 1911

Das ist nun der letzte Tag auf See, kühl und bedeckt, das Meer wieder ziemlich ruhig. Scheffelbord. Gegen Abend Sturm, viel Seekranke. Im Rauchzimmer Abschiedstrunk mit Leuthold, Kriegs, etc., das Schiff stampfte so heftig, daß ich einmal vom Stuhl fiel.

Dienstag früh 8 Uhr Ankunft in Genua.

Indische Weisheit

»Der Weisheit letzter Schluß« heißt ein Buch von Paul *Eberhardt,* das soeben bei Eugen Diederichs in Jena herauskam. Es enthält auf wenig über hundert Seiten ausgewählte Verse aus den Upanishaden der Veden, und der Titel ist eigentlich nichts anders als eine Übersetzung des Sanskritwortes Vedanta, das »Ziel des Wissens«, »Sinn des Wissens« oder auch »Ende des Wissens« bedeuten kann. Damit ist der Titel zugleich eine gute Probe der poetisch kräftigen Übersetzungskunst des Herausgebers, der in einem gedankenvollen, beinahe mystischen Nachwort sich zum Glauben bekennt, daß vom alten Indien der Veden her eine Erneuerung unseres Geistes kommen werde. Dabei lehnt er das nachvedische, spätere Indien mit seiner blühenden Dialektik und seinem Gelehrsamkeitswust durchaus ab, und ich möchte im wesentlichen gerne diesem tief empfundenen Nachworte beistimmen, wenn es nicht zu einem Teil aus Negationen und Polemik bestände. Es ist ein Streit um Worte, wenn Eberhardt die Bezeichnung »Pantheismus« für die Grundstimmung des altindischen Geistes perhorresziert, und es ist unerfreulich, wenn er zugunsten der reineren indischen Lehre gegen Schopenhauer und gegen den »Pessimismus« heftig wird. Schopenhauers »Pessimismus« ist gewiß nicht das, was wir brauchen und wobei wir bleiben wollen; aber er ist uns mehr als irgend ein anderer ein Führer auf dem Wege, an dessen Ende jene letzte Weisheit liegt, die wir bei den Veden und bei Laotse zu erleben hoffen und deren Ausdruck in jenen alten Schriften uns bis heute nur erst stammelnd und vieldeutig in tastenden Übersetzungsversuchen zugänglich gemacht ist. Zu diesen Versuchen tritt die feine Blütenlese von Eberhardt und sei um ihres tiefen, begeisterten Ernstes, um ihrer sprachlichen Kraft und dichterischen Anschaulichkeit willen herzlich begrüßt.

Gleichzeitig kam in ebendemselben Verlag eine neue Übersetzung der *Bhagavadgita* heraus. Sie stammt von *Leopold v. Schroeder,* dem verdienten Indienforscher, liest sich ziemlich leicht und ist mit guten reichlichen Anmerkungen versehen. In dem äußerst interessanten Vorwort versucht Schroeder, über die verschiedenen Auffassungen der Bhagavadgita durch hervorragende Forscher zu orientieren und eine plausible Lösung für jenen Zwiespalt zu finden, der in diesem herrlichen Liede zwischen vedisch-frommer und Samkhya-Philosophie herrscht, zwischen naivem Glauben und kritischem Atheismus. Es bestehen darüber bei den Philologen diverse Meinungen, während dem genießenden Laien der Streit um des Kaisers Bart zu gehen scheint. Denn daß in einem Epos, dessen Autor nicht Professor der Philosophie ist, Altes und Neues, Glaube und Modernismus, Aufklärung und Pietät sehr wohl nahe beisammenwohnen können, ist eigentlich nicht im mindesten wunderbar; es wäre weit wunderbarer, wenn das Gedicht eine ausgesprochen philosophische Lehrtendenz hätte. Die hat es nicht, wohl aber eine ethische, und eben die ist es, die seit Schlegel, Humboldt und Schopenhauer verehrt wurde. Naive Nachbarlichkeit, ja Verschmelzung verschiedener, oft direkt feindlicher Weltanschauungen ist nicht eine Ausnahme, sondern leider vielleicht die Regel; der Durchschnittseuropäer sähe drollig aus, wenn wir ihn auf das hin untersuchen wollten. Daß vollends bei einem indischen Dichter einige Philosophien zerstückelt und als Mosaik durcheinander gespielt werden, ist nicht im geringsten seltsam; heute noch vermag jeder gebildete Hindu in glänzender Rede Buddha und Kant, Christus und die Upanishaden zu einem solchen Mosaik zu verarbeiten. Das Wunderbare an der Bhagavadgita ist nicht, daß man zwei bis drei philosophische Systeme in ihr nebeneinander vertreten finden kann, sondern daß darüber hinweg eine ungelehrte, erlebte Weisheit sich als helfende Güte offenbart. Diese schöne Offenbarung, diese Lebensweisheit, diese zu Religion erblühte Philosophie ist es, die wir suchen und brauchen, und auf dem Wege zu ihr wollen wir jedem Führer dankbar sein, auch diesen beiden Büchern.

(1912)

Chinesen

Unsere Zeit hat, trotz aller sozialen Arbeit, doch noch immer stark individualistische Ideale, in der Kunst und Kunstbetrachtung vor allem. Reichlich zwei Jahrzehnte lang hat Europa dem genialen Jakob Burckhardt folgend, für die italienische Renaissance und die prächtige Kraft ihrer Gewaltmenschen geschwärmt, und Europa, speziell Deutschland, hat den seltsamen Irrtum begangen, sogar auf dem Gebiete des Handwerks und Kunstgewerbes einen heftigen Persönlichkeitskultus zu treiben.

Als Rückschlag auf diese Romantik erleben wir jetzt eine Wendung des ästhetischen und menschlichen Interesses zu Künsten und Völkern, deren Ideale durchaus überindividuelle waren oder sind. Vor allem hat Ostasien, weit über die ja längst vorhandene Freude an hübschen japanischen Erzeugnissen hinaus, bei uns eine erneute tiefe Teilnahme und ein eifriges Studium wachgerufen. Der chinesische Prophet Laotse, der Schwerverständliche, ist wiederholt übersetzt worden, und zwar in mehrere europäische Sprachen, darunter ganz neuerdings dreimal ins Deutsche. Eine sehr lesbare deutsche Ausgabe des Konfuzius ist erschienen, daneben haben seit Jahren die hübschen Japanbücher von Lofcadio Hearn gewirkt, und die ostasiatische alte Kunst ist in manchen wertvollen Monographien uns nähergebracht worden.

Im Osten selber, unter den Europäern Indiens und Chinas, werden zwar chinesische Kunstfertigkeit und Solidität hoch geschätzt, und wenige Weiße kehren nach Europa heim, ohne als beste Gabe aus dem Osten chinesische Gewebe und Stickereien, japanische und chinesische Holzarbeiten und Keramiken mitzubringen. Die Kaufleute draußen sprechen von den Japanern mit Abscheu, von den Chinesen mit einer gewissen, fast ängstlich-neidischen Achtung; große Erwerbsgebiete sind ganz in chinesischen Händen; auch in Handel und Schiffahrt sind sie als Konkurrenten europäischer Unternehmer gefürchtet, doch geachtet. Hingegen gilt in jenen Ländern, wo es keine europäischen Diener und Handarbeiter gibt, der Chinese trotz allem doch für einen Farbigen, für minderwertig und zurückgeblieben; man schätzt ihn wohl höher als etwa den Malaien oder Tamilinder, aber so richtig für voll wird er doch nur von wenigen Schwärmern oder tieferen Kennern genommen. Man kauft und schätzt seine Stickereien, man lobt die Exaktheit und Sauberkeit seiner manuellen Leistungen, man läßt seine hohe Intelligenz gelten. Aber die Europäer sind selten, denen beim Anblick einer Chinesenstraße die Bauart und farbige Abgestimmtheit des ganzen Bildes, die Nuancierung der Trachten die Helligkeit und Intellektualität der Volksmenge nicht nur als ein hübscher exotischer Anblick imponiert, sondern als Produkt, als Ausdruck einer hohen, längst zu Instinkt und automatischer Tradition gewordenen Kultur zu denken gibt. Man lächelt über den chinesischen Kuli, der sich gleich den Indern, vermutlich aus guten hygienischen Gründen, mit Kokosöl einreibt; man erzählt viel von der Spielsucht der Chinesen aller Stände und munkelt je und je geheimnisvoll von einem Zuge tiefer, wilder Grausamkeit, der allen Chinesen im Grunde eigen sei. In der Wirklichkeit bekommt man von dieser Grausamkeit nie etwas zu sehen als seltene Polizeinachrichten oder Berichte aus älterer Zeit, meist aus Kriegs- oder Revolutionszeiten, und diese melden nichts Schlimmeres, als was uns auch aus europäischen Kriegen, selbst den allerneuesten, vertraut und geläufig ist. Das Opiumrauchen, an sich und als Volksgefahr gewiß nicht schlimmer als die Trunksucht in Europa, scheint im Rückgang begriffen, wird von europäischen Opiumhändlern unterstützt und von großen chinesischen Gesellschaften genauso bekämpft und überwacht wie bei uns die Trunksucht von den Abstinenzgesellschaften.

Worin die Chinesen, als Volk, hinter uns zurück sind, das sind zumeist äußere Vervollkommnungen der Zivilisation, das sind Maschinen und Kanonen und ähnliche Dinge, an denen man nicht Kulturen abmißt. Auch in diesen Dingen waren sie uns vor Jahrhunderten ziemlich voraus, sie haben auch solche Dinge wie Schießpulver und Papiergeld früher gehabt als wir. Auf diesen Gebieten sind sie von uns überholt worden und von uns abhängig geworden, nicht aber in der Wurzel ihrer Kultur, die zur Zeit zwar gefährdet, aber kaum lebensgefährlich angetastet scheint.

Diese Wurzel der chinesischen Kultur ist unseren aktuellen Kulturidealen so entgegengesetzt, daß wir uns freuen sollten, auf der anderen Hälfte der Erdkugel einen so festen und respektablen Gegenpol zu besitzen. Es wäre töricht, zu wünschen, die ganze Welt möchte mit der Zeit europäisch oder chinesisch kultiviert werden; wir sollten aber von diesem fremden Geist lernen und den fernen Osten ebenso zu unseren Lehrern rechnen, wie wir es seit Jahrhunderten mit dem westasiatischen Orient getan haben. Und wenn wir im Konfuzius lesen, der fünfhundert Jahre vor Christus gelebt hat, so sollen wir ihn nicht als ein verschollenes Kuriosum untergegangener Zeiten betrachten, sondern daran denken, daß nicht nur seine Lehre dies große Reich durch zwei Jahrtausende erhalten und gestützt hat, sondern daß heute noch seine Nachkommen in China leben, seinen Namen tragen und von ihm mit Stolz wissen – woneben der älteste und kultivierteste europäische Adel kindlich jung erscheint. Laotse soll uns nicht das Neue Testament ersetzen, aber er soll uns zeigen, daß ähnliches auch unter anderem Himmel und früher schon gewachsen ist, und das soll unseren Glauben an die Internationalität der Kulturfähigkeit stärken. Und wenn wir aus der Geschichte einige chinesische Grausamkeiten hervorholen, deren es gewiß erhebliche gegeben hat, so sollen wir daneben auch jene Geschichten aus China stellen, die uns neben der Bibel und neben den Klassikern des Altertums als Vorbilder und fördernde Lehrer dienen können.

Ein chinesischer Kaiser der Tsin-Dynastie (um 230 v. Chr.) schlug eine Rebellion dadurch nieder, daß er den Anführer der Rebellen samt seiner und seiner Freunde Kinder töten ließ; seine eigene Mutter, die am Aufstand beteiligt war, schickte er in die Verbannung und ließ bei der Strafe des Zerhacktwerdens verbieten, ihn je wieder an seine Mutter zu mahnen. Das war nun gegen den chinesischen Geist gehandelt, um so mehr als die Kaisermutter keine gefährliche Frau und nur verführt worden war. Siebenundzwanzig Adelige meldeten sich nacheinander beim Kaiser, das furchtbare Verbot mißachtend, und ermahnten ihn, seiner Mutter zu gedenken und sie zurückzurufen. Und alle siebenundzwanzig ließen sich, einer nach dem anderen und jeder vom Schicksal seiner Vorgänger wissend, von dem wütenden Kaiser umbringen. Sie wurden zerhackt, und es schien nun Ruhe zu sein. Aber da nun der Adel schwieg, kam aus dem Nebenstaat ein Gelehrter hergewandert und ließ sich zum Kaiser führen, um ihn ebenfalls an seine Pflicht zu mahnen. Der Kaiser empfing ihn mit dem Schwert in der

Hand, ließ ihn vor einen Kessel mit siedendem Wasser führen, in den er geworfen werden sollte, und fragte, ob er das Schicksal kenne, das jene Adeligen getroffen hätte und das auch ihn erwarte. Der Gelehrte nickte nur und lächelte und begann den Kaiser mit den Worten zu ermahnen: »Achtundzwanzig Sternbilder gibt es, ich will ihre Zahl erfüllen.«

Und neben den Märtyrern westlicher Religionen und Kulturgemeinschaften stehen würdig die chinesischen Gelehrten unter dem Kaiser Schi. Der Kaiser war von seinen Gelehrten wiederholt ermahnt worden, die überkommenen Regeln der Sitte und des Regierens nicht zu mißachten. Sein Kanzler Li-Si aber verteidigte ihn und riet ihm schließlich, die Macht der hergebrachten Vorschriften und Gesetze dadurch zu brechen, daß er alle gelehrten Bücher dieser Art im ganzen Land verbrennen lasse. Er ließ sich dazu überreden, und alsbald begann eine furchtbare Vernichtung aller Bücher im Lande, der wertvollsten und edelsten Dokumente altchinesischer Kultur. Den Gelehrten und Bücherbesitzern aber war bei schwerer Strafe befohlen, alle ihre Bücher binnen dreißig Tagen zu verbrennen oder den Beamten auszuliefern. Und obwohl jeder, der diesem Befehl zuwider handelte, sofort gefangengesetzt und verurteilt wurde, haben nicht weniger als vierhundertsechzig Gelehrte Trotz geboten und sich einsperren lassen und sind lebendig begraben worden. (Chinesische Geschichte von Heinrich Hermann, Stuttgart 1912.)

Unter den Geschichten, die unseren Kindern zu Vorbild und Erbauung in den Schulen erzählt werden, auch unter denen der Bibel, sind viele, die sich weder an Adel noch an Großartigkeit diesen und manchen ähnlichen Erzählungen aus der alten chinesischen Geschichte vergleichen lassen. Jener Gelehrte vor dem Schwert des Kaisers und vor dem Kessel mit siedendem Wasser ist mehr als Mucius Scävola; er opfert sich nicht nur für den Fortbestand des Vaterlandes, er ist bereit, für die Erfüllung einer idealen Pflicht zu sterben, im Widerstand gegen den Kaiser, der ihm heilige Vorschriften zu verletzen scheint. Er ist revolutionär aus Konservatismus, aus demselben Konservatismus, der uns westlichen Völkern unbegreiflich starr erscheint und der doch eines der größten Reiche und eine der wertvollsten Kulturen der Welt bis heute genährt und erhalten hat. *(1913)*

Wenn ich mich jetzt, drei Jahre nach meiner malayischen Reise, an den Osten erinnere, so sehe ich die Einzelbilder jener Reise in ihrer Gegenständlichkeit leicht getrübt und verallgemeinert, es ist Colombo von Singapur. Ippoh von Kuala-Lumpur, der Batang Hari vom Moesi nicht mehr so scharf in umrissener Individualität abgetrennt und verschieden. Dafür treten einige große Zusammenhänge deutlicher hervor. Wenn man mich heute nach genauen sichtbaren Einzelheiten aus Palembang oder Penang oder Djambi fragt, so muß ich suchen und habe einige Mühe, Greifbares hervorzubringen; wenn man mich aber nach dem Wert und den Haupteindrücken meiner ganzen Reise fragt, so weiß ich besser und rascher Bescheid als damals gleich nach der Heimkehr.

Von den Wochen, die ich in Städten und Wäldern der Malakka-Halbinsel und Sumatras zugebracht habe, sind mir folgende Haupteindrücke als Erlebnisse geblieben, zusammengeschmolzen und kombiniert aus hundert kleinen gesehenen Einzelheiten. Der erste und vielleicht stärkste äußere Eindruck, das sind die Chinesen. Was ein Volk eigentlich bedeute, wie sich eine Vielzahl von Menschen durch Rasse, Glaube, seelische Verwandtschaft und Gleichheit der Lebensideale zu einem Körper zusammenballe, in dem der Einzelne nur bedingt und als Zelle mitlebt wie die einzelne Biene im Bienenstaat, das hatte ich noch nie wirklich erlebt. Ich hatte Franzosen von Engländern, Deutsche von Italienern, Bayern von Schwaben, Sachsen von Franken zu unterscheiden gewußt; schließlich aber doch nur von den Engländern den Eindruck einer in ihrer Eigenart gepflegten, auf Rasse und Geschichte stolzen Volksgemeinschaft bekommen, und daran war das niedere Volk unbeteiligt. Bei den Chinesen sah ich zum erstenmal die Einheit eines Volkswesens so absolut herrschen, daß alle Einzelerscheinungen darin ganz und gar untergehen. Äußerlich und malerisch kann man von Malayen, Hindus oder Negern denselben Eindruck haben, Farbe, Kostüm und Lebensführung uniformieren alle diese Massen zu höchst sichtbaren Einheiten. Aber bei den Chinesen war von allem Anfang an der Eindruck eines Kulturvolkes da, eines Volkes, das in langer Geschichte geworden und gebildet ist und im Bewußtsein der eigenen Kultur nicht nach rückwärts, sondern in eine tätige Zukunft blickt.

Etwas völlig anderes ist der Eindruck, den die Naturvölker machen. Zu ihnen rechne ich die Malayen, trotz ihres Handels, ihres Mohammedanismus und ihrer äußeren Zivilisationsfähigkeit durchaus mit. Den Chinesen gegenüber war mein Gefühl zwar stets eine tiefe Sympathie, aber gemischt mit einer Ahnung von Rivalität, von Gefahr; mir schien, das Volk von China müssen wir studieren wie einen gleichwertigen Mitbewerber, der uns je nachdem Freund oder Feind werden, jedenfalls aber uns unendlich nützen oder schaden kann. Nichts davon bei den primitiven Völkern. Auch sie erwarben sofort meine Liebe, aber es war die Liebe des Erwachsenen zu jüngeren, schwachen Geschwistern, zugleich auch erwachte das Schuldgefühl des Europäers, der an diesen Völkern bis heute nur Dieb, Eroberer und Ausbeuter geworden ist, noch nicht helfender und führender Bruder, mitleidiger Freund, helfender Führer. Daß aus diesen braunen gutartigen Völkern große Gefahren oder Gewinne für unsere Kultur zu erwarten seien, ist ohne jede Wahrscheinlichkeit. Daß aber die Seele Europas ihnen gegenüber voll von Schuld und ungebüßter Sünden starrt, läßt sich nicht leugnen. Die unterdrückten Völker der Tropenländer stehen unserer Zivilisation als Gläubiger mit älteren und gleichbegründeten Rechten gegenüber wie etwa die Arbeiterklasse in Europa. Wer im eigenen Automobil im Pelz an Arbeitern vorüberfährt, die müde und frierend nach Hause gehen, kann keine ernsteren Gewissensfragen an sich stellen, als wer auf Ceylon oder Sumatra oder Java als Herr zwischen lautlos bedienenden Farbigen lebt.

Der dritte starke Eindruck meiner Reise war der Urwald. Ich kenne die neuesten Theorien über die Urheimat des Menschen nicht; für mich bleibt, zumindest symbolisch, der tropische Urwald die Heimat des Lebens, der einfache primitive Tiegel, in dem aus Sonne und nasser Erde lebendige Formen gebraut werden. Wir, die wir alle in Ländern leben, deren natürliche Produktionskräfte fast bis zur Grenze ausgebeutet, zumindest gekannt und gemessen sind, wir stehen mit unserem an Zahlen und Maße gewöhnten Denken inmitten des Urwaldes wie an der Wiege des Lebens und ahnen dort mit Staunen, daß die

Erde noch kein erkalteter Stern in späten schwachen Zuckungen ist, sondern noch zeugenden Urschlamm kennt. Eine Flußfahrt zwischen Krokodilen, Reihervölkern, Adlern und großen Katzen, oder ein Waldmorgen, wenn im gelb durchsonnten Geäst der filzigen Waldwildnis große Affenfamilien den Tag mit Gebrüll begrüßen, das ist für den an scharf begrenzte Felder, sorgsam gezogenen Wald und regulierte Revierjagd Gewöhnten ein wunderbares und mächtiges Erlebnis. Dazu der Geruch von Gefahr und das Gefühl von der Wertlosigkeit des Einzellebens, wenn man im feuchten dampfenden Dschungel nach Vögeln oder Schmetterlingen geht, Geheimnis und mögliche Gefahr auf allen Seiten, geiles Pflanzenwachstum und üppig brütendes Tierleben auf jedem Quadratfuß. Und die alte, selbstverständliche, in Europa doch tausendmal vergessene Herrschaft der Sonne! Das elementare Einbrechen der Nacht, die alles bis zum Grunde verwandelt, und das Aufglühen des raschen Morgens, der das Leben wiederbringt, das unendlich rasche und heftige Entstehen und Austoben der Regen und Gewitter, der warme, leicht animalische Geruch der nassen fruchtbaren Erde, dies alles ist für uns wie eine geheimnisvolle und lehrreiche Rückkehr an die Quellen unseres Lebens.

Schließlich aber ist doch ein menschlicher Eindruck der stärkste. Es ist der der religiösen Ordnung und Gebundenheit all dieser Millionen Seelen. Der ganze Osten atmet Religion, wie der Westen Vernunft und Technik atmet. Primitiv und jedem Zufall preisgegeben scheint das Seelenleben des Abendländers, verglichen mit der geschirmten, gepflegten, vertrauensvollen Religiosität des Asiaten, er sei Buddhist oder Mohammedaner oder was immer. Dieser Eindruck beherrscht alle anderen, denn hier zeigt der Vergleich eine Stärke des Ostens, eine Not und Schwäche des Abendlandes, und hier fühlen sich alle Zweifel, Sorgen und Hoffnungen unserer Seele bestärkt und bestätigt. Überall erkennen wir die Überlegenheit unserer Zivilisation und Technik, und überall sehen wir die religiösen Völker des Ostens noch ein Gut genießen, das uns fehlt und das wir eben darum höher stellen als jene Überlegenheiten. Es ist klar, daß kein Import aus Osten uns hier helfen kann, kein Zurückgehen auf Indien oder China, auch kein Zurückflüchten in ein irgendwie formuliertes Kirchenchristentum. Aber es ist ebenso klar, daß Rettung und Fortbestand der europäischen Kultur nur möglich ist durch das Wiederfinden seelischer Lebenskunst und seelischen Gemeinbesitzes. Ob Religion etwas sei, das überwunden und ersetzt werden könne, mag Frage bleiben. Daß Religion oder deren Ersatz das ist, was uns zutiefst fehlt, das ist mir nie so unerbittlich klar geworden wie unter den Völkern Asiens. *(1914)*

Meisterwerke
orientalischer Literaturen

Unsere Kenntnis des Orients ist im wesentlichen noch eine recht äußerliche, eine geographische und politische, und sie hat viele Lücken, die sich jedem schmerzlich zeigen, der einmal versucht, auf Reisen oder durch Vermittlung von Büchern etwas Tieferes über das Wesen der östlichen Kulturen zu erfahren. Neuerdings ist wieder ein intensives Bedürfnis nach tieferem Eindringen zu spüren; die Kunst Ostasiens, und etwas später auch die vorderasiatische, begann in Europa stark zu wirken, und neuestens sehen wir auch Teile der asiatischen Literaturen erschlossen, die unser Denken beeinflussen und zumindest für die psychologische und politische Erkenntnis des Ostens unendlich wichtig geworden sind. Für das indische Denken war Deutschland durch *Schopenhauer* vorbereitet, erst etwas später begann ein allgemeineres Interesse für die Denker Chinas zu erwachen (hier sind die Übersetzungen chinesischer Autoren im Verlag *Eugen Diederichs* mit Auszeichnung zu nennen). Darüber war die Teilnahme für die Literatur des Islams einigermaßen eingeschlafen; außer dem etwas plötzlich von England her in Mode gekommenen *Omar Chajam* hat in den letzten zehn, ja zwanzig Jahren kaum ein vorderasiatischer Dichter bei uns viele Leser gefunden. Auch das wird anders werden, je mehr wir erkennen, daß auch ein politisches Verstehen der asiatischen Völker durchaus auf der Kenntnis ihrer Denkrichtungen und Literaturen aufbauen muß.

So ist nun eine neue Sammlung: *Meisterwerke orientalischer Literaturen* höchst willkommen, die im Verlag von *Georg Müller* in München zu erscheinen beginnt. Drei Bände liegen fertig vor und seien hier kurz betrachtet.

Der erste Band enthält *Georg Rosens* Übersetzung einer Auswahl aus dem *Mesnevi* des Scheich Mewlana Dschelal ed din Rumi, einem Buch, das seit seinem ersten Erscheinen im Jahr 1849 selten geworden und fast ganz verschollen war. Die Neuausgabe hat *Rosens* Sohn *Friedrich* besorgt, mit wenigen Änderungen, und er hat dem Buch ein ganz vortreffliches Vorwort mitgegeben, das Muster einer populären Darstellung schwer zugänglicher Gegenstände. In dem *Mesnevi,* das aus dem 13. Jahrhundert stammt und zu den klassischen Werken der persischen Dichtung gehört, lernen wir eine höchst eindringliche Lebensäußerung der mystischen Gedankenwelt des Sufismus kennen. Dem indischen Geist verwandt und von ihm beeinflußt, aber durch die gemeinsamen Quellen der griechischen Philosophie und der Bibel uns näherstehend, sucht diese persisch-islamitische Lehre das Heil in der reinen Meditation und hat eine Art von Nirwana zum Ziel, ein »Sterben vor dem Sterben«, ein seliges Eingehen in den Urgrund der Dinge, in welchem die Schuld und Qual des Werdens überwunden ist. Indessen ist mit einer solchen Erklärung wenig gesagt, und wie sehr der persische Dichter trotz dieser nahen Anlehnung an indische Lehren originell und unindisch ist, kann nur die Lektüre selbst zeigen. Aus dem Koran und der Bibel her ist seine Lehre mit einem höchst prächtig-anschaulichen Apparat von Bildern und mythologischen Elementen versehen, und die bildlose Erkenntnis des Höchsten führt durch eine reiche, poetisch-menschliche Bilderwelt. So atmet denn durch das Ganze eine schöne, verständliche, gleichnisreiche Frömmigkeit, welcher die Welt zwar nichts Endgültiges, wohl aber ein bedeutungsvolles Bilderbuch bedeutet, und die im ganzen verleugnete Sinnenwelt kommt im einzelnen vollauf zu ihrem poetischen Rechte. Rosens Übersetzung ist, wie alle seine herrlichen Arbeiten, bei allem Streben nach Genauigkeit voll Geschmack und Frische.

Der zweite Band bringt *Chinesische Novellen,* übersetzt von *Paul Kühnel,* mit einer kurzen, bibliographisch wertvollen Einleitung und guten Anmerkungen. Der Band enthält neun, meist längere Erzählungen aus der populären chinesischen Novellenliteratur. Er wird allen denen, die seit *Griesebachs* Novellenbuch und seit *Bubers* sehr schönen chinesischen Geister- und Liebesgeschichten diese Erzählungskunst liebgewonnen haben, eine große Freude bereiten. Ein weiterer Band, der speziell jenes Buch der Geister- und Liebesgeschichten enthalten soll, ist angezeigt.

Die chinesischen Novellen, nicht in der alten Gelehrtensprache abgefaßt und darum nicht zur klassischen Literatur gerechnet, sind für uns von ganz besonderem Werte, weil sie das Leben des mächtigen, für uns täglich wichtiger werdenden

Volkes in tausend anschaulichen Einzelheiten beschreiben: Familienleben, Handel, Beamtenschaft, Rechtsfälle, Adoption, Kunstleben und andere Spiegelungen dieser ältesten nationalen Kultur der Welt. Die frühesten dieser Geschichten stammen aus dem 15. Jahrhundert, aber die Stoffe und die moralischen Grundwerte bleiben sich alle durch Jahrhunderte gleich. Gemeinsam ist ihnen allen die hohe Achtung vor der Reinheit des Familienlebens und daneben die ebenfalls ganz chinesische Wertschätzung des materiellen Eigentums. Tugendhaft sein und Reichwerden sind beides chinesische Ideale seit alter Zeit und schließen einander in der populären Auffassung keineswegs aus. Durch die Verehrung der Toten gewinnt das tägliche Leben an Beziehungen und Tiefe, und Seelen- und Dämonenglaube spukt in hundert Formen durch die meisten chinesischen Novellen, wodurch viele eigentlich zu Märchen werden. Man denkt dabei unwillkürlich an chinesische Städte, deren Straßen vom intensivsten Leben und glühendster Gegenwart wimmeln, während in der Umgebung überall die ausgedehnten und üppigen Grabmäler das Land beherrschen. Die Übersetzungen Kühnels gehen, was besonders erwähnt sei, auf die Ursprache zurück.

Der dritte Band der Sammlung endlich enthält die *Sukasaptati,* das indische *Papageienbuch,* aus dem Sanskrit übersetzt und eingeleitet von *Richard Schmidt;* beigegeben ist ein Wiederabdruck von *Ikens* Übersetzung des persischen Papageienbuches aus dem Jahr 1822. Daß es von *Georg Rosen* eine Übersetzung der türkischen Fassung gibt, die neuerdings im Inselverlag wieder erschienen ist, sei nebenher berichtet.

Das Papageienbuch ist eine Art asiatischer *Dekamerone.* Ein Mann, der auf Reisen geht, überläßt seine junge Frau der Obhut eines gelehrten Papageis. Allabendlich nun plant die Frau ein Stelldichein mit ihrem Liebhaber, Abend für Abend aber wird sie durch den Vogel aufgehalten, der stets eine neue Geschichte zu erzählen beginnt, auf deren Fortgang die Frau so gespannt ist, daß sie bleibt und den Abend verpaßt. Dieser einfache Rahmen umfaßt eine Sammlung beliebter Geschichten, deren manche wir nach langen Wanderungen und Wandlungen um Jahrhunderte später in europäischen Büchern wieder antreffen. *Das Papageienbuch,* indisch *Sukasaptati,* persisch und türkisch *Tuti Nameh* genannt, stammt ohne Zweifel aus Indien, ungewiß aus welcher Zeit. Die älteste bekannte Sanskrit-Handschrift stammt etwa aus dem 15. Jahrhundert, doch waren schon im vierzehnten persische Nachdichtungen bekannt, und wahrscheinlich stammen die meisten der Erzählungen noch aus den ersten Jahrhunderten unserer Zeitrechnung. Durch die vorderasiatischen Bearbeitungen drang die Sammlung, oder Teile von ihr, nach Europa, und einzelne der Erzählungen finden sich bei *Boccaccio* und in anderen Novellenbüchern wieder. In deutscher Sprache sind uns jetzt also drei Bearbeitungen zugänglich: die neue Übersetzung aus dem Sanskrit von *Schmidt,* die von ihm mitabgedruckte *Iken*sche Übersetzung des persischen Tuti Nameh und die *Rosen*sche. Rosen schrieb seinerzeit, im Jahre 1857, am Schlusse seiner Vorrede, es sei seine Meinung, daß das *Papageienbuch* »nur durch Vermittlung der türkischen Version in Deutschland eingebürgert werden« könne. Inzwischen ist manches Indische uns vertraut geworden, und wir sind dankbar, auch das *Papageienbuch* jetzt in der Fassung kennen zu lernen, die dem Sanskrit-Original am nächsten kommt. Die Buntheit und Lebensfülle der Erzählungen, der Reichtum an spannenden Handlungen und Situationen, die Züge von Schalkhaftigkeit und listiger Lebensklugheit findet man trotz gewaltiger Unterschiede in allen Versionen wieder, und wir schätzen in dem *Papageienbuch* nicht nur seinen hohen literarischen Wert, sondern sehen in ihm auch mit Neugierde ein naives, populäres Indien gespiegelt, als ein farbiges Gegenstück zu dem stillen, geistigen Indien des Brahamanentums und des Buddha.

Die Sammlung, als deren Herausgeber *Hermann v. Staden* zeichnet, macht einen würdigen Eindruck und verspricht sehr viel; sie hat gar nichts zu tun mit jenen aufdringlichen, im üblen Sinne populären Auswahlen, in welchen man lediglich exotische Pikanterien vorgesetzt erhält. Sie wird denn auch nicht nur der Neugierde und nicht nur literarischen Interessen dienen, sondern die tiefere Kenntnis des Orients bei uns fördern helfen. Das ist wichtig, denn die asiatischen Kulturen und Völker haben für uns ja nicht bloß das Interesse des Historischen, sondern rücken immer enger zum Kreise unsrer aktuellsten Lebensfragen heran.

(1914)

Indische Märchen

Wenn man durch die Bazare einer ostasiatischen Stadt geht oder mit nachlesendem Auge den Figuren der Stickerei auf einem schönen Stück altindischer oder altchinesischer Seidenkunst zu folgen sucht, dann erliegt bald Auge und Gedanke einer seltsamen Suggestion von Reichtum und Unendlichkeit, von ewiger Wiederholung und ewiger Erneuerung der Formen, von fabelhafter Fülle und Unausschöpflichkeit. Drachenköpfe und Götterfiguren, vielarmige Gottheiten und stilisierte Tierkörper, feine Pflanzenformen und unheimliche polypenhafte Gebilde ergeben zusammen eine phantastisch schöne Ornamentik, in der das Wunderbarste selbstverständlich, das Grellste mild, das Entlegenste natürlich erscheint. Im Bewundern des ganzen weiß der Europäer nicht recht, soll er das alles für die launenhaften Gebilde der hochbegabten Phantasie eines primitiven Volkes ansehen oder für den Ausdruck einer sehr hohen geistigen und seelischen Bildung, der wir als untergeordnete Wesen nur mit halbem Verständnis gegenüberstehen.

Ähnlich geht es einem, wenn man in dem altindischen Märchenbuche liest, das »Kathasaritsagara« oder »Ozean der Märchenströme« heißt und von *Somadewa* etwa um die Mitte des elften Jahrhunderts aufgeschrieben worden ist. Es geht natürlich auf ältere Vorbilder zurück, und manche seiner Geschichten mag im ältesten Indien reiner und edler geklungen haben, aber gerade in der Buntheit seiner Mischungen und in seiner bald raffinierten, bald barbarischen Verbindung von Naivität und geistiger Höchstkultur ist es echt indisch. Dies seltsame Riesenwerk soll (wenn der fatale Krieg[1] nicht das Unternehmen mit so vielen anderen wertvollen Dingen vereitelt) in einer Übersetzung von Albert Wesselski in sechs Bänden deutsch erscheinen (bei Morawe und Scheffelt in Berlin), und einstweilen ist der erste Band herausgekommen, der die Fortsetzung und Vollendung des Werkes unbedingt wünschen läßt.

Was diese Märchen von denen anderer Nationen sofort unterscheidet, ist die typische Färbung des indischen Geistes,

1 Hesse schrieb diese Betrachtung wenige Monate, nachdem der Erste Weltkrieg ausgebrochen war.

seine uralte Neigung zu Frömmigkeit wie Gelehrsamkeit. Wie die Frömmigkeit der Inder zumeist in Verzichten und Entsagen besteht, so führt ihre Gelehrsamkeit ebenso vom Leben weg und in ein seltsam unwirkliches Land reiner Formalität. Beides kommt in den Märchen stark zum Ausdruck.

Zugleich sehen wir die indische Ethik, die tief im indischen Denken wurzelnde Überzeugung vom Unwert der Erscheinungswelt, von der Möglichkeit einer Erlösung durch Abtötung und Kasteiung, innig und grotesk verbunden mit einer fabelhaften Mythologie und einem abstrusen Dogmatismus. Die reinsten Gedanken der indischen Erlösungslehren kleiden sich in ernsthaft vorgetragene Göttergeschichten voll wilder und willkürlichster Symbolik; Naivstes und Tiefstes steht dicht nebeneinander. Schon darum und weil dieses seltsame Nebeneinander noch heute für das Denken und Leben der nichtmohammedanischen Inder charakteristisch ist, scheint mir das Märchenbuch des *Somadewa* eine Quelle wertvoller Erkenntnisse.

Indessen, ich bin kein Gelehrter, und was nützt mir ein Märchenbuch, dessen Lektüre mir nur kulturpsychologische Erkenntnisse bringt? Nein, von einem Märchenbuch verlange ich weit mehr, verlange ich höchste dichterische Werte, Visionen von echter Intensität, Situationen von tiefer innerer Wahrheit, Phantasien von beschwingter, schön spielender Anmut.

Nun, diese indischen Märchen geben auch dichterisch sehr viel. Schon die Sprache erfreut noch durch die Übersetzung hindurch mit vielen lieben Einzelheiten. Um einige Bilder zu nennen: Eine Nachricht ist für den einen von zwei Freunden erfreulich, für den andern niederschmetternd, »so wie sich über den Beginn der Regenzeit der Wasservogel erfreut und der Zugvogel betrübt«. Oder echt morgenländisch über die Trennung zweier Liebenden: »Das Wachs des Lebens schmilzt hin in dem Feuer der Trennung.« Oder es heißt von einem, dessen Aufgabe es ist, ein Gedicht möglichst vielen zur Kenntnis zu bringen: »Er wird es allerwärts verbreiten, wie der Wind den Duft der Blumen.«

Der alten Märchenfrage »Wer ist die Schönste im ganzen Land?« begegnen wir in einer wundervoll verklärten Form. Ein Dämon lockt Hunderte ins Verderben, indem er sie fragt: »Wer ist die Schönste in dieser Stadt?« Endlich aber findet er den Weisen, der ihm die schöne Lösung gibt: »Du Tor; jede ist schön für den, der sie liebt.«

Der Einsiedler im Walde, der von Blättern lebt, der wandernde Büßer, der wißbegierige König, der schlaue Kaufmann und viele andere charakteristische Typen Indiens finden sich in guten Geschichten. Dazwischen groteske Bilder von überraschender Wirkung: etwa der Fisch auf dem Marktplatz, der beim Anblick einer vom Fürsten begangenen Torheit in ein lautes Gelächter ausbricht.

Dazwischen fällt eine im Grunde wenig indische Figur durch ihre wahrhaft alttestamentliche Großartigkeit auf. Das ist der Minister Sakatala, der vom König samt seinen hundert Söhnen in den Kerker geworfen wird. Sie erhalten alle zusammen täglich nur so viel zu essen, als ein einziger Mann zur Erhaltung seiner Kräfte braucht, da bittet der Minister seine Söhne, denjenigen unter ihnen auszuwählen, der sich stark genug fühlt, einmal Rache am König zu nehmen. Sie alle aber wählen den Vater und so bekommt er, während die Söhne Hungers sterben, die tägliche Speise zu essen und erhält sich durch Jahre für die einstige Rache. Und wieder, als er nach Jahren frei und eine Rache möglich ist, da sucht er einen würdigen Gehilfen. Er wählt einen Brahmanen, den er ein Gras im dürren Boden tief mit der Wurzel ausgraben sieht, aus Rache dafür, daß eines seiner Blätter ihn in den Fuß gestochen hat. Und diesem Mann des zähen Zornes gelingt es, den König zu fällen.

Weiter finden wir, wie natürlich, eine Anzahl von Geschichten, die sich in vielen Märchen- und Anekdotenbüchern wiederfinden, bis weit nach Europa und ins Mittelalter hinein, bis zu Boccaccio. Daneben solche, die nur in Indien möglich sind, wie die altberühmte von der Taube, die an den Busen des guten Königs flüchtet und von ihm gegen den Habicht beschützt wird, mit Preisgabe seines eigenen Lebens, jenem Gegenstück zur Geschichte vom guten Hirten, das uns tief ins Herz des edelsten indischen Gedankens blicken läßt.

Die Geschichten sind miteinander verbunden durch Rahmenerzählungen von einer Verschlungenheit ohnegleichen, wie eine asiatische Stickerei von einem uralt mythischen Ornamentgeschlinge.

Möge Deutschland, das bisher allen Völkern vorangegangen ist im neidlosen Anerkennen fremder Leistungen und im Gefühl für das übernational Menschheitliche in den Literaturen, möge es bald wieder an solchen Werken des Friedens und des Verständnisses weiter arbeiten! Nicht das einzelne Werk, wohl aber der Geist solcher Arbeiten im Ganzen wird es sein, der die Menschheit langsam und geduldig fördert – vielleicht in ferner Traumzukunft einmal soweit, daß Kriege entbehrlich werden.

(1914)

Erinnerung an Indien

(Zu den Bildern des Malers Hans Sturzenegger)

Wenn ich die Bilder und Zeichnungen sehe, die Hans Sturzenegger aus Indien mitgebracht hat, dann drängen die Tage unserer gemeinsamen indischen Reise sich in der Erinnerung mit einem Schwall von kräftigen, festeingeprägten Bildern hervor. Mich erinnern diese Werke an erlebnisreiche Monate einer Reise, die für den Maler wie für mich bedeutungsvoll war und auf welcher wir in dem langen, engen Zusammenleben an Bord und zu Lande einander gründlich kennenlernten. Vermutlich, ja wahrscheinlich ist es ihm auf jener Reise ähnlich ergangen wie mir, der ich nicht nur ein fremdes, exotisches Land kennenlernte, sondern im Erleben des Fremden vor allem in mir selbst Entdeckungen zu machen und Proben zu bestehen fand.

Im heißen Sommer 1911 fuhren wir zusammen durch die Schweiz und das versengte Oberitalien nach Genua und von da ohne Pause zur See bis zu den Straits Settlements. In Penang schlug uns, an einem heißfeuchten glanzvollen Abend, zum erstenmal das quellende Leben einer asiatischen Stadt entgegen, zum erstenmal sahen wir das indische Meer zwischen den unzählbaren Koralleninseln spiegeln und blickten mit Erstaunen den bunten Erscheinungen des Gassenlebens in der Hindustadt, der Chinesenstadt, der Malaienstadt nach. Wildes, farbiges Menschengewimmel in den immer vollen Gassen, nächtliches Kerzenmeer, stille Kokospalmen in der See gespiegelt, scheue nackte Kinder, rudernde dunkle Fischer in urweltlichen Booten! Von diesen ersten Eindrücken der schon etwas europäisierten Hafenstädte bis in den stillen pfadlosen Urwald im Südosten Sumatras häuften und verstärkten sich die Bilder, bis jeder von uns sein Indien, sein Asien gefunden hatte und in sich trug. Auch diese Vorstellungen haben sich später noch geändert, ihre Werte und Deutungen verschoben. Geblieben ist das Erlebnis eines Traumbesuches bei fernen Vorfahren, einer Heimkehr zu märchenhaften Kindheitszuständen der Menschheit, und eine tiefe Ehrfurcht vor dem Geiste des Ostens, der in indischer oder chinesischer Prägung mir seither

Hans Sturzenegger, Chinesinnen, 1911

immer und immer wieder nahe kam und zum Tröster und
Propheten wurde. Denn niemals können wir, gealterte Söhne
des Westens, zu Urmenschentum und Paradiesunschuld der
primitiven Völker zurückkehren; wohl aber winkt uns Heimkehr und fruchtbare Erneuerung bei jenem »Geist des Ostens«,
der von Laotse bis zu Jesus führt, der die alte chinesische

Kunst hervorgebracht hat und heute noch aus jeder Gebärde des echten Asiaten spricht.

Während unserer Reise dachten wir indessen selten an solche Dinge und sprachen noch weniger davon. Die sinnlichen Eindrücke jeder Stunde nahmen uns ganz in Anspruch. Ich lief chinesischen Tempeln und Theatern, Riesenbäumen, Schmetterlingen und anderen schönen Raritäten nach, während mein Reisekamerad die ersten Schwierigkeiten des Malers in einer exotischen Stadt auskostete. Ich sehe ihn noch, hoch auf einem gemieteten Rikschawagen, einsam das Gedränge einer Chinesenstraße in Singapur überragen und in Staub und Glut skizzieren, bis die zudringlich werdende Menge ihn vertrieb.

Wieviel wunderbare, nicht festzuhaltende Bilder, welche herrliche, reiche Fülle der Erscheinungswelt, die uns umgab! Wieviel davon Hans Sturzenegger in seinen Blättern hat mitnehmen können, ist mir noch immer erstaunlich und beneidenswert. Aber Hunderte solcher Bilder, im Moment unmöglich darzustellen oder auch nur zu notieren, finde ich in der Erinnerung wohlerhalten wieder.

Etwa ein Nachmittag in Johore, der großen Spielhölle Hinterindiens, wo in engen düsteren Räumen an rohen Tischen dicht in Knäueln und Trauben von Körpern zusammengepreßt Hunderte von chinesischen Kulis standen, auf den Erfolg eines Einsatzes harrend, atemlos, still, bleich, alles Leben in die gierig wartenden Augen zusammengedrängt.

Oder ein Abend an Bord, stilles Stehen an der Brüstung, weite blaue Nacht voll von Sternen, Phosphorzucken im bleichen Kielwasser.

Opernabend in einem malaiischen Theater: affenhaft geschickte, unendlich begabte Schauspieler mit fabelhafter Technik hoffnungslos und eifrig am Werk, eine karikierte (leider nicht ironisch gemeinte) Imitation europäischen Theaterspiels hervorzubringen.

Und wie war das spannend und geheimnisvoll, im Boot auf einem Urwaldstrom sich einem Malaiendorf zu nähern! Von ferne schon zeigt sich der kleine bebaute Uferstrich, statt der ewig gleichen Pflanzenmauer des Urwalds ragen Kokospalmen und niedere, fette, saftige Pisangbäume. Dann tauchen die Schilfdächer der Hütten auf, ein kleines Reisfeld, eine primitive Schifflände. Neugierig steht die schwarze nackte

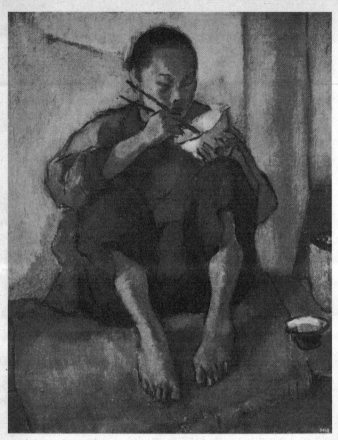

Hans Sturzenegger, Reis essender Chinese, 1911

Jugend noch beim Ufer, aber kaum sieht man sie recht, kaum nimmt das Boot den Kurs zur Lände hin, so schmelzen die Figuren lautlos hinweg und sind im Nu verschwunden, und beim Aussteigen sieht man da und dort in sicherer Entfernung hinterm Palmenstamm ein paar schwarze, spähende Augen glänzen.

Wir sahen Städte auf Pfählen im Wasser gewaltiger Ströme stehen, von tausend Booten geräuschlos befahren, schwimmende Händler, schwimmende kleine Läden mit Teppichen, mit Früchten, mit mohammedanischen Gebetbüchern, mit Fischen.

Wir sahen Inseln, Inseln aus Felsen, aus Erde, aus Korallen, aus Schlamm, Inseln so groß wie ein Pilz und Inseln so groß wie die Schweiz, wir sahen sie fern und tiefblau im Sonnenuntergang liegen oder im brennenden Mittag mit unerhörten Farben prahlen oder grau und geisterhaft im dichten Schleier der mächtigen Gewitterregen verschwinden. Und welche phantastischen Ungeheuer von Gewittern, von Donnerschlägen, von rasenden Platzregen haben wir zu sehen und zu spüren bekommen!

Wir wurden bedient von Chinesen, von Malaien, von Singalesen, von Männern mit schwarzen glänzenden Zöpfen und von Männern, deren Haar über prachtvoll ernsten Gesichtern hoch aufgebaut und mit breiten Metallkämmen festgesteckt war.

Und die Tiere! Was für Tiere haben wir gesehen! Weder wilde Elefanten (wir sahen nur gezähmte) noch Tiger, aber welche Menge von schönen, seltsamen, unvergeßlichen Gestaltungen! Wir sahen Affen, große und kleine, einzeln und in Familien und zuweilen auch in großen wimmelnden Heerzügen. Wir sahen die wilden Affen ihre ergreifend triebhaften, phantastischen, geräuschvollen Reisen unternehmen, ganze Familien und Stämme hoch im Geäst der dämmernden Wälder unterwegs. Und wir sahen gezähmte Hausaffen, am Strick festgebunden, auf den Befehl ihres Herrn am Kokosstamm emporlaufen und Nüsse holen. Und die Krokodile im Fluß, die spielenden Haifische im Meer hinterm Heck des Schiffes her, den urtümlichen Leguan, den bleichrosigen Wasserbüffel, das große rote Eichhorn von Sumatra. Vielleicht das Schönste waren die Vögel, die weißen Reiher im Fluß, die vielen Adler, die riesigen kreischenden Nashornvögel, die edelsteinfarbenen Zwergvögel. Aber vielleicht noch köstlicher waren die Käfer, Libellen, Schmetterlinge, die handgroßen, grauseidenen Falter, die Goldkäfer, die Eidechsen, auch einzelne Schlangen. Und was für erschreckende Abenteuer von Blumen, weiße blasse Riesenkelche im feuchten giftigen Walddunkel, und zinnoberrote Blütenbüschel an hohen Bäumen, Palmblüten weißgrün in Rispen und größer als ein Mensch!

Hans Sturzenegger, Malayin, 1911

Aber schöner noch als dies alles war doch immer das, was wir von den Menschen sahen. Der träumerische Gang eines Hindu, der sanfte traurigschöne Rehblick des zarten Singalesen, das grelle Weiß im Augapfel des schwarzen bronzenen Tamilkuli, das Lächeln eines vornehmen Chinesen. Das Stammeln eines Bettlers in gurgelnd fremder Mundart, das Verstandenwerden ohne Worte unter Menschen von zehn verschiedenen Völkern und Sprachen, das Mitleid mit Unterdrückten, der Spott über eitle Unterdrücker und überall das eigentümlich glückliche Gefühl, daß diese alle Menschen sind, unseresgleichen, Brüder, Schicksalsgenossen! Jeder in seiner Fremdheit, Art und Rasse leicht verhüllt, gingen sie an uns vorüber, stolz und selbstbewußt der vorderindische Mohammedaner, würdig und heiter der gelassen schreitende Chinese, scheu und mädchenhaft der kleine schlanke Ceylonmensch, geschickt und dienstfertig der hübsche Malaie, klein und klug der betriebsame Japaner. Sie alle hatten etwas Gemeinsames, so verschieden an Farbe und Gestalt sie waren – sie alle waren Asiaten, ebenso wie wir Fremden, einerlei ob aus Berlin oder Stockholm, Zürich oder Paris oder Manchester kommend, alle auf eine geheimnisvolle, aber ganz unverkennbare Weise zusammengehörten und Europäer waren.

Schon dies war schön und oft überraschend zu sehen, wie über allen Europäern etwas Gemeinsames und Verbindendes stand, ebenso wie über allen Asiaten, auch wo sie einander nicht verstanden und einer den anderen verachtete. Noch schöner und mir unendlich wichtiger aber war die je und je in aller Sinnlichkeit und Frische wiederholte Erfahrung, daß nicht der Osten und der Westen, nicht nur Europa und Asien Einheiten sind, sondern daß es darüber hinaus eine Zugehörigkeit und Gemeinschaft gibt, die Menschheit. Jeder weiß das, und jedem ist es doch unendlich neu und köstlich, wenn er es nicht in Büchern liest, sondern Aug' in Auge mit ganz fremden Völkern erlebt.

Diese kleine, uralte Binsenwahrheit, daß es über die Völkergrenzen und Erdteile hinweg eine Menschheit gibt, ist für mich das letzte und größte Erlebnis jener Reise gewesen, und sie ist mir seit dem großen Kriege immer wertvoller geworden.

Erst von hier aus wieder, vom Gefühl der Brüderschaft und inneren Gleichheit aus, bekommt das Fremde, Unterschiedene, bekommt die Buntheit der Länder und Menschen ihren innigsten und höchsten Reiz und Zauber. Wie oftmals habe ich, gleich tausend andern Reisenden, Menschen und Städte exotischer Völker nur als Kuriosität betrachtet, nur hineingeblickt wie in eine Menagerie, wo alles interessant ist, uns aber im Grunde nichts angeht! Erst wo ich diesen Standpunkt verlassen und in Malaien, Indern, Chinesen, Japanern Men-

Hans Sturzenegger, Arbeitende Chinesinnen, 1911

schen und nahe Verwandte sehen konnte, erst da begannen die
Erlebnisse, die jener Reise den Wert und Sinn gaben.

Über all das habe ich mit Hans Sturzenegger selten gesprochen. Aber wenn ich seine indischen Werke ansehe, so blickt
mir aus den dunklen, langgeschlitzten Augen keinerlei Kuriosität entgegen, sondern verständliches verwandtes, liebenswertes Menschentum. Sprechen können wir mit diesen Menschen
nicht oder wenig, aber ihre Seelen sind wie die unsern, völlig
wie die unsern, und tragen Träume und Wünsche durchs Leben, die von den unsern weniger verschieden sind als die
Blätter eines Baumes voneinander.

(1917)

Seit bald einem Jahr hatte ich von Keyserlings ›Reisetagebuch eines Philosophen‹ sprechen hören, meist in über-
schwenglichem Ton, doch gelang es mir erst jetzt, das Buch in
die Hände zu bekommen. Ich ging an die Lektüre mit großer
Spannung und mit einem Beiklang von jenem leisen Furchtge-
fühl, mit dem wir den ersten Blick auf ein Werk werfen, das uns
von Freunden überaus lebhaft gerühmt worden ist. Die ersten
Seiten, der Entschluß zur Reise, die Fahrt nach Indien, die
ersten Erlebnisse in Ceylon, die ersten in Südindien, stärkten
zwar meine Erwartung und Spannung, zugleich aber auch jene
leise Furcht, denn es war da beinahe zuviel Esprit, es war da
eine beinahe beängstigende, beinahe allzu virtuose Einfüh-
lungsfähigkeit in beliebige fremde Welten! Kaum ist Keyserling in Kandy, so lebt und atmet er im ceylonesischen Buddhismus wie ein alter Mönch, kennt und versteht ihn aus dem
Grunde, lebt ihn genießerisch mit. Und kaum ist er auf dem
Festlande drüben und über Tutikorin hinaus, so lebt er ebenso
heimisch und rasch eingefühlt im Hinduismus und sieht im
ersten Augenblick schon ein, warum der Buddhismus, von
dem er gestern noch entzückt war, doch eigentlich in Indien
Fiasko gemacht habe. Und kurz darauf steht er mit derselben
Grazie, derselben Gerechtigkeit, derselben fast schauspieleri-
schen Einfühlung dem Islamismus gegenüber. Dazu kam die
leichte Form, in der das Buch zum großen Teil geschrieben ist,
und welche zwar von den meisten Lesern sehr bewundert, für
den Autor aber leicht zu einer Gefahr wird. Dieser Philosoph
plaudert an manchen Stellen harmlos und liebenswürdig auch
von äußeren Eindrücken, von Reise- und Naturstimmungen,
und diese Schilderungen sind zwar geistvoll und hübsch, aber
sie sind oberflächlich, denn Keyserling ist ohne dichterische
Begabung und sein sprachlicher Ausdruck wird schwach und
feuilletonistisch, sobald er andres als Gedanken und intellek-
tuelle Erlebnisse darzustellen versucht.

Nun, alle diese Einwände fielen mit der Zeit dahin. Sie sind im
einzelnen alle richtig, dies Reisebuch im ganzen ist aber eine so

1 Graf Hermann Keyserling, »Das Reisetagebuch eines Philosophen« Darm-
stadt, 1923.

außerordentliche Leistung, daß diese Schwächen darin nichts bedeuten. Als Ganzes ist dies Buch das bedeutendste, das in Deutschland seit Jahren erschienen ist. Keyserling ist, um die Hauptsache gleich zu sagen, zwar nicht der erste Europäer, wohl aber der erste europäische Gelehrte und Philosoph, der Indien wirklich verstanden hat. So schroff das klingt, und so weh es tut, im Andenken an verehrte Männer wie Oldenberg und Deussen das Wort auszusprechen, es ist dennoch so.

Das, was manche Künstler, und vor allem sehr viele sogenannte Okkultisten, längst von Indien wußten, was sie dort suchten und übten, das für uns Wesentliche am geistigen Indien, das war zu meiner Verwunderung nie von einem der vielen Professoren, die Indien bereisten, unbefangen betrachtet und studiert, ja überhaupt gesehen worden. Es wurde von den Professoren nicht gesehen, weil es ihnen verboten war. Denn jenes Indische, worauf es eigentlich ankam, das war Okkultismus, das war Magie, das war Mystik, es handelte von der Seele, es war nicht genügend mortifiziert und neutralisiert, um von europäischen, speziell deutschen Professoren irgend anerkannt oder auch nur ernstlich bemerkt werden zu dürfen. Bemerkt, studiert, gesucht und nachgeahmt wurde es lediglich von Okkultisten, von Schwärmern und Sektenstiftern, von Theosophen oder von sensationshungrigen Globetrottern. Dies Indien nun ist von Keyserling auch für die Wissenschaft entdeckt worden. Als erster unter all den europäischen Gelehrten hat er das Einfache, längst Bekannte gesehen und einfach ausgesprochen, daß der indische Weg zum Wissen nicht eine Wissenschaft ist, sondern eine psychische Technik, daß es sich um eine Änderung des Bewußtseinszustandes handelt und daß der auf indischem Wege Ausgebildete seine Erkenntnisse nicht errechnet und erstudiert, sondern die Wahrheiten mit dem inneren Auge sieht, mit dem inneren Ohr belauscht, und sie unmittelbar perzipiert, nicht erdenkt.

Das Erkennen und Anerkennen dieser einfachen Wahrheit durch einen einflußreichen und bedeutenden europäischen Denker wird große Folgen haben. Keyserling, dem die Verdrängungen und Scheuklappen der akademischen Zunftleute fehlen, ist darin mit allen Okkultisten einig, daß er Joga anerkennt und empfiehlt. Er bedauert, wie mit ihm mancher Suchende in Europa, unseren vollkommenen Mangel an Tradition und Methode in der Ausbildung der Konzentrationsfähigkeit, und er sieht mit sicherem Scharfblick, daß die einzige, für Nichtkatholiken leider nicht gangbare Methode ähnlicher Art, die das Europa der letzten Jahrhunderte hervorgebracht hat, die genialen Übungen des Ignatius von Loyola sind.

Von allem, was Keyserling über Indien sagt, wird dies am stärksten wirken, obwohl es eigentlich eine Selbstverständlichkeit ist. Es wird ungeheuer wirken, denn Joga ist gerade das, wonach Europa den wildesten Hunger hat.

So verdienstlich nun die Erkenntnis vom absoluten Wert des Jogatums und deren wirksame Formulierung in diesem Buche ist, so sehr sie für die Mehrzahl der Leser ein Hauptergebnis des Buches bleiben wird, sie ist weder neu noch gehört sie zum Tiefsten des Buches. Das Tiefste ist der Sinn für die indische Frömmigkeit, der Sinn für die Gläubigkeit des Hindu und für seine Götterwelten, der Sinn für jenes indische Frommsein, dem das Paradoxe jedes wahren Glaubens keinerlei Bedenken macht, dem jeder Gott, jeder Götze, jeder Mythos heilig ist, ohne daß er doch einen davon in unsrem Sinne je ernst nähme. Hier leistet Keyserling das Außerordentliche, daß er als Europäer und kritisch geschulter Denker die tiefe Naivität des Hindu erreicht und erlebt, die so nah verwandt mit der Skepsis aussieht und doch ihr völliges Gegenteil ist. Verständlich wird diese außerordentliche und wahrhaft begeisternde Fähigkeit Keyserlings nur aus einigen wenigen bekenntnishaften Stellen des Buches, wo er nebenher von sich, von seiner Herkunft und Jugend spricht. Da erfahren wir, wenn wir aufmerksam dieser außerordentlichen Seele folgen, daß sie sich selbst schon von Kindheit an als Proteus gefühlt hat, daß sie instinktiv sich jeder Versuchung zu verfrühter Kristallisation entzogen und immer wieder zum Ideal der unendlich polymorphen Plastizität zurückgeflüchtet ist. Ich scheue mich, das Bildnis dieser Seele aus ihren wenigen, zum Teil nur halb gewollten Bekenntnissen in groben Strichen zu rekonstruieren, aber diese vornehme, elastische, neugierige und proteische Seele ist es, die dem ganzen Werke Keyserlings seine Magie gibt.

Ein kurzes Wort sei auch noch über das ethische, das erzieherische Endresultat dieses bedeutenden Buches gesagt. Auch hier traf Keyserlings Formulierung mich auf parallelem Wege, auch hier erlöste manches Wort von ihm durch beglückende

Formulierung. Seit vier Jahren habe ich, in meiner anderen Welt, als Dichter, keinen anderen Gedanken, keinen anderen Glauben so stark und vielfach in mir bewegt und vielfältig auszudrücken gesucht wie den vom Gott im Ich und dem Ideal der Selbstverwirklichung. Nirgends bin ich in der letzten Formulierung mit Keyserling völlig und restlos einig, überall aber hat er mich im Wesentlichsten, Lebendigsten gestärkt, bestätigt, oft geführt, gestützt und durch ein zupackendes Wort gefördert.

Das ›Reisetagebuch‹ wird ohne Zweifel eine ungeheure Wirkung haben. Sie wird vielleicht neben der Bergsons die stärkste Wirkung eines Denkers im heutigen Europa sein.

(1920)

Aus einem Tagebuch 1920/21

Meine Beschäftigung mit Indien, die nun schon bald zwanzig Jahre alt ist, scheint mir nun an einem neuen Entwicklungspunkt angelangt zu sein. Bisher galt mein Lesen, Suchen und Mitfühlen fast ausschließlich dem philosophischen, dem rein geistigen, dem vedantischen und buddhistischen Indertum, die Upanishaden und die Reden Buddhas standen im Mittelpunkt dieser Welt. Erst jetzt nähere ich mich mehr dem eigentlich religiösen Indien der Götter, des Vishnu und Indra, Brahma, Krishna etc. etc. Und jetzt erscheint der ganze Buddhismus mir mehr und mehr als eine Art indischer Reformation, genau entsprechend der christlichen. Buddha, obgleich der viel Tiefere, scheint mir jetzt sehr wohl mit Luther vergleichbar (natürlich nur in seinem Verhältnis zum Alten, zum Priestertum und Brahmanismus). Und der Verlauf der großen buddhistischen Welle scheint mir sehr ähnlich dem Verlauf der Reformation in Europa. Es beginnt beidemal mit einer Vergeistigung und Verinnerlichung, es wird das Gewissen des Einzelnen zur wichtigsten Instanz, es wird mit äußerlichem Kult, mit Käuflichkeit der Gnade, mit Zauber und Opferkult aufgeräumt, die Priesterkaste verliert an Einfluß, das Denken und Gewissen des Einzelnen wehrt sich gegen alte Autoritäten. Inzwischen aber reformiert und erneuert sich das angegriffene und erschütterte Alte in sich selbst, und während die neue Lehre ziemlich rasch abgebraucht wird und als Kirche und Volksreligion wieder degeneriert, zeigt sich die alte, naive Religion als die ausdauerndere und steht mit neuen Kräften da. Wie nach wenigen Jahrhunderten die protestantische Kirche verkommt, als Kult verarmt und verknöchert, so sinkt ähnlich der Buddhismus wieder zurück vor dem Auffluten neuer Kulte und Seelenwelten aus dem alten Götterreich. Der abgeschaffte Vishnu und Indra kehrt wieder, Götter um Götter werden geboren, verwandeln sich, bereichern sich, werden verehrt, werden in aufblühenden riesigen Kunstwerken gefeiert, und die buddhistisch-reine, stille, gute, heilige Lehre, die eine Zeitlang die Erlösung der Welt und das Ende aller Priesterherrschaft bedeutet hatte, wird allmählich zu einer stillen, geduldeten Sekte, deren Fortbestehen niemand aufregt, an deren

Lehre und Kult aber das Herz des Volkes keinen Teil mehr hat. Beide Male, in Indien und in Europa, ist die götterlose, scheinbar so viel reinere, geistigere, protestantische Religion nicht als Religion zeugungsfähig geblieben, sie wird zu Philosophie, zu Wissenschaft, zu Dialektik. Allerdings hat bis heute die katholische Kirche, wenn sie auch sichtlich die Reformation siegreich überdauert, nicht entfernt die schöpferische Kraft gezeigt wie der Brahmanismus.

Was die katholische Kirche vor den reformierten, was der Götterkult vor dem Buddhismus voraus hat, ist nicht etwa bloß die Ästhetik, die Anschaulichkeit und reiche Form des Kultus. Es ist vor allem die Elastizität und Plastizität des Gedankens und die unendlich größere Anpassungsfähigkeit. Der reformierte, puritanische Glaube fordert eine Hingabe des Selbst, deren wenige fähig sind, und auch die wenigen nicht immer, nur in seltneren gehobenen Stunden. Das Opfer meiner Selbst, meiner Triebe und Wünsche kann ich nur selten und nur unvollkommen bringen; das Opfer der Gaben, der Anbetungen, der Bekränzungen, der Tänze und Kniebeugen aber kann ich jederzeit leisten, und in der rechten Stunde werden auch diese scheinbar äußerlichen, rohen und mechanischen Opfer innerlich eins sein mit der Darbringung meiner Selbst. Der katholische Gottesdienst ist zu jeder Stunde möglich, der katholische Priester braucht nur das Meßgewand anzuziehen, um sofort Priester zu sein – der lutherische Gottesdienst widerspricht sich selbst und entbehrt der Weihe, und der protestantische Priester muß in langen, mühsamen Predigten beweisen, daß er Priester sei, und niemand glaubt es ihm. Und so erzieht denn auch jede reformatorisch gefärbte Religion zu einem bösen Kultus der Minderwertigkeitsgefühle. [. . .]

Den Buddhisten ist das Disputieren über Nirwana verboten. Ob Nirwana Erlöschen oder Einssein mit Gott sei, ob es negativ oder positiv, Seligkeit oder nur Ruhe bedeute, darüber zu sprechen, hat Buddha abgelehnt und verboten. Ich glaube auch, daß der Streit hierüber unnütz ist. Nirwana ist, wie ich es verstehe, das Zurückkehren des Einzelnen zum ungeteilten Ganzen, der erlösende Schritt hinter das prinzipium individuationis zurück, also, religiös ausgedrückt, Rückkehr der Einzelseele zur Allseele, zu Gott. Eine andere Frage ist es, ob man diese Rückkehr begehren und suchen soll oder nicht, ob man es auf dem Wege Buddhas tun soll oder nicht. Wenn Gott mich in die Welt hinaus wirft und als Einzelnen existieren läßt, ist es dann meine Aufgabe, möglichst rasch und leicht wieder zurück ins All zu kommen – oder soll ich nicht vielmehr Gottes Willen gerade dadurch erfüllen, daß ich mich treiben lasse (in »Klein und Wagner« nannte ich es »sich fallen lassen«), daß ich seine Lust, sich immer wieder in Einzelwesen zu spalten und auszuleben, mit ihm büße? Hier schmeckt mir die reine Vernünftigkeit der Buddhalehre heute nicht mehr so vollkommen, und gerade was ich in der Jugend an ihr bewunderte, wird mir jetzt zum Mangel: diese Vernünftigkeit und Gottlosigkeit, diese unheimliche Exaktheit und dieser Mangel an Theologie, an Gott, an Ergebung. Es scheint mir auch oft, daß wirklich Christus um einen Schritt weiter sei als Buddha, gerade dadurch, daß er die Frage der Wiedergeburten (an welche er sicher glaubte) und das Nirwana ganz aus dem Spiele ließ. Garbe[1] sagt, es gebe sechs Systeme der indischen Philosophie, und alle sechs beruhen auf einem Irrtum, nämlich auf dem Glauben an eine Seelenwanderung. Also das, was einige tausend Jahre hindurch die weisesten Männer gedacht und geglaubt haben, erklärt der Herr Professor mit stillem Lächeln für eine Dummheit. Nun, ich las trotzdem weiter, da ich Garbe und sein stets etwas nörglerisches Wesen schon kannte. und da stand es also: in einer kurzen Darstellung der Samkhya-Lehre, die ich vor zehn Jahren auch schon einmal gelesen hatte, finde ich den mechanischen Vorgang des Nirwana genau beschrieben, und sofort schien es mir höchst wahrscheinlich (wie auch Garbe vermutet), daß Buddha tatsächlich diese Lehre gekannt hat. Das Samkhya erkennt zwei Prinzipien, zwei Dinge ohne Anfang und Ende: die Materie und die Seelen. Ein höchst feiner Apparat in uns Menschen, den wir leicht irrtümlich für die Seele selbst halten (es ist das Nervensystem) vermittelt zwischen beiden. Einzig an der Materie geschieht Veränderung, alles Geschehen spielt sich lediglich an ihr ab, die Seele selbst bleibt stets sich gleich. Ich kann nun Freud und Leid überwinden und hinter mich bringen, indem ich das »Unterscheiden« lerne, d. h. indem ich einsehe, daß alles Geschehen meine Seele gar nichts angeht, daß ich jenen Apparat in mir mit meinem wahren Selbst verwechsele. Erkenne ich das und

1 Richard von Garbe (1857-1927), Sanskritist.

handle ich danach, so werde ich nicht wiedergeboren, denn mit der Abkehr der Seele vom Sinnlichen tritt Bewußtlosigkeit ein, meine Seele existiert zwar ewig weiter, aber ohne Bewußtsein, ich fühle also nichts mehr, und der Kontakt zwischen mir und der Materie (also auch zwischen mir und den Möglichkeiten der Wiedergeburt) ist ausgeschaltet.

Das Nachdenken über diese einfach formulierte, in Wahrheit höchst raffinierte Psychologie, verbunden mit gelegentlicher Meditation, tat mir in diesen Tagen merkwürdig wohl. Ich schrieb in diesen Tagen das Gedicht »Einmal, Herz, wirst du ruhn –«.[1]

> Einmal, Herz, wirst du ruhn,
> Einmal den letzten Tod gestorben sein,
> Zur Stille gehst du ein,
> Den traumlos tiefen Schlaf zu tun.
> Oft winkt er dir aus goldnem Dunkel her,
> Oft sehnst du ihn heran,
> Den fernen Hafen, wenn dein Kahn,
> Von Sturm zu Sturm gehetzt, treibt auf dem Meer.
> Noch aber wiegt dein Blut
> Auf roter Welle dich durch Tat und Traum,
> Noch brennst du, Herz, in Lebensdrang und Glut.
> Hoch aus dem Weltenbaum
> Lockt Frucht und Schlange dich mit süßem Zwang
> Zu Wunsch und Hunger, Schuld und Lust,
> Spielt hundertstimmiger Gesang
> Sein holdes Regenbogenspiel durch deine Brust.
> Dich ladet Liebesspiel,
> Urwald der Lust, zum Krampf der Wonne ein,
> Dort trunkner Gast, dort Tier und Gott zu sein,
> Erregt, erschlafft, hinzuckend ohne Ziel.
> Dich zieht die Kunst, die stille Zauberin,
> In ihren Kreis mit seliger Magie,
> Malt Farbenschleier über Tod und Jammer hin,
> Macht Qual zu Lust, Chaos zu Harmonie.
> Geist lockt zu höchstem Spiel empor,

1 Dieses Gedicht, später von Hesse mit »Media in vita« überschrieben, hatte ursprünglich den Titel »Sansara« (= die sich ewig wiederholende Erneuerung des Daseins mit allen seinen Leiden), entstanden am 15. 2. 1921.

Den Sternen gegenüber stellt
Er dich, macht dich zum Mittelpunkt der Welt
Und ordnet rund um dich das All im Chor;
Vom Tier und Urschlamm bis zu dir herauf
Weist er der Herkunft ahnenreiche Spur,
Macht dich zum Ziel und Endpunkt der Natur,
Dann tut er dunkle Tore auf,
Er deutet Götter, deutet Geist und Trieb,
Zeigt, wie aus ihm sich Sinnenwelt entfaltet,
Wie das Unendliche sich immer neu gestaltet,
Und macht die Welt, die er zu Spiel zerschäumt,
Dir erst von neuem lieb,
Da du es bist, der sie und Gott und All erträumt.

Auch nach den düstern Gängen hin,
Wo Blut und Trieb das Schaurige vollziehn,
Auch dahin offen steht der Pfad,
Wo Rausch aus Angst, wo Mord aus Liebe blüht,
Verbrechen dampft und Wahnsinn glüht,
Kein Grenzstein scheidet zwischen Traum und Tat.
All diese vielen Wege magst du gehn,
All diese Spiele magst du spielen noch,
Und jedem folgt, so wirst du sehn,
Ein neuer Weg, verführerischer noch.
Wie hübsch ist Gut und Geld!
Wie hübsch ist: Gut und Geld verachten!
Wie schön: entsagend wegsehn von der Welt!
Wie schön: nach ihren Reizen brünstig trachten!
Zum Gott hinauf, zum Tier zurück,
Und überall zuckt flüchtig auf ein Glück.
Geh hier, geh dort, sei Mensch, sei Tier, sei Baum!
Unendlich ist der Welt buntfarbiger Traum,
Unendlich steht dir offen Tor um Tor,
Aus jedem braust des Lebens voller Chor,
Aus jedem lockt, aus jedem ruft
Ein flüchtig Glück, ein flüchtig holder Duft.
Entsagung, Tugend übe, wenn dich Angst erfaßt!
Steig auf den höchsten Turm, wirf dich herab!
Doch wisse: überall bist du nur Gast,
Gast bei der Lust, beim Leid, Gast auch im Grab –

Es speit dich neu, noch eh du ausgeruht,
Hinaus in der Geburten ewige Flut.

Doch von den tausend Wegen einer ist,
Zu finden schwer, zu ahnen leicht,
Der aller Welten Kreis mit einem Schritt ermißt,
Der nicht mehr täuscht, der letztes Ziel erreicht.
Erkenntnis blüht auf diesem Pfade dir:
Dein innerstes Ich, das nie ein Tod zerstört,
Gehört nur dir,
Gehört der Welt nicht, die auf Namen hört.
Irrweg war deine lange Pilgerschaft,
Irrweg in namenlosen Irrtums Haft,
Und immer war der Wunderpfad dir nah,
Wie konntest du so lang verblendet gehn,
Wie konnte solcher Zauber dir geschehn,
Daß diesen Pfad dein Auge niemals sah?!
Nun endet Zaubers Macht,
Du bist erwacht,
Hörst fern die Chöre brausen
Im Tal des Irrens und der Sinnen,
Und ruhig wendest du vom Außen
Dich weg, und zu dir selbst, nach innen.
Dann wirst du ruhn,
Wirst letzten Tod gestorben sein,
Zur Stille gehst du ein,
Den traumlos tiefen Schlaf zu tun.

Aus Brahmanas und Upanishaden[1]

Die Philosophie des Vedanta, des Veda-Endes, zeigt uns den vielgestaltigen indischen Geist wohl in seiner lebendigsten Blüte, zumindest steht uns Abendländern diese Philosophie besonders nahe. Wie erregend und beglückend das erste Kennenlernen vereinzelter »Upanishaden« einst auf Humboldt und auf Schopenhauer gewirkt hat, ist bekannt. Der Herausgeber der vorliegenden Auswahl warnt freilich vor Überschätzung. Er hat gewiß Recht, wenn er die Upanishaden als weit entfernt vom Geist unsrer wissenschaftlichen Philosophie empfindet und sie mehr in die Nähe primitiver Opfersprüche und Zaubersegen stellt. Die Frage indessen, ob Weisheit nur mit den Mitteln der Professorenphilosophie erreichbar sei, und ob urtümliche Dichtung nicht etwa mehr sei als Literatur, möchte man ihm entgegenstellen. Im übrigen macht Hillebrandts Buch den allerbesten Eindruck, die Übersetzungen wirken frisch und schön, die Anmerkungen sind sehr willkommen, der ganze Geist des Werkchens ist ernsthaft und sachlich, so daß Freunde des indischen Denkens das Buch künftig gerne neben den Publikationen Deussens benutzen werden. Es enthält im ersten Teil einige »Brahmanas«, Vorläufer der Upanishaden, als Proben des älteren, noch ganz im vedischen Ritual-Geist befangenen Denkens, dann eine schöne Auswahl von Upanishaden. Ihre zentrale Lehre ist die vom Atman, vom Selbst im Ich. Das Finden des Selbst und das Unterscheiden des (individuellen, egoistischen) Ich vom Selbst ist für uns der Inbegriff aller indischen Lehre, wie es auch der Lehre Buddhas zugrunde liegt.

(1921)

1 Übertragen und eingeleitet von Alfred Hillebrandt. Jena, Verlag E. Diederichs, 1921.

Die Reden Buddhas

Die geistige Welle aus Indien, die in Europa, speziell in Deutschland, seit hundert Jahren wirksam war, ist nun allgemein fühlbar und sichtbar geworden; man mag über Tagore und über Keyserling denken, wie man will, die Sehnsucht Europas nach der seelischen Kultur des alten Ostens ist eklatant geworden.

Psychologisch gesprochen: Europa beginnt an mancherlei Verfallserscheinungen zu spüren, daß die hochgetriebene Einseitigkeit seiner geistigen Kultur (sie äußert sich am deutlichsten etwa im wissenschaftlichen Spezialistentum) einer Korrektur bedarf, einer Auffrischung vom Gegenpole her. Die allgemeine Sehnsucht gilt nicht einer neuen Ethik oder einer neuen Denkweise, sondern einer Kultur jener seelischen Funktionen, welchen unsere intellektualistische Geistigkeit nicht gerecht geworden ist. Die allgemeine Sehnsucht gilt nicht so sehr Buddha oder Laotse als dem Yogitum. Wir haben erfahren, daß der Mensch seinen Intellekt bis zu erstaunlichen Leistungen kultivieren kann, ohne dadurch der eigenen Seele Herr zu werden. . . .

Zuweilen sind Neumanns Übersetzungen[1], ihrer Wörtlichkeit in den anscheinend endlosen Wiederholungen wegen, von deutschen Literaten bespöttelt worden. Manche fühlten sich durch diese geruhigen, endlos fließenden Betrachtungsreihen an Gebetsmühlen erinnert. Diese Kritik, so witzig sie sein mag, geht von einer Einstellung aus, welche der Sache nicht gerecht zu werden fähig ist. Buddhas Reden nämlich sind nicht Kompendien einer Lehre, sondern sie sind Beispiele von Meditationen, und das meditierende Denken eben ist es, was wir bei ihnen lernen können. Ob Meditation zu anderen wertvolleren Ergebnissen führen könne als wissenschaftliches Denken, ist eine müßige Frage. Zweck und Resultat der Meditation ist nicht ein Erkennen im Sinn unserer westlichen Geistigkeit, sondern ein Verschieben des Bewußtseinszustandes, eine Technik, deren höchstes Ziel eine reine Harmonie, ein gleich-

1 »Die Reden Gotamo Buddhos«. Zum ersten Mal übersetzt von Karl Eugen Neumann, München 1921.

zeitiges und gleichmäßiges Zusammenarbeiten von logischem und intuitivem Denken ist. Über die Erreichbarkeit dieses idealen Zieles steht uns kein Urteil zu, wir sind in dieser Technik durchaus Kinder und Anfänger. Zum Eindringen in die Technik der Meditation aber gibt es keinen direkteren Weg als die Beschäftigung mit diesen Buddha-Reden. Es gibt zahlreiche nervöse deutsche Professoren, welche etwas wie eine buddhistische Überschwemmung, einen Untergang des geistigen Abendlandes befürchten. Das Abendland wird jedoch nicht untergehen, und Europa wird nie ein Reich des Buddhismus werden. Wer Buddhas Reden liest und durch sie Buddhist wird, der mag für sich einen Trost gefunden haben – statt des Weges, den uns Buddha vielleicht zeigen kann, hat er aber einen Notausgang gewählt.

Die Modedame, die neben den bronzenen Buddha aus Ceylon oder Siam nun die drei Bände der Reden Buddhas legt, wird ebensowenig jehnen Weg finden wie der Asket, der sich aus dem Elend eines öden Alltags zu dem Opium eines dogmatischen Buddhismus flüchtet. Wenn wir Abendländer erst etwas Meditation gelernt haben werden, wird sie uns ganz andere Resultate zeigen als den Indern. Sie wird uns nicht zum Opium werden, sondern zu einer vertieften Selbsterkenntnis, wie sie als erste und heiligste Forderung den Schülern der griechischen Weisen gestellt wurde.

(1921)

II

Unter den deutschen Indologen galt seit Jahrzehnten als bedeutendster Kenner der vedischen Philosophie, speziell des Vedanta, Paul Deußen, als der erste Kenner und Forscher über Buddha und Buddhismus aber Hermann Oldenberg. Oldenbergs Buch über Buddha ist in deutscher Sprache das klassische Buddha-Buch, welchem Tausende ihr Wissen über dies Phänomen der Religionsgeschichte danken[1]. Oldenberg ist vor zwei Jahren gestorben, und wenn nun aus seinem Nachlasse ein ziemlich umfangreiches Werk »Reden des

1 Hermann Oldenberg, »Buddha«. Sein Leben, seine Lehre, seine Gemeinde. Berlin 1881.

Buddha«[1] erscheint, so bedeutet dies ohne weiteres eine wichtige Bereicherung.

Gleich zu Anfang sei gesagt, daß Oldenbergs Buchtitel ungenau ist. Die Übersetzungen aus dem Sanskrit und hauptsächlich aus dem Pali, welche sein Buch enthält, bestehen nicht nur aus Reden des Buddha, sondern auch aus andern Stücken der buddhistischen kanonischen Literatur, aus Berichten, Legenden, Gesprächen, moralischen Fabeln. Der weitaus größere Teil dieser Stücke erscheint nicht zum erstenmal in deutscher Übersetzung. Vor allem haben die Reden Buddhas ihren klassischen Übersetzer schon vorher gefunden, in E. K. Neumann. Die Übertragungen Neumanns stellen ein Lebenswerk vor, dessen Umfang, Wert und geistige Bedeutung erst jetzt allmählich erkannt werden, und auch Oldenbergs dankenswerte Arbeiten machen Neumann keineswegs etwa entbehrlich. Namentlich dessen neuerdings in drei Bänden (bei Pieper u. Co., München) erschienene »mittlere Sammlung der Reden Buddhas« sowie seine Verdeutschung des Dhammapaddam sind für jeden, der mit Hilfe deutscher Übertragungen den Buddhismus studieren will, durchaus unentbehrlich.

Während Neumann die kanonischen Redensammlungen des sogenannten südlichen Buddhismus in ihrem ganzen Wortlaut zu übertragen bemüht war, gibt Oldenbergs nachgelassenes Werk vielmehr eine Anthologie aus der gesamten Buddha-Literatur und mithin ein Werk, das für den Beginn eines Buddha-Studiums, für ein erstes Eindringen, überaus wertvoll und hilfreich ist. Die Übersetzungen selbst in ihrem philologischen Werte zu beurteilen, bin ich als Laie außerstande. Doch möchte ich sagen: wenn auch Oldenbergs Übersetzungen ohne jeden Zweifel die Leistung eines Forschers und Kenners von erstem Range sind, so bleibt doch nach wie vor Neumann im Ton ihm überlegen, in der Musik und Rhythmik, im stillen eindringlichen Gleichfluß der Sätze. Mag Oldenberg hier oder dort philologisch überlegen sein, dafür ist Neumann in die Stimmung, in die Atmosphäre dieser Reden tiefer, frömmer, inniger eingedrungen. Denn, so fleißig und treu sich Oldenberg um die Quellen bemüht hat, so wundervoll und dankenswert sein herrliches Buddhawerk auch ist, er bleibt dennoch stets

1 »Reden des Buddha«. Lehre, Verse, Erzählungen. Übersetzt und eingeleitet von Hermann Oldenberg. München 1922.

Forscher, bleibt Europäer und Wissenschaftler, und seine Erschließung der Welt Buddhas geht nur so weit, als Buddha eben von europäischer, intellektueller, methodischer Forschung zu erfassen ist.

Über dies hinaus, über den Buddha als Phänomen der Geistesgeschichte, über den Buddhismus als eine Erscheinung der Religions- und Kulturgeschichte hinaus aber gibt es einen Buddha, der gerade für unsere Zeit von weit mehr als intellektueller Bedeutung ist. Wir sehen in fast ganz Europa sich eine religiöse Welle erheben, vielmehr eine Welle religiöser Not und Verzweiflung, eines Suchens und Sichängstens, und viele reden schon, etwa wie man von einem künftigen Staatenbund redet, von der »kommenden Religion«. Ich glaube nicht an das baldige Kommen dieser »neuen« Religion; Religionen haben einen langen Atem und eine lange Werdezeit, und das sehnsüchtige Konstatieren eines religiösen Minus, ja eines religiösen und seelischen Zusammenbruchs ist wohl ein ernstes Zeichen, keineswegs aber schon das Versprechen eines Neuen.

In dieser Not richten sich die Blicke ganz von selbst mit neuem Suchen nach den wenigen großen Gestalten der Heiligen und Erlöser, und Jesus, Buddha, Lao Tse hören auf, »interessante« Personen und Studienobjekte zu sein, sie werden wieder zu dem, was sie für ihre Gläubigen immer waren, zu Wundern, zu Vollkommenen und Heiligen, und unsere Sehnsucht fragt neu, aus rein vitalem Antrieb, nach den Wegen, welche jene Vollendeten gegangen sind. Es rührt sich allerorts, und zwar vornehmlich von der katholischen Seite her, ein Zurückströmen der Seelen zu Idealen vergangener Blütezeiten, erwähnt sei nur ein Denker wie Scheler und ein Buch wie die höchst bemerkenswerte »Welt des Mittelalters« von Landsberg[1]. Nicht minder stark, in der Breite wohl sogar noch mächtiger, ist die Strömung gegen Osten, zu den Idealen Indiens und Chinas.

So nutzlos es wäre, über die »Religion der Zukunft« schon heute zu reden, so nützlich und wertvoll ist es, wenn die Suchenden von heute sich an den wenigen großen Idealen der Vergangenheit messen. Unweigerlich endet dies Messen mit furchtbarer Niederlage. Unsere Zeit und Kultur sieht sich, sobald sie sich mit Zeiten einer echten Religiosität vergleicht,

1 Erschienen 1922 im Verlag Cohen, Bonn.

kindlich arm und hilflos. Wir wissen viel, und unsere Sehnsucht ist echt, echt auch unsere Bereitschaft, unser Wissen für nichts zu achten und seelisch von vorn zu beginnen. Aber eben da fehlt uns jede Tradition, jede Technik, jede Erziehung. Unser Besitz an Wissen vom inneren Leben, an Herrschaft über die Triebe, an Mitteln zur Pflege der Seele ist ein Nichts.

Hier ist der Punkt, wo wir gewiß recht haben, von Helden ferner Zeiten zu lernen, von Jesus und den christlichen Heiligen, von den Chinesen, von Buddha. Noch die kleinste Ordensregel des bescheidensten Mönchordens im Mittelalter kann uns, die wir hierin völlig hilflos sind, über Seelenzucht und Seelenpflege mehr lehren als alle Pädagogik unserer Zeit.

Für dies Gebiet nun sind die Reden Buddhas eine Quelle und Fundgrube von ganz unerhörter Fülle und Tiefe. Sobald wir aufhören, die Lehre Buddhas rein intellektuell zu betrachten und uns mit einer gewissen Sympathie für den uralten Einheitsgedanken des Ostens zu begnügen, sobald wir Buddha als Erscheinung, als Bild, als den Erwachten, den Vollendeten zu uns sprechen lassen, finden wir, fast unabhängig vom philosophischen Gehalt und dogmatischen Kern seiner Lehre, eines der großen Menschheitsvorbilder in ihm. Wer aufmerksam auch nur eine kleine Zahl der zahllosen »Reden« Buddhas liest, dem tönt daraus bald eine Harmonie entgegen, eine Seelenstille, ein Lächeln und Drüberstehen, eine völlig unerschütterliche Festigkeit, aber auch unerschütterliche Güte, unendliche Duldung. Und über die Wege und Mittel, zu dieser heiligen Seelenstille zu gelangen, sind die Reden voll von Ratschlägen, von Vorschriften, von Winken.

Der Gedankeninhalt der Buddhalehre ist nur eine Hälfte des Werkes Buddhas, die andere Hälfte ist sein Leben, ist gelebtes Leben, geleistete Arbeit, getane Tat. Eine Zucht, eine seelische Selbstzucht allerhöchster Ordnung ist hier geleistet und ist hier gelehrt, von welcher jene Ahnungslosen keine Vorstellung haben, die über »Quietismus« und »indische Träumerei« und dergleichen bei Buddha reden, und ihm jene westliche Kardinaltugend, die Aktivität, absprechen. Vielmehr sehen wir Buddha an sich und seinen Jüngern eine Arbeit tun, eine Zucht üben, eine Zielstrebigkeit und Konsequenz betätigen, vor denen auch die echten Helden europäischer Tatkraft nur Ehrfurcht empfinden können. Über die »Inhalte« jener neuen

Religion oder Religiosität, die wir kommen fühlen oder doch ersehen, werden wir schwerlich bei Buddha viel erfahren und lernen können, das »Inhaltliche« seiner Lehre ist uns auf philosophischem Wege, sei es auch nur auf dem nicht ganz reinen Umweg über Schopenhauer, schon zugänglich geworden. Auch handelt es sich bei einer »neuen Religion« ja gar nicht so sehr um Gedankeninhalte als um neue, lebendige Symbole für Uraltes. Die Religionen kommen gewissermaßen ohne uns, über unsere Köpfe hinweg. An uns ist es lediglich, die Bereitschaft zu pflegen, die »Lampen« bereit zu halten.

Ein Bestandteil dieser Bereitschaft wird die Fähigkeit zur Ehrfurcht sein. Bringen wir die Ehrfurcht, die dem Heiligen gebührt, auch Buddha entgegen, hören wir auch diese wahrhaft heilige Stimme dankbar an, so wüßte ich wahrlich nicht, was für ein Schaden daraus entstehen könnte. Die Warnungen vor dem gefährlichen »Osten«, die wir zur Zeit so häufig vernehmen, stammen alle von Lagern, die Partei sind, die ein Dogma, eine Sekte, ein Rezept zu hüten haben.

(1922)

Exotische Kunst

Vom Ende des siebzehnten Jahrhunderts an kam chinesische Kunst, namentlich Porzellan und Stickereien, nach Frankreich, wirkte rasch und wurde in den »Chinoiserien« des achtzehnten Jahrhunderts spielerisch von der damaligen Kunst und Mode Europas verarbeitet. Etwa um die Mitte des neunzehnten Jahrhunderts kam, diesmal von Japan her, eine neue Welle ostasiatischer Kunst herüber, ebenfalls via Paris, und wirkte von dort aus. Beide Male waren es Erzeugnisse später, schon manierierter klassiszistischer Kunst, es war gerade jener Teil der Exotik, der durch Naturferne und eine gewisse Ermüdung in Europa am wenigsten befremdend wirken mußte. Bekannt ist ja das auffallend anpassungsfähige Verhalten des Impressionismus gegen den japanischen Holzschnitt und Stockdruck. Die übrige Kunst der exotischen Länder war für Europa nicht vorhanden, mindestens nicht als Kunst, höchstens als ethnographische Spezialität.

Inzwischen sind, in den letzten zehn Jahren mit höchst beschleunigtem Tempo, die Exoten in Europa zur Wirkung gelangt. Kaum war eine neue Hinwendung der Künstler und Kunstliebhaber zu Ägypten vollzogen, kaum waren die hochentwickelten Bildnereien von China, Indien, Siam, Java bei uns einigermaßen bekannt geworden, da brach eine ganz neue Woge herein, die eigentliche, die wilde Exotik, die Negerplastik, die Schnitzereien und Flechtereien Ozeaniens. Die Tanzmasken und Götzen, die primitiv-erotischen Bildnereien der Neger, die uralten Dämonenfiguren Chinas wurden uns bekannt, wurden uns merkwürdig, wurden uns wichtig.

Der siegreiche (übrigens prachtvolle, von mir mit Innigkeit begrüßte) Hereinbruch der bemalten Schädel, der behaarten Tanzmasken, der furchtbaren Chimären primitiver Völker und Zeiten in den stillen, sanften, etwas langweiligen Tempel der europäischen Kunstgegenstände und Kunstanschauungen ist sichtlich ein Zeichen von Untergang. Zwar nicht von jenem Untergang, den der bürgerliche Zeitungsleser sich vorstellt, wenn er über Spengler böse wird, sondern von jenem natürlichen, richtigen, gesunden Untergang, der zugleich Beginn der Wiedergeburt ist – von jener Art Untergang, die nichts andres ist als ein Ermüden überzüchteter Funktionen in der Seele des einzelnen wie der Völker und ein zunächst unbewußtes Hinstreben nach dem Gegenpol. In Zeiten solcher Untergangsstimmungen kommen stets seltsame neue Götter auf, die mehr wie Teufel aussehen, das bisher Vernünftige wird sinnlos, das bisher Verrückte wird positiv, wird hoffnungsvoll, scheinbar wird jede Grenze verwischt, jede Wertung unmöglich, es kommt der Demiurg herauf, der nicht gut noch böse, nicht Gott noch Teufel ist, sondern nur Schöpfer, nur Zerstörer, nur blinde Urkraft. Dieser Augenblick scheinbaren Unterganges ist derselbe, der im einzelen zum erschütternden Erlebnis, zum Wunder, zur Umkehr wird. Es ist der Moment des erlebten Paradoxen, der aufblitzende Augenblick, wo getrennte Pole sich berühren, wo Grenzen fallen, wo Normen schmelzen. Es gehen dabei unter Umständen Moralen und Ordnungen unter, der Vorgang selbst aber ist das denkbar Lebendigste, was sich vorstellen läßt.

So empfinde ich den Aufmarsch der exotischen Kunst aus Brasilien, aus Benin, aus Neukaledonien, aus Neuguinea. Sie zeigt Europa sein Gegenbild, sie atmet Anfang und wilde Zeugungskraft, sie riecht nach Urwald und Krokodil. Sie führt zurück in Lebensstufen, in Seelenlagen, die wir Europäer scheinbar längst »überwunden« haben. Wir werden sie auch auf der Stufe der Ozeanier nicht wieder aufnehmen. Aufnehmen aber, nicht mit dem Verstande und der Wissenschaft, sondern mit Blut und Herz müssen wir alle diese Teufel und Götzen erbarmungslos. Was wir in unsern Künsten, in unsrer Geistigkeit, in unsern Religionen gewonnen, kultiviert, verfeinert und allmählich verdünnt und verflüchtigt haben, alle unsere Ideale, alle unsere Geschmäcke, damit haben wir eine Seite des Menschen großgezogen, auf Kosten der Gegenseite, haben einem Lichtgotte gedient, unter Verneinung der finstern Mächte. Und so wie Goethe in seiner Farbenlehre das Dunkel nicht als Nichts, sondern als schöpferischen Gegenpol des Lichtes besingt, so steht jetzt (nur nicht mit Goethes Bewußtheit) die Künstlerschaft und Geistigkeit Europas vor den Gebilden aus Borneo und Peru, staunt und muß anerkennen, ja anbeten, was vor kurzem noch Greuel und Gespenst war. Und plötzlich denkt man auch daran, wie die stärksten Menschen in der Kunst des späten Europa, Dostojewskij und van Gogh diesen wilden, fanatischen Zug ins Unheimliche haben, diesen Geruch nach Verbotenem, diese Verwandtschaft mit dem Verbrecherischen.

Der Weg ist längst beschritten, keine Mehrheitsbeschlüsse werden das Rad zurückrollen. Der Weg Fausts zu den Müttern. Er ist nicht bequem, er ist nicht lieblich; aber er ist notwendig.

(1922)

Besuch aus Indien

Unreif gebrochene Früchte nützen uns nichts. Mehr als die Hälfte meines Lebens war ich mit indischen und chinesischen Studien beschäftigt – oder, um nicht in den Ruf eines Gelehrten zu kommen, war ich gewohnt, den Duft indischer und chinesischer Dichtung und Frömmigkeit zu atmen. Aber als ich vor elf Jahren eine Reise nach Indien machte, da sah ich wohl die Palmen und Tempel stehen, roch den Weihrauch und das Sandelholz, aß die herben Mango und die zarten Bananen; aber zwischen alledem und mir war noch ein Schleier, und mitten in Kandy unter den Buddhapriestern hatte ich nach dem wahren Indien, nach Indiens Geist, nach einer lebendigen Berührung mit ihm das ungestillte Heimweh wie vorher in Europa. Indiens Geist gehörte noch nicht mir, ich hatte noch nicht gefunden, ich suchte noch. Darum floh ich damals auch Europa, denn meine Reise war eine Flucht. Ich floh es und haßte es beinahe, in seiner grellen Geschmacklosigkeit, seinem lärmigen Jahrmarktbetrieb, seiner hastigen Unruhe, seiner rohen, tölpelhaften Genußsucht.

Mein Weg nach Indien und China ging nicht auf Schiffen und Eisenbahnen, ich mußte die magischen Brücken alle selber finden. Ich mußte aufhören, dort die Erlösung von Europa zu suchen, ich mußte aufhören, Europa im Herzen zu befeinden, ich mußte das wahre Europa und den wahren Osten mir im Herzen und Geist zu eigen machen, und das dauerte wieder Jahre um Jahre, Jahre des Leidens, Jahre der Unruhe, Jahre des Krieges, Jahre der Verzweiflung.

Dann kam die Zeit, es ist noch nicht sehr lange her, da hatte ich keine Sehnsucht nach dem Palmenstrand von Ceylon und den Tempelstraßen von Benares mehr und wünschte mir nicht mehr, ein Buddhist oder Taoist zu sein und einen Heiligen und Magier zum Lehrer zu haben. Dies alles war unwichtig geworden, und auch der große Unterschied zwischen dem verehrten Osten und dem kranken, leidenden Westen, zwischen Asien und Europa, war mir nicht mehr eben wichtig. Ich legte keinen Wert mehr auf das Eindringen in möglichst viele östliche Weisheiten und Kulte, ich sah, daß tausend heutige Verehrer des Laotse weniger von Tao wußten als Goethe, der das Wort

Tao nie gehört hat. Ich wußte, daß es, in Europa wie in Asien, eine unterirdische, zeitlose Welt der Werte und des Geistes gab, die nicht durch die Erfindung der Lokomotive und nicht durch Bismarck umgebracht worden war, und daß es gut und richtig war, in dieser zeitlosen Welt, in diesem Frieden einer geistigen Welt zu leben, an der Europa und Asien, Veden und Bibel, Buddha und Goethe gleichen Teil hatten. Hier begann meine Schule der Magier und sie dauert noch an; hier gibt es kein Ende des Lernens. Aber mit der Indiensucht und der Europaflucht war ich fertig, und jetzt erst klang mir Buddha und das Dhammapaddam[1] und das Tao-te-king rein und heimatlich und hatte keine Rätsel mehr.

Nun war diese Frucht reif geworden, und nun fiel sie vom Baum meines Lebens. Ich verschweige den Anlaß und die Namen; ich erzähle nicht, wie alles zustande kam, wie es geschah, daß ich aus meinem Eremitenleben einmal wieder für Tage in die Welt hinein gespült wurde, wie plötzlich neue Menschen, neue Beziehungen meinen Weg kreuzten. Ich erzähle nur die indische Episode daraus.

Kürzlich, an einem schönen, etwas verschleierten Abend, erschien bei mir in meinem Dorf ein schöner bräunlicher Mann, ein gelehrter Hindu aus Bengalen, ein Schüler und Freund von Tagore. Er erschien und sagte gleich unter der Tür meines Zimmers: »Oh, das ist ganz wie in Indien«, und fühlte sich sogleich daheim. Er sprach Englisch und Französisch und hatte außerdem noch eine Dolmetscherin mitgebracht. Er hatte eine Vorlesung von mir gehört, hatte sich alles genau übersetzen lassen und kam nun, um mir zu sagen, daß er erstaunt und erfreut sei, in Europa einen Mann zu finden, dem das östliche Denken nicht bloß durch gelehrtes Studium intellektuell bekannt, sondern im Herzen vertraut und heimisch sei. Ich sagte ihm, es gebe mehr solcher Europäer, als er wisse; ich erzählte ihm von einige Freunden, ich erzählte ihm von jenem unsichtbaren, unmodernen, weder nationalisierten noch militarisierten Europa des Geistes, erzählte ihm, daß auch Goethe (von dem er meinte, daß er das Indertum abgelehnt habe) ein Gläubiger und Mitverkünder jener anonymen westöstlichen Lehre sei.

1 Ethisch-religiöse Spruchsammlung in 423 Strophen, die in den buddhistischen Palikanon aufgenommen ist. Deutsche Übersetzung u. a. von L. v. Schroeder (»Worte der Wahrheit«) und K. E. Neumann (»Der Wahrheitspfad«).

Schön und freundlich lächelte der Inder, schnell wurden wir Freunde, schnell schlossen wir uns auf und gaben uns einer dem andern zu erkennen. Seit langem hatte ich diesen Genuß nicht mehr gekostet. Er gibt einen Menschen, einen Europäer zwar, aber einen, der beinah sein ganzes Leben in Japan verbracht hat und auch jetzt wieder dort lebt[1], mit dem war ich in ähnlicher Weise verbunden, mit dem stand ich auf demselben gemeinsamen Boden eines magischen Verstehens, eines Verstehens auch ohne Worte, durch Zeichen, durch Lächeln, durch Schweigen. Nun erlebte ich dasselbe mit diesem Mann aus Bengalen; vom ersten Augenblick an waren wir einverstanden, teilten einander nur Dinge mit, zu denen der andre lächeln und nicken konnte.

Er war sogleich in die offene Balkontüre getreten. »Auch dies erinnert mich an Indien«, sagte er, »diese schönen Bäume, diese Stille, dieses Konzert der Zikaden, diese blaue Dämmerung im Gebirge. Im Himalaja haben wir buddhistische Klöster, die liegen in unendlicher Stille, in unendlichem Frieden solchen Bergen, solchen Dämmerungen gegenüber, dorthin sollten Sie kommen, lieber Herr, Sie sollten für einige Monate oder Jahre zu mir nach Bengalen kommen.«

Ich dankte ihm für die Einladung und erinnerte ihn daran, daß ja er selbst den indischen Frieden auch in meinem Zimmer, auch auf meinem Balkon gefunden habe und daß dies mir genüge. Ich zeigte ihm über dem Berge jenseits des dunkelnden Wiesentals den aufsteigenden ersten Stern.

Da legte mein Gast seine flachen Hände ineinander, sammelte sich einen Augenblick mit geschlossenen Augen und sprach dann ein bengalisches Lied, ein Gedicht, in dem eine kleine Lampe, von einer liebenden Mutter im Stübchen angezündet, mit dem Stern am Himmel spricht. Lange hatte ich keine indischen Laute mehr gehört; sie haben für mich einen Zauber mehr als für andre, denn sie sind mir (ohne daß ich die Sprache doch verstünde) von der frühesten Kindheit an vertraut.

Das Geheimnis aller ostasiatischen Wort- und Tonkunst sprang auch hier mir sofort wieder verblüffend entgegen, wie ich es einst in indischen Gedichten, in chinesischer Musik, in

1 Hesses Vetter, der Japanologe und Übersetzer der »Bibel des Zen-Buddhismus« (Bi Yaen Lu) Wilhelm Gundert (1780-1971).

chinesischen Theatern empfunden hatte: die strenge, kultisch festgeprägte, komplizierte, ja fast kapriziöse Rhythmik. Ich bat meinen Freund, mir auch ein Lied zu singen, und er sang zwei Volkslieder, den Takt mit leisem Fingerschnalzen angebend. Die Melodien waren für unser Ohr unbedeutend, unscharf, verwehend, aber auch in diesen Liedern herrschte eine Gespanntheit und Schärfe, eine straffe, saubere Akzentuiertheit und Rhythmik, eine Zucht und ein Sinn für Struktur, den unsre Dichtung, wenigstens die neuere, in keiner europäischen Sprache kennt.

Der Stern war aufgegangen, und andre kamen. Wir standen Stunden auf dem kleinen Balkon, sprachen von Upanishaden, sprachen von China und Japan; mein Gast, ein Gelehrter, gab mir einen Überblick über die Geschichte Indiens, jene Geschichte, die nicht aus Kriegen, Verträgen und fürstlichen Heiraten besteht, sondern aus Liedern, Gebeten, Philosophien, Yogamethoden, Religionen, Tempelbauten. Und ich erzählte ihm vom unsichtbaren Europa, vom Mittelalter, von Goethe und von all dem, worauf es beruhte, daß meine Tessiner Klause ihn an Indien und den Himalaja erinnern konnte.

Als wir endlich, schon zum Abschied, ins Zimmer zurücktraten, nahm er eine kleine indische Bronzefigur in die Hand, die ich besitze, einen flötenspielenden Krischna, und begann von den Göttern zu sprechen, von Indra, von Krischna, von Rudra-Shiwa, und von ihrer Verwandlung und Durchdringung, ihrem ewigen Auf- und Untergang. Dann ging er, lächelnd, freundlich, verlor sich in die Nacht, und ich wußte einen Augenblick nicht mehr, ob er »wirklich« gewesen sei.

Aber er kam wieder, wir haben uns, bei mir und bei ihm, seither manchmal gesehen und manche Stunden miteinander gesprochen, und wenn er nun wieder geht, so wird jeder von uns eine Bestätigung, einen Trost und einen Antrieb aus diesen Stunden mitnehmen. Wir sind Freunde geworden.

Einst, als er meine Aquarelle betrachtete, bat ich ihn, sich eines davon auszusuchen. Er wählte eines, in dessen Mitte eine Brücke über ein Gewässer führt, daneben stehen hohe Bäume, und er sagte: »Dies Bild wähle ich mir, weil Sie gleich mir die Bäume kennen und lieben und weil diese Brücke mir ein Sinnbild ist für die Brücke zwischen Ost und West, die in unseren Tagen neu entsteht.« *(1922)*

Indisches

Religionen von protestantisch-puritanischem Charakter haben im Ganzen, wie es scheint, eine geringere Plastizität und Anpassungsfähigkeit als die katholischen. So ist in ganz Indien der Buddhismus, nachdem er Jahrhunderte lang die alte Brahmanenreligion nahezu verdrängt und ersetzt hatte, seit langem wieder erloschen und fast völlig verschwunden, und der »Hinduismus«, das heißt die Volksreligion auf alter brahmanischer Grundlage ist Siegerin geblieben. Eine Dogmatik des Hinduismus gibt es nicht, es wäre unmöglich, sie zu schreiben, denn diese Religion Indiens, des religiösesten Volkes der Welt, ist in der Tat von einer Plastizität, von einer Anpassungsfähigkeit, von einer Biegsamkeit und ewiger Produktivität, für welche es kein zweites Beispiel gibt. Es gibt »Hinduisten«, welche nur einen höchsten, geistigen Gott verehren, und solche, welche Mengen von Göttern und Götzen anbeten, Hinduisten, die an Geister und Zauber glauben und Gräber- und Dämonenkult treiben, und andere, deren Glaube voll von Anklängen an islamitische und christliche Ideen ist.

Diese Religion des Hinduismus ist kein System, beruht nicht auf bestimmten Vorstellungen, besitzt keinen dogmatischen Kanon, und hat sich dennoch in den Jahrtausenden nicht verloren oder aufgelöst, sondern ist mit schöpferischer Wandlungsfähigkeit tausend neue Bindungen eingegangen, hat immer neue Formen gefunden, hat mit endloser Weitherzigkeit und Toleranz fremde Elemente aufgenommen. Gleich den Gesichtern und Gestalten vielarmiger indischer Götter hat diese Religion tausend Gesichter, primitive und raffinierte, kindliche und männliche, sanfte und grausame.

Von diesem so ungeheuer komplexen und noch lebendigeinheitlichen Gebilde eine Darstellung zu versuchen, war kühn. Glasenapp ist der erste Deutsche, der es unternommen hat.[1] Sein überaus fleißig und gewissenhaft gearbeitetes Buch ist mehr ein Werk der Akribie als der schöpferischen Genialität, aber gerade diese Akribie tat hier fürs Erste not, und die glänzendste geschichtsphilosphische Darstellung wäre uns auf

1 »Der Hinduismus«. Religion und Gesellschaft im heutigen Indien. Von Helmut von Glasenapp (München, Verlag Kurt Wolff 1922).

diesem Gebiete weniger wertvoll als diese höchst dankenswerte Leistung eines liebevollen, treuen, sorgfältigen Sammlers. Glasenapp gibt einen verblüffend reichen Überblick über Geschichte und Inhalte des Hinduismus, er versucht nicht, das Undefinierbare zu definieren, sondern erkennt, daß die geheime, von außen nicht sichtbare Einheit, welche diese Religion speist und zusammenhält, nichts anderes ist als die eigene Struktur der indischen Seele, und daß Fundament und Kern des Hinduismus weder in irgendeinem der vielen Kulte, noch in den Veden, noch im Priesterstande liegen, sondern im indischen Leben, im praktischen, täglichen Leben der indischen Völker mit ihrer so scharf ausgeformten sozialen Gliederung, dem sogenannten Kastenwesen.

Es fehlt der Raum, dem Werke hier ganz gerecht zu werden. Inmitten der deutschen Indologen-Literatur stellt es etwas durchaus Neues dar, denn bisher hat diese Literatur stets nur von einem gewesenen historischen Indien, oder einem abstrakten Gedanken Indien gehandelt, nie vom lebendigen, greifbaren Indien. Die für ein solches Unternehmen erforderliche Verbindung von Talenten und günstigen Bedingungen (denn ein solches Buch verlangt nicht nur abstrakte Studien, sondern auch viel eigenes Sehen und Reisen) scheint sich hier glücklich gefunden zu haben. Glasenapps Buch, vom Kastengeist des europäischen Wissenschaftlers fast ganz frei, ist das lebendigste gelehrte Werk über Indien, das bisher von einem Deutschen geschrieben wurde.

(1923)

Hinduismus

So wohlbekannt und fast populär bei uns der Buddhismus und die Anschauungen des sogenannten Vedanta sind, so wenig gekannt, so gemieden und gescheut bei Gelehrten wie Religiösen ist jene indische Hauptreligion, die man Hinduismus nennt. Es ist jene Religion, deren vielarmige und elefantenköpfige Götzen einst Goethe in einer Stunde schlechter Laune gegen sein eigenes tieferes Ahnen heftig abgelehnt hat. Diese Götter und Götzen kommen nun aber wieder, sie kamen schon seit zehn Jahren auf dem Wege der Kunst, denn plötzlich hatte das Abendland gemerkt, daß, was für Japan recht ist, für Indien billig sein muß, und es wurde auch die indische Kunst entdeckt. Und nun kommt die indische Götterwelt, mit ihren vielarmigen Götzen, mit ihren vielbrüstigen Göttinnen, mit ihren steinern und uralt-lächelnden Gottheiten und Heiligen unaufhaltsam hereingebrochen, auf vielen Wegen, auf den Wegen des Okkultismus und der Sektiererei, auf den Wegen der Sammler und Kunst- und Raritätenliebhaber, auf den Wegen der Wissenschaft. Ein Dokument sei heute auszeichnend genannt, das Buch »Der Hinduismus« von Helmuth v. Glasenapp (Kurt Wolff, Verlag, München).

Glasenapp gibt zum Glück nicht irgend eine geschichtsphilosophische oder theologische Aufmachung, er verzichtet sogar in fast puritanischer Nüchternheit auf Ausdeutung des Mythischen und Kultlichen, er hält sich an die Hauptsache, an seine Aufgabe, an das Sammeln und möglichst sichtbare Zeigen des Materials. Dies Material, die Zeugnisse des Hinduismus, von den Veden und Tantras bis zu heutigen Gebräuchen und Kulten, hat Glasenapp in seinem ungeheuer ergiebigen, satt gefüllten Werk gesammelt und ausgezeichnet klug geordnet, es ist eine Lust, das alles nun so nah und klar beisammen zu haben, was man bisher aus so viel entlegenen und zum Teil trüben Quellen holen mußte. Eine sehr schöne, sehr mit Sinn fürs Charakteristische begabte Auswahl von Abbildungen gehört mit zu dem Buche, auch sie verdient Anerkennung und frohen Dank. Es ist bisher das einzige deutsche Werk, das in nicht dilettantischer Weise über Religion und Sitte Indiens Auskunft gibt.

Das religiös genialste Volk der Erde haben wir bisher beinahe nur durch philosphische Brillen gesehen, wird kannten beinahe nur jene Systeme und Theorien des alten Indien, welche die religiösen Probleme intellektuell zu lösen suchen. Die eigentliche Religion des Volkes, den Hinduismus, diese genialste, an Plastizität beispiellose Religion beginnen wir erst allmählich in ihrer Größe und Wunderbarkeit zu ahnen.

Jenes Problem, das den Abendländer, wenn er sich auf Indisches einläßt, immer am meisten plagt und vor den Kopf stößt, daß nämlich für die Inder Gott zugleich transzendent und immanent sein könne, ist das eigentliche Herz der indischen Religion. Für den Inder, der sowohl im religiösen Gefühl wie im abstrakten Denken so merkwürdig genial ist, besteht jenes Problem gar nicht als solches, ihm ist von Anfang an ausgemacht und klar, daß alle menschliche Erkenntnis und Denkkunst lediglich der niedren Welt, der Menschenwelt, gerecht zu werden vermöge, daß wir dem Göttlichen dagegen einzig mit Hingabe, mit Verehrung, mit Meditation, mit Andacht entgegen treten dürfen. Und so beherbergt der Hinduismus, welcher heute wie vor dreitausend Jahren die herrschende Religion Indiens ist, friedlich in paradiesischer Buntheit die ungeheuersten Gegensätze, die widersprechendsten Formulierungen, die denkbar gegensätzlichsten Dogmen, Riten, Mythen und Kulte in sich, das Zarteste neben dem Rohesten, das Spirituellste neben dem massig Sinnlichsten, das Gütigste neben dem Grausamen und Wilden.

Die Wahrheit, das Ewige, ist nicht in diesen Gestaltungen, auch nicht in den feinsten und edelsten, die Wahrheit ist hoch darüber. Und so mag der Brahmane Gottesgelehrtheit treiben, der Sinnliche den zeugungsfrohen Krishna lieben, der Einfältige die mit Kuhmist bestrichene Steinfratze anbeten – es ist vor Gott alles dasselbe, es ist eine nur scheinbare Mannigfaltigkeit, es sind nur scheinbare Gegensätze.

Glasenapps Buch in seiner Sachlichkeit und treuen Sorgfalt gibt ungeheuer viel. Und es ist beinahe völlig frei von jenen Europäismen, jenem hochmütigen oder spöttischen Besserwissen, mit welchem speziell deutsche Gelehrte oft von asiatischen Dingen reden.

(1923)

Aus Indien und über Indien

Die Beschäftigung des deutschen Geistes mit dem indischen, seine tastende Annäherung an ihn, ist wenig mehr als hundert Jahre alt, hat in Schopenhauer ihren berühmtesten Ausdruck gefunden, in Neumanns Übersetzungen ihre liebevollste Leistung, in Deussen und Oldenburg ihre bekanntesten Gelehrten. Schließlich ist sie, in neuester Zeit, zur Mode geworden, welche rasch wieder vergehen und doch nicht ohne Sinn gewesen sein wird.

Ostasien, zumal Indien, übt heute auch auf die wenig Gebildeten eine gewaltige Anziehungskraft aus, es gehen da tiefe geistige Interessen mit jungenhafter Lust am Exotischen und lüsterner Sucht nach Sensationen wunderlich durcheinander.

Das eigentliche Wissen um Indien jedoch und die Literatur darüber beschränkte sich bis vor kurzem auf ganz enge Gebiete. Die indische bildende Kunst, die indischen großen Volksreligionen waren noch vor wenigen Jahren bei uns nahezu vollkommen unbekannt, während über das ›geistige‹ Indien, aber auch nur über vereinzelte Gebiete desselben, eine Menge von Literatur existierte. Schon seit hundert Jahren war besonders stark das Interesse für die Buddha-Lehre, und noch vor zwanzig Jahren war die Mehrzahl der Europäer der festen Meinung, die Völker Indiens seien alle Buddhisten, während in Wirklichkeit im eigentlichen Indien ja die Zahl der noch vorhandenen Buddhisten verschwindend klein ist. Erst neuestens haben Forschung und Literatur sich auch jenem andern Indien zugewandt, gegen welches einst Goethe sich so abweisend verhielt. Von der neueren Literatur aus und über Indien soll dieser Aufsatz nun eine Auswahl der wichtigsten Erscheinungen besprechen.

Für das buddhistische Indien sind Karl Neumanns Übersetzungen der Buddha-Texte, namentlich der ›mittleren Sammlung‹ der Reden Buddhas (Verlag Piper in München) noch immer die wichtigsten Bücher. Daneben war die Kenntnis und Übersetzung der übrigen großen religiösen Dokumente Indiens lang vernachlässigt, Deussens ›Sechzig Upanishads‹ waren jahrzehntelang das einzige, was von diesen unerschöpflichen Schätzen in deutscher Sprache erreichbar war. Dies ist nun anders geworden, und ebenso wie der Verlag Diederichs in Jena unser Wissen um das geistige China durch die Herausgabe der Wilhelmschen Übersetzungen plötzlich verzehnfacht hat, so hat er durch seine Büchersammlung ›Die Religion des alten Indien‹, welche Walter Otto leitet, uns neuestens die Lektüre und das Studium herrlicher Werke ermöglicht, welche bisher nur den Orientalisten zugänglich waren. Für mich das schönste unter diesen Ottoschen Büchern heißt ›Aus Brahmanas und Upanishaden‹ (übersetzt von A. Hillebrandt), das ist eine schöne Zusammenstellung und Übersetzung von ausgewählten indischen Texten aus der Blütezeit des älteren indischen Denkens, als dessen Erben wir Buddha ansehen. Die Bhagavad-Gita ist ebenfalls in dieser Sammlung erschienen, deutsch von L. v. Schroeder (dessen Buch über Indien aus den achtziger Jahren noch heute hohen Wert hat). Der Welt des Buddhismus gehören die beiden Bändchen an: ›Thamma-Worte‹ (das alte ›Thammapada‹, eine Sammlung buddhistisch-asketischer Lieder und Sprüche aus der ältesten Zeit des Buddhismus, der Legende nach von Buddha selbst und seinen ersten Jüngern stammend) und ›Buddhas Wandel‹, das schöne, begeisterte Gedicht des Acvagosha. Ferner hat H. W. Schomerus in dieser Sammlung zwei Bände ›Texte zur Gottesmystik des Hinduismus‹ gebracht, die durch die Fülle und Großartigkeit ihres Inhalts für jeden Liebhaber der Beschäftigung mit indischem Geiste ein großes Erlebnis sein werden; hier sind namentlich aus der Welt des Shiva-Kultes Hymnen und Legenden mitgeteilt, deren Innigkeit, Tiefe und Ausdruckskraft den schönsten Upanishaden nahe kommt.

Diese Ottosche Bibliothek des religiösen Indien ist heute unentbehrlich für jeden, der sich, ohne selbst die alten indischen Sprachen zu beherrschen, dieser blühenden, erlösungsdürstenden, frommen Welt Altindiens nähern will. Wer sich diesen Büchern ergibt, läuft Gefahr, nicht mehr aus ihnen zurückzukehren, denn das neue Europa hat nichts, was den von der Glut und Versenkung dieser wunderbar beseelten Frömmigkeit Ergriffenen noch fesseln könnte. Doch wird die Gefahr nicht viele verführen, denn das Eindringen in diese Welt fordert mehr Hingabe, als heutige Leser in der Regel aufbringen. Wer außer diesen Texten auch noch eine systematische Einführung sucht, ein Buch über den Geist dieses alten

Indien, dem wird die ›Indische Theosophie‹ von H. Gomperz (bei Diederichs) sehr willkommen sein und gute Dienste tun. Das sehr gewissenhafte und schön gearbeitete Werk, stellenweise etwas stark rationalistisch, sucht den ungeheueren Stoff, gewissermaßen die ganze Geschichte der indischen Erlösungssehnsucht, mit Hilfe reichlicher Zitate aus den alten Texten darzustellen, sucht außerdem mit echter Bemühung eine edle Mitte zwischen den beiden sonst üblichen Europäerstandpunkten dem indischen Wesen gegenüber, dem überkritischen und dem abergläubisch-enthusiastischen, und leistet für unsere Zeit sehr wertvolle Dienste.

In der sehr schönen Sammlung ›Meisterwerke orientalischer Literaturen‹ bei Georg Müller in München erschienen, deutsch von H. Uhle, das Vetala-Pantschavinsati, die ›25 Erzählungen eines Dämons‹, ein schönes, bei uns bisher unbekanntes Stück aus der großen, alten Märchenliteratur Indiens. In derselben Sammlung erschien früher ein anderes klassisches, überaus liebenswertes indisches Erzählungswerk, das ›indische Papageienbuch‹.

Von einer ganz anderen Seite her wird Indien zu erfassen gesucht in einer Reihe großer, reich illustrierter Werke, die unter dem Namen ›Der indische Kulturkreis in Einzeldarstellungen‹ vom Folkwang-Verlag begonnen, vom Münchener Verlag Georg Müller übernommen und glänzend weitergeführt wurde. Die Absicht dieser schönen Quartbände mit ihren unzähligen Bildertafeln ist, uns die einzelnen Länder, Völker und Kulturgebiete der großen indischen Welt durch sachliche Darstellungen und reiches Bildmaterial vor Augen zu bringen, Land und Volksleben, Architektur, Kunst, Kult und Gewerbe. Da sind zum Beispiel zwei Bände, herausgegeben von K. Döhring, über Siam. Sie enthalten zunächst einen gediegenen Text, 60 Quartseiten Einführung in Land und Geschichte, dann bringt jeder Band gegen anderthalbhundert Seiten große Abbildungen: Landschafts-, Tier- und Menschenbilder, Bilder vom Reisbau und Elefantenfang, vom Königshof und vom Arbeitsleben des Volkes, von häuslichen und religiösen Bräuchen, von Festen, Architekturen, Theatern, von Hausgeräten und Webereien, Kunst und edlem Gewerbe. Diese beiden Bände sind mit nur je zwölf Mark auffallend billig. Ein andrer Band, ›Indien‹, von H. von Glasenapp (dessen gutes Werk

über den Hinduismus im Verlag Kurt Wolff ebenfalls genannt
sei), mit 248 Abbildungen in einem starken Bande, schildert
das vorderindische Festland, das eigentliche alte Kulturindien,
vom Himalaja bis nach Tuticorin hinunter, mit einer außer-
ordenlichen Bilderpracht und geht im ausführlichen Text namentlich auch auf die Geschichte der glänzenden indischen
Städte und die Architektur unter den großen Kaisern ein.
Glasenapp, der selbst längere Zeit in Indien gelebt zu haben
scheint, hat in die heutige deutsche Indologie einen neuen Zug
hineingebracht, weg vom Abstrakten und mehr zur Anschauung und sichtbaren Wirklichkeit hin.

Eine kunstgeschichtliche Monographie in zwei großen Bän-
den, einem Text- und einem Bilderband (mit 230 Tafeln), ist
W. Stutterheims Werk über ›Rama-Legenden und Rama-
Reliefs in Indonesien‹. Aus der indischen Inselwelt, speziell aus
Holländisch-Indien, sind da in wunderbaren Photographien
Darstellungen nach Rama-Dichtungen gesammelt, zum Teil
ganz wunderbare Reliefgruppen von höchster Vollendung.
Rama ist wohl die meist besungene Götterfigur Indiens, eine
Inkarnation des Wishnu, und es ist anzunehmen, daß in jedem
indischen Volk, jedem indischen und malaiischen Dialekt und
Kulturgebiet eine eigene Rama-Dichtung existiere oder existiert haben. Diesen Rama-Dichtungen nun ist Stutterheim im
malaiischen Sprachgebiet nachgegangen und hat sich speziell
die Erforschung der Rama-Darstellungen in der indonesi-
schen Reliefplastik zur Aufgabe gemacht. Man sieht, es gibt in
der indischen Kunstgeschichte schon eine sehr spezialisierte
Arbeit. Stutterheim ist Holländer, und Holland besitzt, namentlich auf Java, einen sehr reichen Schatz an indischen
Kunstwerken, dem es neuerdings gerecht zu werden beginnt,
wie namentlich die umfangreiche Publikation über die Plasti-
ken des Borobudur zeigt. Es ist erfreulich, zu sehen, daß der
holländische Gelehrte den Verleger für seine Rama-Forschun-
gen in Deutschland gefunden hat. Wäre es nur eine Gelehrten-
angelegenheit, ein Aufspießen, Numerieren und Benennen von
beliebigen Kuriositäten, so möchten so umfangreiche und
teure Publikationen uns heute übertrieben scheinen. Aber es
handelt sich nicht um Kuriositäten, sondern um ein echtes und
edles Stück ostasiatischer Kunst. Daß sich die Europäer, speziell die Holländer, darum nun so sehr bemühen müssen,

nachdem sie erst ihren eigenen Rembrandt haben verhungern lassen, und die malaiische Welt lange Zeit lediglich als ein Ausbeutungsobjekt kannten – daß jetzt so langsam die Buddhas und Ramas und anderen asiatischen Gestalten zu uns nach dem Westen herüberkommen und uns vor ihre ungeheuren Rätsel und Probleme stellen, gehört mit zur augenblicklichen Situation Europas. *(1925)*

Sehnsucht nach Indien

Wer einmal nicht nur mit den Augen, etwa als Luxusreisender auf einem Touristendampfer, sondern mit der Seele in Indien gewesen ist, dem bleibt es ein Heimwehland, an welches jedes leiseste Zeichen ihn mahnend erinnert. Wieviel tausendmal, seit ich vor vierzehn Jahren in Indien war, haben Kleinigkeiten auf dem Umweg über die Sinne mich erinnert, mich gemahnt, mir Heimweh geweckt! Einmal war es die blecherne Palme im Ladenfenster eines Tabakhändlers, unter der ein rauchender Schwarzer stand, ein andermal war es der Geruch von Gewürzen, der Geschmack von Curry oder Ingwer, oder der Duft von Sandelholz, der indischste aller Gerüche. Aber auch jedes schwelende Holzfeuer im Freien, das seinen Rauch über die Erde wehen läßt, mahnt an Südasien, mahnt an die Küsten des Meeres und die Ufer der großen Urwaldströme, wo überall den ankommenden Fremden als erster Gruß der leis duftende Rauch dörflicher Feuer empfängt. Einmal war es der Mundwinkel eines alten Professors, der irgendwie Ähnlichkeit mit dem Maul eines Chamäleons hatte, und mir fiel jenes kleine, grüne Chamäleon wieder ein, mit dem ich einst hoch oben auf Ceylon, schon nah am Gipfel des Pedrotallagalla, ein merkwürdiges Gespräch über Tiere und Menschen, über Europa und Indien hatte, und von dem ich in einer Viertelstunde mehr gelernt habe, als ich vorher in zehn fleißigen Jahren hatte erwerben können.

Und erst kürzlich noch, auf einer Reise, in Nürnberg, im alten gotischen Nürnberg, das so verzaubert, traurig und phantastisch inmitten seiner Fabriken und seines Automobilgerassels steht und vielleicht morgen schon eingestürzt sein kann – in Nürnberg also, da lief ich durch die alte Stadt, und hundert und tausend hübsche, merkwürdige und ungewöhnliche Dinge schlüpften durchs Auge in mein inneres Bilderbuch, und zu diesen tausend Bildern gehörte auch das eines schönen festen, alten Hauses, einer Apotheke, welche den Namen ›Zur Kugel‹ trug, und in deren Schaufenster ich, unter andern entzückenden Dingen, ein neugeborenes Krokodil entdeckte, leider nicht lebend, sondern präpariert, mitsamt dem Ei, aus dem es gekrochen war. Oh, wie fiel der Tag in Djambi auf Sumatra mir wieder ein, wo mir von einem Gastfreund sechs junge lebende Krokodile als Geschenk angeboten wurden, etwa fünf Wochen alt, herrliche phantastische Wesen, denen ich meinen Finger ins Maul stecken konnte, denn sie waren noch zahnlos und kauten an meinem Finger herum wie Säuglinge an ihrem Stück Veilchenwurzel! Und wieder fühlte ich das Heimweh, die alte, schöne und törichte Sehnsucht, noch einmal zu reisen, noch einmal von Europa weg und in die Tropen, unter die Palmen und zu den Affen zu kommen, in die Wärme der feuchten Urwälder und in die Dämmerung der goldenen Tempel.

Diesmal nun, nach der Heimkehr von der Nürnberger Reise und dem aus seinem hübschen Ei gekrochenen Krokodil, heimgekehrt in die angenehme Helligkeit meines Südens, finde ich mich durch andere Zeichen an Indien erinnert. Unter dem Gebirge von Büchern, das die Post während meiner Reisewochen in meine Wohnung getragen und mit dem sie mir mein Zimmer verbaut hat, finde ich einige Grüße aus Asien, und wenn es auch nur bedrucktes Papier ist, das mir diesmal den Dienst des Boten aus Osten leistet, ich nehme diese Sachen doch mit Ehrfurcht in die Hand.

Da sind zwei schöne Bücher mit Bildern, bei denen ich lange verweile. Das eine heißt ›Sunda‹, darin schildert Martin Borrmann, ein junger Dichter, eine Reise durch die Insel Sumatra. Sumatra! Ja, junger Mann, dort sind auch wir einst gewesen, haben am Batang Hari die Affen brüllen hören und am Moesi die Krokodile im Sand liegen sehen, und in seinem Buch über Sumatra sind für unsereinen schon die Namen, mit den sanften malaischen Endungen, eine erwünschte Musik. Borrmanns Buch, erschienen in der Frankfurter Sozietätsdruckerei, ist ein großer dicker Band auf herrlichem Papier, mit einer großen Zahl von farbigen Bildern geschmückt, ein hübsches und appetitmachendes Werk für Hand und Auge. Der junge Dichter ist durch Sumatra nicht bloß gereist, um Stimmungen zu empfinden und Gedichte zu machen, er hat viel gesehen und erfragt, und wenn man die Mühen des Tropenreisens kennt und die ewige Verführung des Ostens zum Nichtstun, dann bekommt man Respekt vor der Leistung dieser Reise. Man wird aber auch traurig, denn noch selten hat ein Gruß aus Indien mir so deutlich gezeigt, wie rasch die Eroberung der primitiven Völker durch die Maschinenkultur vor sich geht. Das Sumatra von 1911, das ich gesehen habe, war von dem heutigen sehr verschieden, ebenso wie die Stimmung, in der ich damals reiste, tief verschieden war von der, in welcher dieser junge Deutsche von heute seine erste Weltfahrt unternahm. Das kluge, schöne Buch verdient aufmerksam gelesen zu werden, es bringt nicht bloß eine Menge sachlicher Feststellungen und Beobachtungen und erfreut überall durch die Aufrichtigkeit seiner Gesinnung, es gibt darüber hinaus auch einen Hauch von moderner Weltstimmung. Aber es handelt von einer untergehenden Welt. In Bälde wird es kein primitives Volk in Asien mehr geben, und keinen Malaien, der nicht den kleinen Amerikaner spielte, und keinen Urwald, durch den nicht in Zement gefaßte korrigierte Flüsse gingen. – Die hübschen farbigen Zeichnungen des Buches sind von Siegfried Sebba.

Das andere Indienbuch, das ich aus meinem Büchergebirge hervorzog, und bei dem ich zuweilen des Abends blätternd sitze, gehört zu der Buchreihe ›Der indische Kulturkreis‹ im Verlag Georg Müller (München) und handelt von Ceylon. Den Text hat F. M. Trautz geschrieben, und ich werde ihn später einmal lesen. Der schöne Quartband enthält 128 ganzseitige Abbildungen nach guten Photographien, und es ist eine Lust, in diesen vielen Bildern spazierenzugehen. Ein Teil der Bilder gehört zum alten eisernen Bestand der Ceyloner Fremdenindustrie, es sind Bilder, die seit Jahrzehnten jeder Reisende auf Ansichtskarten und in Albums überall zu kaufen bekommt. Doch sind zum Glück auch recht viele neue, originelle Bilder dabei. Ach, da fand ich den Schatten des Adamspik, und fand den Pedro wieder, die Heimat meines Chamäleons, und fand den Mahawelli mit seinen badenden Elefanten, und die Heiligtümer von Kandy, auch verschiedene der dortigen Buddhas, nicht aber jenen kleinen aus Bergkristall, der dort auf einem Weihaltar steht und mir der unvergeßlichste geblieben ist. Auch der Riesenbambus von Peradeniya fehlte nicht, das schönste Stück Pflanzenwuchs, das ich auf Erden kenne. Einiges aber, was zum Schönsten auf Ceylon gehört, scheint sich auch heute noch den Apparaten der Fremden zu entziehen, so vor allem die heilige Dämmerung der Höhlentempel und der darin schlafenden Buddha-Riesen, von denen der Besucher nur einen traumhaft unbestimmten Schimmer mitnehmen darf. Wer Indien liebt und gelegentlich Sehnsucht dahin hat, dem kann dies Ceylonbuch mit seinen Bildern ein lieber Kamerad und Tröster werden.

Auf Ceylon soll es noch einige Weddas geben, primitive Waldmenschen. Bald werden sie ausgestorben oder gegen Eintrittsgeld zu sehen sein. Es gibt keine Primitiven mehr. Es wird vielleicht einmal auch keinen Urwald mehr geben und keine Krokodile. Aber wenn es für moderne Menschen mit Feuerwaffen und Kaufmannsgeist ziemlich leicht ist, primitive Völker auszurotten und naive Heiligtümer zu zerstören – viel schwerer ist es, alte Kulturen zu zerstören. Die hält, wenn auch entartet und krank, über die Jahrhunderte weg, man sieht das bei den Chinesen, und noch mehr bei den Indern des Nordens. Dort, in Bengalen, herrscht eine hohe Geistigkeit, vielfach europäisch infiziert oder auch durch alte Inzucht geschwächt, aber in Denken und Kunst noch heute produktiv und voll eines guten, friedlichen, auf Einheit gerichteten Geistes. Ein Zeugnis dieses Geistes fand ich, froh überrascht, ebenfalls in meinem großen Bücherberge vor. Es waren zwei dicke Bände aus Calcutta, und sie enthielten eine Menge von Heften der Calcuttaer ›Modern Review‹, einer ausgezeichneten Monatsschrift. Einer meiner indischen Freunde hat sie mir geschenkt. Ich finde in diesen Blättern, die von Ramananda Cyatterjee herausgegeben werden, zwar in der äußeren Aufmachung und Stoffansammlung Einflüsse des amerikanisch-europäischen Magazintyps, dahinter aber überall eine Gesinnung, Frische und Geistigkeit, dabei eine friedliche Internationalität, wie sie kaum eine europäische Monatsschrift hat. Seid gegrüßt, liebe indische Freunde drüben, ich blättere in euren Heften, sehe die Bilder von Tagores Malerbrüdern und, mir noch lieber, die Bilder eurer Maler Kalasala und Srimati Sukumari Debi, und glaube eure Stimmen aus der Ferne zu hören, eure singenden, lieben, ebenso feierlichen wie kindlichen Stimmen.

Nun aber ist es Zeit, mich loszumachen und das Indien-Heimweh abzuschütteln. Heimweh ist eine schöne Sache, und ich bin der letzte, der sich darüber als über eine Sentimentalität lustig machen würde. Aber Gefühle und Phantasien haben das an sich, daß sie bis zu einer gewissen Steigerung an Macht und Schönheit und Wert gewinnen, darüber hinaus aber wieder flau und faul werden – dann ist es Zeit, andere Phantasien, andere Empfindungsreihen aufsteigen zu lassen aus der unerschöpflichen Schlucht unserer Seele. Weg dann mit dem Indien-Spiel, weg mit der Indien-Sehnsucht, sie wird ohnehin bald genug in irgendeiner Form wiederkehren.   *(1925)*

Über mein Verhältnis zum geistigen Indien und China

Von frühster Kindheit an war ich von außen her mit indischem Wesen vertraut, mein Großvater, meine Mutter und mein Vater waren alle drei lange in Indien gewesen, sprachen indische Sprachen (Malayalam, Kanaresisch, Hindostani, mein Großvater auch Sanskrit), in unserem Hause waren viele indische Sachen, Kleider, Gewebe, Bilder etc. Unbewußt sog ich so viel Indisches ein. Besonders erinnere ich mich an schöne, lebhafte Erzählungen meiner Mutter aus ihrer indischen Zeit. Meine Eltern und Großeltern waren als Missionare tätig gewesen, mein Großvater war Jahrzehnte in Indien. Doch waren sie alle drei nicht vom Schlage des Durchschnitts-Missionars, waren tief in Sprachen und Seele Indiens eingedrungen, das sie sehr liebten. Ich erinnere mich eines handschriftlichen Buches, das mein Vater besaß und in das er während seiner indischen Zeit vieles geschrieben hatte, vor allem erinnere ich mich, daß darin viele buddhistische Gebete standen, von meinem Vater übersetzt, teils in Deutsch, teils in Englisch, und daß er uns zuweilen mit sichtlichem Gefallen an der Frömmigkeit und Poesie dieser Gebete daraus vorlas.

Bei meinen Eltern und Großeltern war sehr viel Liebe für Indien und viel Bereitschaft zum Verständnis Indiens vorhanden, doch stand ihr Christentum im Wege, sie anerkannten Indien und seine Ideen sehr, aber stets mit dem Vorbehalt, daß doch eben die Lehre Jesu allein göttlich und endgültig sei, ebenso wie sie auch Goethe und andre weltliche Weise schätzten, aber stets mit jenem mir fatalen Vorbehalt.

Seit dem Verlassen des Vaterhauses hatte ich keine Berührungen mit Indischem, und jene Einflüsse blieben ganz unbewußt. Erst im Alter von etwa 27 Jahren, als ich begann, mich mit Schopenhauer zu beschäftigen, stieß ich wieder auf indische Gedanken, in den folgenden Jahren hatte ich häufig Begegnungen mit suchenden Menschen, meist von mehr oder weniger theosophischer Färbung, und fand mich auch durch sie mehr und mehr auf indische Quellen gewiesen, lernte eine Übersetzung der Bhagavad-Gita kennen und war von da an in indischen Ideen heimisch. Bald fand ich auch das Dhamma-

paddam, von Neumann übersetzt, und Oldenbergs Buddha-
buch, später die Werke von Deussen.

Meine damalige Philosphie war die eines erfolgreichen, aber
müden und übersättigten Lebens, ich faßte den ganzen Buddhismus als Resignation und Askese auf, als Flucht in
Wunschlosigkeit, und blieb Jahre dabei stehen.

Eine Bereicherung und teilweise Korrektur erfuhr mein öst-
liches Wissen und Denken durch die Chinesen, die ich durch
die Übersetzungen von R. Wilhelm allmählich kennenlernte.
Von Lao Tse erfuhr ich schon etwas vorher durch meinen
Vater, der ihn durch den Tübinger Professor Grill kennengelernt hatte (Grill hat selbst eine Übersetzung des Tao Te
King gemacht). Mein Vater, sein Leben lang ein frommer
Christ, aber stets suchend und nie dogmatisch festgelegt, war
die letzten Jahre seines Lebens intensiv mit Lao Tse beschäftigt, den er oft mit Jesus verglich. Ich selbst kam erst einige
Jahre später zu Lao Tse, der mir nun für lange Zeit zur
wichtigsten Offenbarung wurde.

Auch von anderer Seite her, aus den Folgerungen, die ich aus
manchen Lehren der Psycho-Analyse zog, ergab sich mir mehr
und mehr ein Ideal dessen, was ich Weisheit nannte, und das
Wissen von einem bipolaren, nicht einseitigen, synthetischen
Denken. Die einzelnen Stationen der Entwicklung könnte ich
nicht in Kürze angeben. Obwohl meine Lebensschicksale an
Schwere zunahmen und mir sehr großes Leid brachten, verlor
sich aus meinem Denken doch mehr und mehr die Resignation, und für mich bezeichnete ich diese Wendung zuweilen als
eine Wendung von Indien nach China, d. h. von dem asketi-
scheren Denken Indiens zu dem bürgerlicheren, »bejahende-
ren« Chinas.

Die östlichen Bücher, die mir wichtig wurden, sind:

Die Bhagavad Gita / Buddhas Reden / Deussens Vedanta
und Upanishaden / Oldenbergs Buddha / Das Tao Te King,
von dem ich alle deutschen Ausgaben las / Gespräche des
Konfuzius / Gleichnisse des Dschuang Dsi.   *(undatiert)*

Blick nach dem Fernen Osten

Die beiden »farbigen« Völker, von denen ich am meisten gelernt und vor denen ich den größten Respekt habe, sind die Inder und die Chinesen. Beide haben eine geistige und künstlerische Kultur geschaffen, die der unsern an Alter überlegen, an Gehalt und Schönheit gleichwertig ist.

Die hohe Blütezeit des indischen Denkens sehe ich etwa in derselben Zeit wie die des europäischen, es sind die Jahrhunderte etwa zwischen Homer und Sokrates. Damals wurden über Welt und Mensch in Indien wie in Griechenland die bisher höchsten Gedanken gedacht und zu großartigen Denk- und Glaubenssystemen entwickelt, die eine wesentliche Bereicherung später nicht erfahren haben, ihrer aber auch wohl nicht bedurften, denn sie stehen heute noch in voller Lebenskraft und helfen Hunderten von Millionen Menschen das Leben bestehen. Der hohen Philosophie des alten Indien steht eine überaus vielgestaltige, an Tiefe und an Humor reiche Mythologie gegenüber, eine volkstümliche Götter- und Dämonenwelt und Kosmologie von üppigster Bildkraft, die in der Dichtung wie in der Skulptur, aber auch im Volksglauben blühend fortbesteht. Doch ist aus dieser farbig glühenden Welt auch die ehrwürdige Gestalt des großen durch Entsagung Überwindenden, des Buddha, hervorgegangen, und der Buddhismus erweist sich heute sowohl in seiner ursprünglichen wie auch in der chinesisch-japanischen Form des Zen nicht nur in seiner Heimat, sondern auch im ganzen Westen, Amerika inbegriffen, als eine Religion von höchster Moral und großer Anziehungskraft. Seit nahezu zweihundert Jahren ist das abendländische Denken häufig und kräftig vom indischen Geist beeinflußt worden; der letzte große Zeuge dafür ist Schopenhauer.

Wenn der indische Geist ein vorwiegend seelenhafter und frommer ist, so gilt das geistige Suchen der chinesischen Denker vor allem dem praktischen Leben, dem Staat und der Familie. Wessen es bedarf, um gut und erfolgreich zum Wohl aller zu regieren, das ist das oberste Anliegen der meisten chinesischen Weisen, wie es ja auch das Anliegen Hesiods und Platons war. Die Tugenden der Selbstbeherrschung, der Höflichkeit, der Geduld, des Gleichmuts werden ebenso wie in der abendländischen Stoa hoch bewertet. Es gibt aber daneben auch metaphysische und elementare Denker, obenan Laotse und sein poetischer Jünger Tschuang-Tse, und nach dem Eindringen der Buddha-Lehre hat China langsam eine höchst originelle, äußerst wirksame Form der buddhistischen Zucht entwickelt, das Zen, das ebenso wie die indische Form des Buddhismus auch im heutigen Westen von spürbarem Einfluß ist. Daß der chinesischen Geistigkeit eine nicht minder hoch und fein entwickelte bildende Kunst zur Seite steht, ist jedem bekannt.

Die heutige Weltlage hat an der Oberfläche alles verändert und unendlich vieles zerstört. Die Chinesen, einst das friedlichste und an antimilitaristischen Bekundungen reichste Volk der Erde, sind heute die gefürchtetste und rücksichtsloseste Nation geworden. Sie haben das heilige Tibet, neben Indien das frömmste aller Völker, barbarisch überfallen und erobert, und sie bedrohen dauernd Indien und jedes andere Nachbarland. Wir können das nur konstatieren. Vergleicht man etwa das politische Frankreich oder England des 17. Jahrhunderts mit dem heutigen, so zeigt sich, daß der politische Aspekt einer Nation sich im Lauf weniger Jahrhunderte gewaltig verändern kann, ohne daß dies auch eine Veränderung im Kern des Volkscharakters bedeuten müßte. Wir müssen wünschen, daß auch im chinesischen Volk über die Zeiten dieser Verstörung hinweg sich viele seiner wunderbaren Charakterzüge und Begabungen erhalten. *(1959)*

Erzählende Schriften

Legende vom indischen König

Es war im alten Indien der Götterzeit, noch Jahrhunderte vor dem Erscheinen Gotama Buddhas, des Erhabenen, da wurde einstmals ein neuer König von den Brahmanen geweiht. Dieser junge König genoß die Freundschaft und Belehrung zweier Weisen, welche ihn lehrten, sich durch Fasten zu heiligen, die dem Blut innewohnenden Stürme seinem Willen zu unterwerfen und sein Denken zum Verständnis des All-Einen vorzubereiten.

Es war nämlich zu jener Zeit unter den Brahmanen ein eifriges Streiten über die Eigenschaften und Befugnisse der Götter, über das Verhältnis des einen Gottes zum andern und über das Verhältnis eines jeden zum All-Einen. Manche Denker hatten begonnen, das Dasein jeglicher Gottheiten zu leugnen, indem sie die Namen der verschiedenen Götter nur als Namen der wahrnehmbaren Teile des unsichtbaren Einen gelten lassen wollten. Andere bestritten diese Auffassung heftig, sie beharrten bei den alten Gottheiten, ihren Namen und Bildern, und sie wollten gerade das All-Eine nicht als etwas Wesenhaftes, sondern nur als einen Namen für die Gesamtheit aller Götter erklärt wissen. Ebenso wurden die in den Hymnen enthaltenen heiligen Worte von den einen als erschaffen und wandelbar, von den anderen als ur-wesenhaft, ja als das allein Unwandelbare aufgefaßt. Hier sowohl wie auf allen andern Gebieten der heiligen Erkenntnis äußerte sich das Streben nach der letzten Wahrheit in einem Zweifeln und Streiten darüber, was Geist selbst und was nur Name sei, obwohl Einzelne auch diese Unterscheidung noch verwarfen und Geist und Wort, Wesen und Gleichnis für untrennbare Einheiten ansahen. Beinahe zwei Jahrtausende später haben sich die edelsten Geister des abendländischen Mittelalters über beinahe dieselben Punkte gestritten. Und hier wie dort gab es neben den ernsten Denkern und selbstlosen Kämpfern eine Menge von fetten Pfaffen, die ohne Geist und ohne Hingabe einfach sich dafür einsetzten, daß keine Schwächung des Ansehens von Opfer und Priesterschaft eintrete, daß Freiheit des Denkens und Freiheit in der Auffassung der Götter nur ja nicht dazu führen möge, die Macht und das Einkommen der Priester zu vermindern. Sie sogen das Volk nicht wenig aus:

wem ein Sohn oder eine Kuh krank wurde, der bekam für Tage und Wochen die Pfaffen ins Haus und konnte sich an den Opfergaben verbluten.

Auch jene beiden Brahmanen, deren besonderen Unterricht der nach Erkenntnis dürstende König genoß, waren untereinander uneins über die letzte Wahrheit. Da sie alle beide im Rufe außerordentlicher Weisheit standen, betrübte es den König oftmals, ihre Uneinigkeit anzusehen, und häufig dachte er bei sich: ›Wenn diese zwei Weisesten über die Wahrheit nicht einig werden können, wie soll da ich, der ich wenig gelehrt bin, jemals ein Wissender werden können? Wohl zweifle ich nicht, daß es nur eine einzige und unteilbare Wahrheit geben kann: doch scheint es mir selbst für Brahmanen unmöglich, sie mit Sicherheit zu erkennen.‹

Seine beiden Lehrmeister aber, wenn er sie hierüber befragte, sagten ihm nur: ›Viele sind der Wege, doch nur ein Ziel. Faste, töte die Leidenschaften in deinem Herzen, rezitiere die heiligen Strophen und denke über sie nach.‹

Der König tat willig, wie ihm gesagt war, und machte große Fortschritte im Wissen, ohne doch an das Ziel zu dringen und die letzte Wahrheit zu schauen. Indem er die Leidenschaften des Blutes überwand, alles tierische Begehren und Behagen verabscheute und von Essen und Trinken nur das Notwendigste – täglich eine Banane und einige Reiskörner – zu sich nahm, reinigte er sich an Leib und Geist und vermochte allen Eifer und alle Kraft und Sehnsucht seiner Seele einzig auf das letzte Ziel zu richten. Heilige Worte, deren Silben ihm früher leer und öde getönt hatten, erschlossen ihm nun die Blüte ihres Zaubers und beglückten ihn mit innigem Trost, und in den Kampfspielen und Übungen des Verstandes erwarb er Preis um Preis. Den Schlüssel aber zum letzten Geheimnis und zum Rätsel alles Seins, den fand er nicht und blieb darüber betrübt.

Da beschloß er, sich durch eine große Übung zu kasteien. Er verschloß sich volle vierzig Tage in sein innerstes Gemach, aß keinen Bissen und schlief ohne Decke noch Kissen nackt auf dem bloßen Estrich. Sein hagerer Leib atmete Reinheit, sein schmales Gesicht glänzte von innen her, seine Augen beschämten die der Brahmanen durch ihr strahlendes Licht. Und am Ende dieser vierzig Tage lud er alle Brahmanen ein, in der Halle des Tempels ihren Verstand im Lösen schwieriger Fra-

266

gen zu üben, und für die Gewinner der Preise standen weiße Kühe mit goldenem Stirnschmuck als Ehrengeschenke bereit.

Die Priester und Weisen kamen, ließen sich nieder und eröffneten alsbald die Schlacht der Gedanken und Worte. Sie bewiesen Glied für Glied die genaue Übereinstimmung der sinnlichen und der geistigen Welt, schärften ihren Sinn im Erklären von heiligen Strophen und redeten über das Brahma und den Atman. Sie verglichen das hundertarmige Urwesen mit dem Wind, mit dem Feuer, mit dem Wasser, mit dem im Wasser aufgelösten Salz, mit der Vereinigung von Mann und Weib. Sie ersannen Vergleiche und Bilder für das Brahma, das Götter erschafft, welche größer sind als Brahma selbst, und unterschieden das schaffende Brahma von jenem, welches das Geschaffene in sich schließt, sie versuchten, es mit sich selbst zu vergleichen. Sie disputierten glänzend darüber, ob der Atman älter sei als sein Name, ob sein Name gleich seinem Wesen oder nur eine Schöpfung desselben sei.

Immer wieder hub der König an und versuchte die Weisen mit neuen Fragestellungen. Allein je mehr die Brahmanen Antwort und Erklärung gaben, desto mehr fühlte der König sich unter ihnen allen einsam und verlassen. Und je mehr er fragte und den Antworten zunickte und den Geistvollsten Geschenke geben ließ, desto brennender erfüllte ihn die Sehnsucht nach der Wahrheit selbst. Diese wurde, wie er wohl erkannte, von allen Reden und Untersuchungen nur umkreist, nie berührt, und in den innersten Kreis drang keiner. Und indem er ihnen seine Fragen aufgab und seine Ehrengaben verteilte, kam er sich vor wie ein Kind, das mit andern Kindern einem Spiele hingegeben ist, einem hübschen Kinderspiel, über das die Männer lächeln.

Da versank inmitten der großen Versammlung der König mehr und mehr in sich selbst, verschloß alle seine Sinne und richtete seinen glühenden Willen auf die Wahrheit, von der er wußte, daß sie an jedwedem Wesen teilhabe und in jedem schlummere, also auch in ihm, dem Könige. Und da er rein und schlackenlos in seinem Innern war, fand er mehr und mehr in sich selbst Sättigung und Helle, und je tiefer er in sich versank, desto lichter ward es vor ihm, gleichwie wenn einer in einer Höhle wandert und sich immer mehr, mit jedem Schritt, dem strahlenden Ausgang nähert.

Indessen redeten und stritten die Brahmanen noch lange Zeit unter sich weiter und achteten des stumm und taub gewordenen Königs nicht. Sie erhitzten sich, ihre Stimmen wurden laut und heftig, und mancher mißgönnte dem andern die Kuh, die er zum Geschenk bekommen hatte.

Bis endlich einer von ihnen den Versunkenen bemerkte. Er verstummte und deutete mit ausgestrecktem Finger auf ihn, und sein Nachbar verstummte und tat desgleichen, und dessen Nachbar wieder, und während am Ende der Halle noch einige Gruppen lärmten und redeten, war der übrige Saal totenstill geworden: und endlich waren sie alle verstummt, saßen ohne Rede und sahen den König an. Dieser saß aufrecht mit bewegungslosen Minen, sein Blick war im Unendlichen, und sein Antlitz strahlte hell und kühl wie ein Gestirn. Und alle Brahmanen neigten sich vor dem Verklärten und erkannten, daß sie da nur Kinderspiel getrieben hatten, während hier in dieser königlichen Gestalt Gott selbst, der Inbegriff aller Götter, eingekehrt sei.

Der König aber, dessen Sinne in die Einheit verschmolzen und nach innen gerichtet waren, schaute die Wahrheit selbst, die unteilbare, als reines Licht, das ihn mit süßer Gewißheit durchdrang, so wie der Sonnenstrahl einen Edelstein durchdringt, daß er selbst Licht und Sonne wird und Geschöpf und Schöpfer in sich vereint. Und da er erwachte und um sich schaute, lachten seine Augen, und seine Stirn leuchtete wie ein Stern. Er legte sein Gewand von sich, verließ den Tempel, verließ die Stadt und sein Königreich, und ging nackt in die Wälder, in denen er für immer verschwand. *(1907)*

Die Braut

Signora Ricciotti, die mit ihrer Tochter Margherita vor kurzem im Waldstätterhof in Brunnen abgestiegen war, gehörte zu jenen blonden, weichen, etwas trägen Italienerinnen, die man in der Gegend von Venedig und in der Lombardei häufig antrifft. Sie trug viele schöne Ringe an ihren fetten Fingerchen, und ihr höchst charakteristischer Gang, der zur Zeit noch ein elastisch-üppiges Wiegen genannt werden konnte, entwickelte sich sichtlich mehr und mehr zu jenem Typ von Fortbewegung, den man Watscheln heißt. Elegant und offenbar einst an Huldigungen gewöhnt, machte sie eine gute, repräsentative Figur; sie trug schicke Toiletten und manchmal sang sie am Abend zum Klavier, mit einer wohlgebildeten, kleinen, ein wenig schmalzigen Stimme, wobei sie mit den kurzen, vollen Armen und stark auswärts gebogenen Handgelenken die Noten von sich weg hielt. Sie stammte aus Padua, wo ihr verstorbener Mann einst ein bekannter Geschäftsmann und Politiker gewesen war. Bei ihm hatte sie in einer Atmosphäre von blühender Bonhomie und stark über ihre Verhältnisse gelebt, was sie nach seinem Tode mit verzweifeltem Mut fortsetzte.

Trotz alledem würde sie uns kaum interessieren, hätte sie nicht ihre hübsche, kleine Tochter bei sich gehabt, Margherita, die kaum über das Backfischalter hinaus war und von der Pensionszeit her noch mit ein wenig Bleichsucht und Appetitlosigkeit zu tun hatte. Sie war ein entzückend schlankes, stilles, blasses Wesen mit dunkelblonden dichten Haaren, und jedermann sah ihr mit Vergnügen nach, wenn sie in ihren einfachen, weißen oder blaßblauen Sommertoiletten durch den Garten und über die Straße ging. Es war das erste Jahr, daß Frau Ricciotti das Mädchen mit sich in die Welt nahm – denn in Padua lebten sie ziemlich zurückgezogen –, und der Schimmer von Resignation, mit dem sie sich in den meisten Hotelbekanntschaften gegenüber von ihrer Tochter in den Schatten gestellt sah, stand ihr recht gut. Frau Ricciotti war bisher zwar stets eine gute Mutter, jedoch nicht ohne geheimen Anspruch auf ein eigenes Schicksal, ja vielleicht noch auf eine eigene Zukunft gewesen; jetzt begann sie diese stillen Hoffnungen von sich abzutun und ihre Kleine damit zu schmücken, wie eine gute Mutter etwa den Schmuck, den sie von der eigenen Hochzeit her besaß, vom Halse nimmt und der herangewachsenen Tochter umhängt.

Von allem Anfange an fehlte es nicht an Männern, die sich für die schlanke, blonde Paduanerin interessierten. Die Mutter aber war auf der Wacht und umgab sich mit einem Wall von Achtbarkeit und soliden Ansprüchen, der manchen Abenteurer erschreckte. Ihre Tochter sollte einen Mann bekommen, bei dem sie es gut hätte, und da nun einmal die Schönheit ihre einzige Mitgift war, galt es doppelt auf der Hut zu sein.

Es tauchte jedoch schon nach kürzester Zeit der zukünftige Held dieses Romans in Brunnen auf, und alles ging viel rascher und einfacher, als die besorgte Mutter je gedacht hätte. Eines Tages traf im Waldstätterhof ein junger Herr aus Deutschland ein, der sich auf den ersten Blick in Margherita verliebte und alsbald seine Absichten so entschieden zum Ausdruck brachte, wie es nur Leute tun, die wenig Zeit haben und keine Umwege machen können. Herr Statenfoß hatte in der Tat sehr wenig Zeit. Er war Manager einer Teeplantage auf Ceylon und auf Urlaub in Europa, das er in zwei Monaten wieder würde verlassen müssen und wohin er dann frühestens wieder in drei, vier Jahren zurückkehren konnte.

Dieser hagere, braungebrannte, herrisch auftretende junge Mann gefiel Frau Ricciotti nicht besonders, er gefiel aber der schönen Margherita, die er von der ersten Stunde an mit dringlicher Werbung umgab. Er sah nicht übel aus, und er hatte die sorglos herrschaftliche Art des Auftretens, die sich der Europäer in den Tropen aneignet, war übrigens erst sechsundzwanzig Jahre alt. Daß er von dem fernen Wundereilande Ceylon kam, war schon ein Stück Romantik, und sein Überseegefühl verlieh ihm auch eine tatsächliche Überlegenheit über den Durchschnitt des hiesigen täglichen Lebens. Statenfoß trug sich vollkommen englisch; vom Smoking bis zum Tennisanzug, vom Frack bis zur Bergausrüstung waren seine Sachen alle von erster Qualität, er führte für einen Junggesellen erstaunlich viele und große Koffer mit sich und schien in jeder Hinsicht an ein Leben erster Klasse gewöhnt zu sein. Er widmete sich den Beschäftigungen und Vergnügungen der Sommerfrische mit ruhiger Sachlichkeit, er tat sachlich und gut, was getan werden mußte, aber er schien nirgends mit Leidenschaft dabei zu sein, nicht beim Bergsteigen und nicht beim Rudern, nicht beim Tennis und nicht beim Whist, sondern schien in dieser Umgebung nur als ein flüchtiger Gast zu weilen, ein Gast aus einer fernen, fabelhaften Welt, wo es Palmen und Krokodile gibt, und wo Leute seiner Art sich in weißen, sauberen Landhäusern von ameisenhaft zahlreichen farbigen Dienern fächeln und mit Eiswasser bedienen ließen. Einzig Margherita gegenüber verließ ihn seine Ruhe und exotische Überlegenheit, er sprach mit ihr in einem leidenschaftlichen Gemisch von Deutsch, Italienisch, Französisch und Englisch, er belauerte die Damen Ricciotti vom Morgen bis zum Abend, er las ihnen Zeitungen vor und trug ihnen Strandstühle nach, und er gab sich so wenig Mühe, seine Verehrung für Margherita vor anderen Leuten zu verbergen, daß bald jedermann seinen Bemühungen um die schöne Italienerin mit Spannung zusah. Man verfolgte seinen Roman mit sportlichem Interesse und schloß gelegentlich Wetten darüber ab.

Das alles mißfiel der Mutter Ricciotti nicht wenig, und es gab Tage, an denen sie in beleidigter Majestät einherrauschte, während Margherita verweint aussah und Herr Statenfoß mit verschlossener Miene auf der Veranda Sodawasser mit Whisky trank. Indessen war er bald mit dem Mädchen einig, daß sie nicht mehr voneinander lassen wollten, und als Frau Ricciotti an einem schwülen Morgen ihrer Tochter zornig vorstellte, daß ihr vertrauter Umgang mit dem jungen Teepflanzer ihren Ruf beflecke und daß überhaupt ein Mann ohne großes Vermögen für sie nicht in Betracht komme, da schloß sich die reizende Margherita in ihr Zimmer ein und trank ein Fläschchen mit Fleckenwasser aus, das sie für giftig hielt und das in der Tat ihren kaum etwas gehobenen Appetit wieder völlig verdarb und ihr Gesicht noch um einen Schatten bleicher und geistiger machte.

Noch am selben Tage, nachdem Margherita stundenlang leidend auf einem Diwan verharrt war und ihre Mama in einem dazu gemieteten Ruderboot eine ebensolange Unterredung mit Herrn Statenfoß gehabt hatte, fand die Verlobung statt, und andern Tages sah man den energischen Überseer sein Frühstück am Tische der beiden Damen einnehmen. Margherita war glücklich; ihre Mutter hingegen betrachtete diese Verlobung als ein zwar notwendiges, doch hoffentlich vorübergehendes Übel. ›Schließlich‹, dachte sie, ›wußte daheim niemand davon, und wenn sich nächstens eine bessere Gelegenheit fände, so säße der Bräutigam weit fort in Ceylon und brauchte nicht gefragt zu werden.‹ So bestand sie denn auch darauf, daß Statenfoß seine Rückreise nicht verschiebe, und drohte mit Abreise und völligem Bruch, als der Verlobte sein Verlangen aussprach, noch diesen Sommer getraut zu werden und seine junge Frau gleich mit nach Indien zu nehmen.

Er mußte sich fügen, und er tat es knirschend, denn vom Augenblick der Verlobung an schienen die Damen Ricciotti wie zusammengewachsen, und er mußte Listen über Listen aufwenden, um auch nur für Minuten mit seiner Braut allein zu sein. Er kaufte ihr in Luzern die schönsten Brautgeschenke, bald darauf riefen ihn geschäftliche Telegramme nach England, und er sah seine schöne Braut erst wieder, als sie in Begleitung ihrer Mutter ihn am Bahnhof in Genua abholte, um noch einen Abend mit ihm zusammen zu sein und ihn in der Frühe des nächsten Morgens zum Hafen zu begleiten.

»In längstens drei Jahren komme ich zurück, und dann ist Hochzeit«, rief er noch von der Landungstreppe herab, die hinter ihm weggezogen wurde. Dann spielte die Schiffsmusik, und langsam schob sich der Lloyddampfer aus dem Hafen.

Die Hinterbliebenen reisten stille nach Padua zurück und nahmen ihr gewohntes Leben wieder auf. Frau Ricciotti gab noch nichts verloren; ›übers Jahr‹, dachte sie, ›würde alles anders aussehen, und dann würden sie wieder einen feinen Kurort aufsuchen, und ohne Zweifel würden alsdann bald neue und glänzendere Aussichten sich zeigen‹. Inzwischen schrieb der ferne Verlobte häufig lange Briefe, und Margherita war glücklich. Sie erholte sich von den Anstrengungen dieses unruhigen Sommers vollkommen, sie blühte sichtlich auf, und von Bleichsucht und schlechtem Appetit war nicht mehr die Rede. Ihr Herz war gebunden, ihr Schicksal gesichert, und in der bescheidenen Behaglichkeit ihres ruhigen Lebens gab sie sich angenehmen Träumen hin, lernte ein wenig Englisch und legte ein schönes Album an, worein sie die prächtigen Photographien von Palmen, Tempeln und Elefanten klebte, die der Bräutigam ihr schickte.

Im nächsten Sommer reiste man nicht ins Ausland, sondern weilte nur wenige Wochen in einer bescheidenen Sommerfrische in den euganäischen Bergen, und allmählich ergab sich auch die Mutter und gab es auf, über das Herzensglück ihrer standhaften Tochter hinweg ehrgeizige Pläne zu bauen. Zuweilen kamen Sendungen aus Indien mit feinem Musselin und hübschen Spitzen, Schachteln aus Stachelschweinborsten und kleine Elfenbeinspielereien; die zeigte man den Bekannten und hatte bald die gute Stube voll davon stehen. Und als einmal die Nachricht kam, Statenfoß liege krank und müsse sich zur Erholung ins Gebirge transportieren lassen, da knüpfte Mutter Ricciotti keine Hoffnungen mehr daran und betete gemeinsam mit der Tochter für die Genesung des lieben Fernen, die denn auch glücklich zustande kam.

Für beide Damen war dieses stille Zufriedensein ein ungewohnter Zustand. Die Signora wurde bürgerlicher als sie in ihrem Leben je gewesen war, sie alterte ein wenig und wurde so fett, daß das Singen ihr beschwerlich wurde. Es lag keine Veranlassung mehr vor, sich zu zeigen und den Anschein der Wohlhabenheit zu erwecken, man gab wenig mehr für Toiletten aus und gefiel sich in einer zwangslosen Häuslichkeit, man sparte nicht mehr für kostbare Reisen und tat dafür mehr für das tägliche Behagen.

Dabei zeigte sich, ohne daß die Beteiligten es sonderlich beachtet hätten, wie sehr Margherita die Tochter ihrer Mutter war. Seit dem Fleckenwasser und dem Abschied in Genua hatte kaum mehr eine ernstliche Trübsal an ihr gezehrt, sie war aufgeblüht und nahm beständig zu, und da weder seelische Trübungen noch körperliche Anstrengungen – auch das Tennis war längst aufgegeben – ihre Entwicklung mehr störte, verlor sich nicht nur der Zug von Schwermut oder Schwärmerei aus ihrem blassen, hübschen Gesicht, sondern es veränderte sich auch ihre schlanke Gestalt mehr und mehr und wuchs sich zu einer friedlichen Fülle aus, die niemand ihr einstmals zugetraut hätte. Noch immer erschien, was bei der Mutter drollig und grotesk aussah, bei der Jungfrau frisch und von Jugendanmut gemildert, aber es war kein Zweifel, sie neigte zum Fettwerden und war im Begriff, sich zu einer respektablen Kolossaldame auszuwachsen.

Drei Jahre waren vergangen und der Bräutigam schrieb verzweifelt, es sei ihm unmöglich, dieses Jahr einen Urlaub zu erhalten. Hingegen habe sein Einkommen sich vergrößert und er fordere, falls ihm auch im nächsten Jahr kein Besuch in Europa möglich werden sollte, sein liebes Mädchen auf, alsdann zu ihm hinüber zu kommen und als Herrin in das hübsche Landhaus einzuziehen, das er eben zu erbauen im Begriffe sei.

Man überwand die Enttäuschung und ging auf den Vorschlag ein. Signora Ricciotti konnte sich nicht verhehlen, daß ihr Kind an äußerem Reize einiges verloren habe und daß es sinnlos gewesen wäre, durch Einwände ihre sichere Zukunft zu gefährden.

Soweit ist diese Geschichte mir später erzählt worden; den Rest habe ich zufällig als Augenzeuge mit angesehen.

Ich bestieg eines Tages in Genua ein Schiff des Norddeutschen Lloyd, das nach Ostasien ausfuhr. Unter den nicht sehr zahlreichen Passagieren der ersten Klasse fiel eine junge Italienerin auf, die mit mir in Genua an Bord gegangen war und als Braut nach Colombo fuhr. Sie sprach ein wenig Englisch, und da noch andere Bräute an Bord waren, die nach Penang, nach Schanghai und Manila reisten, bildeten diese jungen, tapferen Mädchen eine angenehme und beliebte Gruppe, an der jedermann seine harmlose Freude hatte. Noch ehe wir durch den Suezkanal waren, hatten wir jungen Leute uns freundschaftlich zusammengeschlossen, und häufig probierten wir an der stattlichen Paduanerin, die wir den Koloß nannten, unser Italienisch.

Leider wurde sie, als hinter dem Kap Guardafui die See etwas rauh zu werden begann, hoffnungslos seekrank und sie, die wir bisher durchaus als ein komisches Naturspiel angesehen hatten, lag tagelang so jammervoll hingemäht in ihrem Deckstuhl, daß wie sie in allgemeinem Mitleid lieb gewannen und ihr alle Aufmerksamkeit zuteil werden ließen, wobei wir manchmal ein Lächeln über ihr erstaunliches Gewicht nicht unterdrücken konnten. Wir brachten ihr Tee und Bouillon, wir lasen ihr italienisch vor, was sie gelegentlich zum Lächeln brachte, und trugen sie jeden Morgen und jeden Mittag in ihrem Rohrstuhl an die schattigste und ruhigste Stelle des Decks. Doch kam sie erst kurz vor Colombo wieder einigermaßen in Ordnung und lag auch dann noch teilnahmslos und ermattet da, mit einem kindlichen Zug von Leiden und Schwäche in dem dicken, gutmütigen Gesicht.

Ceylon kam in Sicht, und wir alle hatten mitgeholfen, die Koffer des Kolosses zu packen, sie standen schon mitschiffs zum Ausladen bereit, und nun kam, nach vierzehntägiger Fahrt, über das ganze Schiff jene wilde Unruhe, mit der man den ersten wichtigen Hafen erwartet.

Jedermann begehrte an Land, man hatte Tropenhelme und Sonnenschirme ausgepackt, hielt Karten und Reisebücher in Händen, schaute mit Fernrohren nach der nahenden Küste und vergaß die Menschen, von denen man vor einer Stunde mit Herzlichkeit Abschied genommen hatte, noch während ihrer Anwesenheit vollständig. Niemand hatte mehr einen anderen Gedanken als an Land zu kommen, möglichst rasch an Land, sei es, um nach langer Reise zu Arbeit und Heim zurückzukehren, sei es, um mit Neugierde den ersten tropischen Strand, die ersten Kokospalmen und dunklen Eingeborenen zu sehen, sei es auch nur, um das plötzlich ganz uninteressant gewordene Schiff für Stunden zu verlassen und auf festem Boden in einem komfortablen Hotel seinen Whisky zu trinken. Und jeder war eifrig beschäftigt, seine Kabine abzuschließen oder seine Rauchsalonrechnung zu bezahlen, nach der eben an Bord gebrachten Post zu fragen und die ersten wichtigen Nachrichten aus Welt und Politik anzuhören und weiterzugeben.

Mitten in diesem lieblosen Getümmel lag die fette Paduanerin scheinbar uninteressiert an ihrem Platze, noch übel aussehend und vom Fasten geschwächt, mit eingefallenen Wangen und schläfrigen Augen. Je und je trat jemand, der längst von ihr Abschied genommen hatte, nochmals zu ihr, wie das Gedränge ihn schob, gab ihr nochmals die Hand und gratulierte ihr zur Ankunft. Und nun schmetterte die Musik gewaltig los, der zweite Offizier stellte sich kommandierend an die Falltreppe, der Kapitän erschien, wunderlich fremd und verwandelt, in einem grauen Straßenanzug mit steifem Hütchen, das Boot des Agenten nahm ihn und wenige bevorzugte Gäste auf, die anderen drängten hinterher nach den Motorbooten und Ruderbarken, die sich zur Überfahrt anboten.

In diesem Augenblick erschien ein Herr im weißen Tropenanzug mit silbernen Knöpfen, der von Land gekommen war.

Er sah nicht übel aus, das verbrannte junge Gesicht unter dem Sonnenhelm hatte jene stille Härte und Selbständigkeit, die man bei den meisten Überseern findet. In der Hand trug dieser Mann einen ungeheuren Blumenstrauß von mächtigen indischen Blumen, der ihm vom Bauch bis zum Kinn reichte. Er stürzte mit dem Schritt eines Menschen, der sich auf diesen Schiffen auskennt, durch die Menge, mit erregten Blicken suchend, und als er mich anrannte, fiel mir einen Augenblick ein, dies sei ohne Zweifel der Bräutigam des Kolosses. Er eilte weiter, auf und ab und zweimal an seiner Braut vorbei, verschwand im Rauchzimmer, kehrte atemlos wieder, rief nach dem Gepäckmeister und stieß endlich auf den Obersteward, den er festhielt und dringlich in Anspruch nahm. Ich sah ihn ein Trinkgeld geben und eifrig flüsternd fragen, und der Obersteward lächelte, nickte fröhlich und deutete auf den Stuhl, wo unsere Paduanerin noch immer mit halbgeschlossenen Augen ausgestreckt lag. Der Fremde kam näher. Er betrachtete die liegende Gestalt, lief zum Steward zurück, der bestätigend nickte, kehrte wieder und warf aus kleiner Entfernung nochmals einen prüfenden Blick auf das dicke Mädchen. Dann biß er die Zähne zusammen, kehrte sich langsam um und ging unschlüssig weg.

Er ging ins Rauchzimmer, das eben geschlossen werden sollte. Er gab dem Rauchzimmersteward ein Trinkgeld und erhielt einen ›großen Whisky‹, zu dem setzte er sich und trank ihn sinnend aus. Dann drängte der Steward ihn höflich hinaus und schloß seine Bude.

Der Fremde marschierte, bleich und teuflisch aussehend, um das Vorderdeck, wo die Bläser ihre Instrumente zusammenpackten. Er trat an die Reling, ließ sachte seinen großen Blumenstrauß hinab ins schmutzige Wasser fallen, lehnte sich über und spuckte hinterher.

Nun schien er zu einem Entschluß gekommen zu sein. Langsam schritt er nochmals rund um das Deck bis zum Platz der Paduanerin, die inzwischen aufgestanden war und nun müde und etwas verängstigt um sich blickte. Er näherte sich, nahm den Helm vom Kopf, dessen Stirn nun weiß über dem braunen Gesicht leuchtete, und gab dem Koloß die Hand.

Aufschluchzend fiel sie ihm um den Hals und blieb eine Weile da liegen, während er gespannt und finster über ihren hingebend gebeugten Nacken hinweg nach der Küste starrte. Dann lief er zur Reling, brüllte eine grimmige Flut von Befehlen in gurgelnd singhalesischer Sprache hinab und nahm nun schweigend den Arm seiner Braut, um sie zu seinem Boot hinabzuführen.

Wie es ihnen geht, weiß ich nicht. Aber daß die Hochzeit vollzogen wurde, erfuhr ich bei meiner Rückreise auf dem Konsulat von Colombo. *(1912)*

Robert Aghion

Im Laufe des achtzehnten Jahrhunderts, das wie eine jede Zeit vielerlei Gesichter zeigen kann und mit der Vorstellung von galanten Romanen und heiterschnörkelhaften Porzellanfiguren keineswegs erschöpft ist, wuchs in Großbritannien eine neue Art von Christentum und christlicher Betätigung heran, die sich aus einer winzigen Wurzel ziemlich rasch zu einem großen exotischen Baume auswuchs und welche einem jeden heute unter dem Namen der evangelischen Heidenmission bekannt ist. Es gibt auch eine katholische, die jedoch nichts Neues und Seltsames vorstellt, da von allem Anfang an die römische Kirche sich als ein Weltreich eingeführt und gebärdet hat, zu dessen Rechten, Pflichten und selbstverständlichen Arbeiten das Unterwerfen oder Bekehren aller Völker gehört, das ja denn auch zu allen Zeiten stark betrieben worden ist, bald auf die heilig-liebreiche Art der irischen Mönche, bald in der rascheren und unerbittlicheren Weise Karls des Großen. Im schärfsten Gegensatz hierzu aber hatten sich die verschiedenen protestantischen Gemeinschaften und Kirchen entwickelt, die sich von der katholischen Universalkirche eben dadurch am stärksten unterschieden, daß sie Landeskirchen waren und jede von ihnen dem geistlichen Bedürfnis einer bestimmten Nation, Rasse und Sprache diente: Hus den Böhmen, Luther den Deutschen, Wiclif den Engländern.
 Wenn nun diese von England ausgehende protestantische Missionsbewegung also eigentlich dem Wesen der protestantischen Kirchen widersprach und auf das apostolische Urchristentum zurückgriff, so war allerdings äußerlich nicht wenig Grund und Anlaß dazu vorhanden. Seit dem glorreichen Zeitalter der Entdeckungen hatte man allerwärts auf Erden entdeckt und erobert, und es war das wissenschaftliche Interesse an der Form entfernter Inseln und Gebirge ebenso wie das seefahrende und abenteuernde Heldentum überall einem modernen Geiste gewichen, der sich in den entdeckten exotischen Gegenden nicht mehr für aufregende Taten und Erlebnisse, für seltsame Tiere und romantische Palmenwälder interessierte, sondern für Pfeffer und Zucker, für Seide und Felle, für Reis und Sago, kurz für die Dinge, mit denen der Welthandel Geld

verdient. Darüber war man häufig etwas einseitig und hitzig geworden und hatte manche Regeln vergessen und verletzt, die im christlichen Europa Geltung hatten. Man hatte eine Menge von erschrockenen Eingeborenen da draußen wie Raubzeug verfolgt und niedergeknallt, und der gebildete christliche Europäer hatte sich in Amerika, Afrika und Indien benommen wie der in den Hühnerstall eingebrochene Marder. Es war, auch wenn man die Sache ohne besondere Empfindsamkeit betrachtet, recht scheußlich hergegangen und recht grob und säuisch geräubert worden, und zu den Regungen der Scham und Entrüstung im Heimatvolke, deren Folge schließlich das geordnete und anständige Kolonisieren war, gehörte auch unsere Missionsbewegung, fußend auf dem durchaus richtigen und schönen Wunsche, es möchte den armen hilflosen Heiden- und Naturvölkern von Europa her doch auch etwas anderes, Besseres und Höheres mitgebracht werden als nur Schießpulver und Branntwein.

Mag man nun über Wesen, Wert, Bedeutung und Erfolg dieser Heidenmission denken wie man will, jedenfalls steht fest, daß sie gleich jeder anderen wahrhaft religiösen Bewegung aus reinem Herzen und Willen entsprangen, daß edle und nicht unbedeutende Männer in treuer Überzeugung und Absicht sie begründet haben und daß bis zum heutigen Tage viel ebensolche Männer sich in ihren Dienst stellten. Wenn sie nicht alle Helden und Weise waren, so gab es doch solche unter ihnen, und wenn einzelne sich vielleicht nicht eben rühmlich bewährten, so wäre es unbillig, dies dem Ganzen als Schuld anzurechnen.

Jedoch genug der Einleitungen! Es kam in der zweiten Hälfte des vorvorigen Jahrhunderts in England nicht allzu selten vor, daß wohlmeinende und wohlwollende Privatleute sich dieses Missionsgedankens tätig annahmen und Mittel zu seiner Ausführung hergaben. Geordnete Gesellschaften und Betriebe dieses Behufes aber, wie sie heute blühen, gab es zu jener Zeit noch nicht, sondern es versuchte eben ein jeder nach eigenem Vermögen und auf eigenem Wege die gute Sache zu fördern, und wer damals als Missionar in ferne Länder auszog, der fuhr nicht wie ein heutiger gleich einem wohladressierten Poststück durch die Meere und einer geregelten und organisierten Arbeit entgegen, sondern er reiste mit Gottvertrauen und ohne viele

Anleitungen geradenwegs in ein zweifelhaftes Abenteuer hinein.

In den neunziger Jahren entschloß sich ein Londoner Kaufherr, dessen Bruder in Indien reich geworden und dort ohne Kinder gestorben war, eine bedeutende Geldsumme für die Ausbreitung des Evangeliums in jenem Lande zu stiften. Ein Mitglied der mächtigen ostindischen Kompagnie, sowie mehrere Geistliche wurden als Ratgeber herbeigezogen und ein Plan ausgearbeitet, nach welchem zunächst drei oder vier junge Männer, mit einer hinlänglichen Ausrüstung und gutem Reisegeld versehen, als Missionare ausgesandt werden sollten.

Die Ankündigung dieses Unternehmens zog alsbald einen Schwarm von abenteuerlustiger Mannheit heran, erfolglose Schauspieler und entlassene Barbiergehilfen glaubten sich zu der verlockenden Reise berufen, und das fromme Kollegium hatte alle Mühe, über die Köpfe dieser Zudringlichen hinweg nach ernsthaften und würdigen Männern zu fahnden. Unter der Hand suchte man vor allem junge Theologen zu gewinnen, doch war die englische Geistlichkeit durchweg keineswegs der Heimat müde oder auf anstrengende, ja gefährliche Unternehmungen erpicht; die Suche zog sich in die Länge, und der Stifter begann schon ungeduldig zu werden.

Da verlor sich die Kunde von seinen Absichten und Mißerfolgen endlich auch in ein Bauerndorf in der Gegend von Lancaster und in das dortige Pfarrhaus, dessen ehrwürdiger Herr seinen Neffen, einen jungen Brudersohn namens Robert Aghion, als bescheidenen Amtsgehilfen bei sich in Kost und Wohnung hatte. Robert Aghion war der Sohn eines Schiffskapitäns und einer frommen fleißigen Schottin, er hatte den Vater früh verloren und kaum gekannt und war als ein Knabe von guten Gaben durch seinen Onkel, der ehemals selbst in Roberts Mutter verliebt gewesen war, auf Schulen geschickt und ordnungsgemäß auf den Beruf eines Geistlichen vorbereitet worden, dem er nunmehr so nahe stand als ein Kandidat mit guten Zeugnissen aber ohne Vermögen es eben konnte. Einstweilen stand er seinem Oheim und Wohltäter als Vikarius bei und hatte auf eine eigene Pfarre bei dessen Lebzeiten nicht zu rechnen. Da nun der Pfarrer Aghion noch ein rüstiger Mann am Ende der Fünfziger war, sah des Neffen Zukunft nicht allzu glänzend aus. Als ein armer Jüngling, der nach aller

Voraussicht nicht vor dem mittleren Mannesalter auf ein eigenes Amt und Einkommen zu rechnen hatte, war er für junge Mädchen kein begehrenswerter Mann, wenigstens nicht für ehrbare, und mit anderen als solchen war er nie zusammengetroffen.

So war denn sein Gemüt wie sein Schicksal nicht frei von verdunkelnden Wolken, die jedoch über seinem bescheidenen und harmlosen Wesen mehr wie bedeutsame Verzierungen denn wie gefährliche Feinde schwebten. Zwar sah er, als ein gesunder und einfach fühlender Mensch, nicht ein, warum gerade er, der studiert hatte und den die geistliche Würde umfloß, im Liebesglück und in der Freiheit zu heiraten hinter jedem jungen Bauern oder Weber oder Wollenspinner zurückstehen müsse, und wenn er zuweilen eine festliche Trauung auf der kleinen gebrechlichen Orgel der Dorfkirche begleitete, war sein Gemüt nicht immer frei von Unzufriedenheit und Neid. Aber eben seine einfache Natur lehrte ihn, das Unmögliche aus seinen Gedanken zu verbannen und sich an das zu halten, was ihm bei seiner Lage und bei seinen Fähigkeiten offen stand, und das war gar nicht wenig. Als Sohn einer herzlich frommen Mutter hatte er einen schlichten, bewährten Christensinn und Glauben, welchen als Prediger zu bekennen ihm eine Freude war. Seine eigentlichen geistigen Vergnügungen aber fand er im Betrachten der Natur, wofür er ein feines Auge besaß. Von jener kühnen, revolutionären und konstruktiven Naturwissenschaft allerdings, die eben zu seiner Zeit und in seinem Lande emporwuchs und später so vielen Pfarrern das Leben sauer machen sollte, wußte und ahnte er nichts. Als ein bescheidener frischer Junge ohne philosophische Bedürfnisse, aber mit tüchtigen Augen und Händen fand er vielmehr vollkommene Befriedigung im Sehen und Kennen, Sammeln und Untersuchen der natürlichen Dinge, die sich ihm darboten. Als Knabe hatte er Blumen gezüchtet und botanisiert, hatte dann eine Weile sich eifrig mit Steinen und Versteinerungen abgegeben, in welch letztern er freilich nur schöne und ahnungsvolle Formenspiele der Natur verehrte, und neuerdings, zumal seit seinem Aufenthalt in der ländlichen Umgebung, war ihm die vielfarbige Insektenwelt vor allem andern lieb geworden. Das Allerliebste aber waren ihm die Schmetterlinge, deren glänzende Verwandlung aus dem Raupen- und Puppenstande ihn immer wieder innig entzückte und deren köstliche Zeichnung und milder satter Farbenschmelz ihm ein so reines Vergnügen bereiteten, wie es geringer befähigte Menschen nur in den genügsameren Jahren der frühen Kindheit erleben können.

So war der junge Theologe beschaffen, der als erster auf die Kunde von jener Stiftung hin alsbald aufhorchte und ein Verlangen in seinem Innersten gleich einem Kompaßzeiger gegen Indien hinweisen fühlte. Seine Mutter war vor wenigen Jahren gestorben, ein Verlöbnis oder auch nur ein heimlicher Verspruch mit einem Mädchen bestand nicht, der Oheim wehrte sich zwar und riet flehentlich ab, war aber schließlich ein aufrechter Pfarrherr, in dessen Amt und Anwesen sich der Neffe keineswegs unentbehrlich wußte. Er schrieb nach London, bekam ermunternde Antwort und das Reisegeld für die Fahrt nach der Hauptstadt zugestellt und fuhr gleich darauf, nach einem unfrohen Abschied von seinem noch immer zürnenden und heftig abmahnenden Onkel, mit einer kleinen Bücherkiste und einem Kleiderbündel getrost nach London, wobei ihm nur leid tat, daß er seine Herbarien, Versteinerungen und Schmetterlingskästen nicht mitnehmen konnte.

Ernst und bänglich betrat in der düstern brausenden Altstadt von London der indische Kandidat das hohe ernste Haus des frommen Kaufherrn, wo ihm im düsteren Korridor eine gewaltige Wandkarte der östlichen Erdhälfte und gleich im ersten Zimmer ein großes fleckiges Tigerfell seine Zukunft vor Augen führte. Beklommen und verwirrt ließ er sich von dem vornehmen Diener in das Zimmer führen, wo ihn der Hausherr erwartete. Es empfing ihn ein großer, ernster, schön rasierter Herr mit eisblauen scharfen Augen und strengen alten Mienen, dem der schüchterne Bewerber jedoch nach wenigen Reden recht wohl gefiel, so daß er ihn zum Sitzen einlud und sein Examen mit Vertrauen und Wohlwollen zu Ende führte. Darauf ließ der Herr sich seine Zeugnisse und seinen schriftlichen Lebenslauf übergeben und schellte den Diener herbei, der auf eine knappe Anweisung hin den Theologen stillschweigend hinwegführte und in ein Gastzimmer brachte, wo unverweilt ein zweiter Diener mit Tee, Wein, Schinken, Butter und Brot erschien. Mit diesem Imbiß ward der junge Mann allein gelassen und tat seinem Hunger und Durst Genüge. Dann blieb er beruhigt in dem schönen blausamtenen Armstuhl sitzen, dachte über seine Lage nach und musterte mit müßigen Augen das Zimmer, wo er nach kurzem Umherschauen zwei weitere Entgegenkömmlinge aus dem fernen heißen Lande entdeckte, nämlich in einer Ecke neben dem Kamin einen ausgestopften rotbraunen Affen und über ihm aufgehängt an der blauen Seidentapete das gegerbte Fell einer riesig großen Schlange, deren augenloser Kopf blind und schlaff herabhing. Das waren Dinge, die er schätzte und die er sofort aus der Nähe zu betrachten und zu befühlen eilte. War ihm auch die Vorstellung der lebendigen Boa, die er durch das Zusammenbiegen der glänzend silbrigen Haut zu einem Rohre zu unterstützen versuchte, einigermaßen grauenvoll und zuwider, so ward doch seine Neugierde auf die geheimnisvolle, an Wundern reiche Ferne durch ihren Anblick noch geschürt. Er dachte sich weder von Schlangen noch von Affen schrecken zu lassen und malte sich mit Wollust die fabelhaften Blumen, Bäume, Vögel und Schmetterlinge aus, die in solchen gesegneten Ländern gedeihen mußten.

Es ging indessen schon gegen Abend, und ein stummer Diener trug eine angezündete Lampe herein. Vor dem hohen Fenster, das auf eine tote Hintergasse schaute, stand neblige Dämmerung. Die Stille des vornehmen Hauses, das ferne schwache Wogen der großen Stadt, die Einsamkeit des hohen kühlen Zimmers, in dem er sich wie gefangen fühlte, der Mangel an jeder Beschäftigung und die Ungewißheit seiner romanhaften Lage verbanden sich mit der zunehmenden Dunkelheit der Londoner Herbstnacht und stimmten die Seele des jungen Menschen von der Höhe seiner Hoffnungen immer weiter herab, bis er nach zwei Stunden, die er horchend und wartend in seinem Lehnstuhl hingebracht hatte, für heute jede Erwartung aufgab und sich kurzerhand müde in das vortreffliche Gastbett legte, wo er in kurzem einschlief.

Es weckte ihn, wie ihm schien mitten in der Nacht, ein Diener mit der Nachricht, der junge Herr werde zum Abendessen erwartet und möge sich beeilen. Verschlafen kroch Aghion in seine Kleider und taumelte mit blöden Augen hinter dem Manne her durch Zimmer und Korridore und eine Treppe hinab bis in das große, grell von Kronleuchtern erhellte Speisezimmer, wo ihn die in Sammet gekleidete und von Schmuck funkelnde Hausfrau durch ein Augenglas betrachtete und der

Herr ihn zwei Geistlichen vorstellte, die ihren jungen Bruder gleich während der Mahlzeit in eine scharfe Prüfung nahmen und vor allem sich über die Echtheit seiner christlichen Gesinnung zu unterrichten suchten. Der schlaftrunkene Apostel hatte Mühe, alle Fragen zu verstehen und gar zu beantworten; aber die Schüchternheit kleidete ihn gut, und die Männer, die an ganz andere Aspiranten gewöhnt waren, wurden ihm alle wohlgesinnt. Nach Tische wurden im Nebenzimmer Landkarten vorgelegt, und Aghion sah zum ersten Male die Gegend, der er Gottes Wort verkündigen sollte, auf der indischen Karte als einen gelben Fleck südlich von der Stadt Bombay liegen.

Am folgenden Tage wurde er zu einem ehrwürdigen alten Herrn gebracht, der des Kaufherrn oberster geistlicher Berater war und seit Jahren gichtbrüchig in seinem Studierzimmer vergraben lebte. Dieser Greis fühlte sich sofort von dem harmlosen jungen Menschen angezogen. Er stellte keine Glaubensfragen an ihn, wußte aber Roberts Sinn und Wesen rasch zu erkennen, und da er wenig geistlichen Unternehmungsgeist in ihm wahrnahm, wollte der Junge ihm leid tun, und er stellte ihm die Gefahren der Seereise und die Schrecken der südlichen Zonen eindringlich vor Augen; denn es schien ihm sinnlos, daß ein junger frischer Mensch sich da draußen opfere und zugrunde richte, wenn er nicht durch besondere Gaben und Neigungen zu einem solchen Dienst bestimmt schien. So legte er denn dem Kandidaten freundlich die Hand auf die Schulter, sah ihm mit eindringlicher Güte in die Augen und sagte: »Das alles, was Sie mir sagen, ist gut und mag richtig sein; aber ich kann noch immer nicht ganz verstehen, was Sie nun eigentlich nach Indien zieht. Seien Sie offen, lieber Freund, und sagen Sie mir ohne Hinterhalt: Ist es irgend ein weltlicher Wunsch und Drang, der Sie treibt, oder ist es lediglich der innige Wunsch, den armen Heiden unser liebes Evangelium zu bringen?« Auf diese Anrede wurde Robert Aghion so rot wie ein ertappter Schwindler. Er schlug die Augen nieder und schwieg eine Weile, dann aber bekannte er freimütig, mit jenem frommen Willen sei es ihm zwar völlig ernst, doch wäre er wohl nie auf den Gedanken gekommen, sich für Indien zu melden und überhaupt Missionar zu werden, wenn nicht ein Gelüste nach den herrlichen seltenen Pflanzen und Tieren der tropischen Lande, zumal nach deren Schmetterlingen, ihn dazu verlockt hätte. Der alte Mann sah wohl, daß der Jüngling ihm nun sein letztes Geheimnis preisgegeben und nichts mehr zu bekennen habe. Lächelnd nickte er ihm zu und sagte freundlich: »Nun, mit dieser Sünde müssen Sie selber fertig werden. Sie sollen nach Indien fahren, lieber Junge!« Und alsbald ernst werdend, legte er ihm beide Hände aufs Haar und segnete ihn feierlich mit den Worten des biblischen Segens.

Drei Wochen später reiste der junge Missionar, mit Kisten und Koffern wohl ausgerüstet, auf einem schönen Segelschiff als Passagier hinweg, sah sein Heimatland im grauen Meer versinken und lernte in der ersten Woche, noch ehe Spanien erreicht war, die Launen und Gefahren des Meeres kennen. In jenen Zeiten konnte ein Indienfahrer noch nicht so grün und unerprobt sein Ziel erreichen wie heute, wo man in Europa seinen bequemen Dampfer besteigt, sich auf dem Suezkanal um Afrika drückt und nach kurzer Zeit, verwundert und träg vom vielen Schlafen und Essen, die indische Küste erblickt. Damals mußten die Segelschiffe sich um das ungeheure Afrika herum monatelang quälen, von Stürmen gefährdet und von toten langen Windstillen gelähmt, und es galt zu schwitzen und zu frieren, zu hungern und des Schlafes zu entbehren, und wer die Reise siegreich vollendet hatte, der war nun längst kein Mutterkind und unerprobter Neuling mehr, sondern hatte gelernt, sich einigermaßen auf den Beinen zu halten und selber zu helfen. So ging es auch dem Missionar. Er war zwischen England und Indien hundertsechsundfünfzig Tage unterwegs und stieg in der Hafenstadt Bombay als ein gebräunter und gemagerter Seefahrer an Land.

Indessen hatte er seine Freude und Neugierde nicht verloren, obwohl sie stiller geworden war, und wie er schon auf der Reise jeden Strand mit Forschersinn betreten und jede fremde Palmen- und Koralleninsel mit ehrfürchtiger Neugierde betrachtet hatte, so betrat er das indische Land mit begierig offenen, dankbar freudigen Augen und hielt seinen Einzug in der schönen leuchtenden Stadt mit ungebrochenem Mut.

Zunächst suchte und fand er das Haus, an das er empfohlen war. Es lag schön in einer stillen vorstädtischen Gasse, von Kokospalmen überragt, und schaute dem frohen Ankömmling mit breiten Lauben und offenen Fenstern recht wie eine wünschenswerte indische Heimat entgegen. Im Eintreten streifte sein Blick den kleinen Vorgarten und fand, obwohl jetzt eben Wichtigeres zu tun und zu betrachten war, gerade noch Zeit, einen dunkelbelaubten Strauch mit großen goldgelben Blüten zu bemerken, der von einer zierlichen Schar weißer Falter auf das fröhlichste umgaukelt wurde. Dies Bild noch im leicht geblendeten Auge, trat er über einige flache Stufen in den Schatten der breiten Veranda und durch die offen stehende Haustüre. Ein dienender Hindu in einem weißen Kleide mit nackten dunkelbraunen Beinen lief über den kühlen roten Ziegelboden herbei, machte eine ergebene Verbeugung und begann in singendem Tonfall hindostanische Worte zu näseln, merkte aber rasch, daß der Fremde ihn nicht verstehe, und führte ihn mit neuen weichen Verbeugungen und schlangenhaften Gebärden der Ergebenheit und Einladung tiefer ins Haus und vor eine Türöffnung, die statt der Tür mit einer lose herabhängenden Bastmatte verschlossen war. Zur gleichen Zeit ward diese Matte von innen beiseite gezogen, und es erschien ein großer, hagerer, herrisch aussehender Mann in weißen Tropenkleidern und Strohsandalen an den nackten Füßen. Er richtete in einer unverständlichen indischen Sprache eine Reihe von Scheltworten an den Diener, der sich klein machte und der Wand entlang langsam davonschlich, dann wandte er sich an Aghion und hieß ihn auf englisch eintreten.

Der Missionar suchte zuerst seine unangemeldete Ankunft zu entschuldigen und den armen Diener zu rechtfertigen, der nichts verbrochen habe. Aber der andere winkte ungeduldig ab und sagte: »Mit den Schlingeln von Dienern werden Sie ja bald umzugehen lernen. Treten Sie ein! Ich erwarte Sie.«

»Sie sind wohl Mister Bradley?« fragte der Ankömmling höflich, während doch bei diesem ersten Schritt in die exotische Wirtschaft und beim Anblick des Ratgebers, Lehrers und Mitarbeiters eine Fremdheit und Kälte in ihm aufstieg.

»Ich bin Bradley, gewiß, und Sie sind ja wohl Aghion. Also, Aghion, kommen Sie nun endlich herein! Haben Sie schon Mittagbrot gehabt?«

Der große knochige Mann nahm alsbald mit aller kurz angebundenen, herrischen Praxis eines bewährten Überseers und Handelsagenten, welcher er war, den Lebenslauf seines Gastes in seine braunen, dunkelbehaarten Hände. Er ließ ihm eine Reismahlzeit mit Hammelfleisch und brennendem Currypfeffer bringen, er wies ihm ein Zimmer an, zeigte ihm das Haus, nahm ihm seine Briefe und Aufträge ab, beantwortete seine ersten neugierigen Fragen und gab ihm die ersten, notwendigsten indischen Lebensregeln. Er setzte die vier braunen Hindudiener in Bewegung, befahl und schnauzte in seiner kalten Zornigkeit durch das schallende Haus, ließ auch einen indischen Schneidermeister kommen, der sofort ein Dutzend landesüblicher Kleidungen für Aghion machen mußte. Dankbar und etwas eingeschüchtert nahm der Neuling alles hin, obwohl es seinem Sinne mehr entsprochen hätte, seinen Einzug in Indien stiller und feierlicher zu begehen, sich erst einmal ein bißchen heimisch zu machen und sich in einem freundlichen Gespräch seiner ersten Eindrücke und seiner vielen starken Reiseerinnerungen zu entladen. Indessen lernt man auf einer halbjährigen Seereise sich bescheiden und sich in vielen Lagen finden, und als gegen Abend Mister Bradley wegging, um seiner kaufmännischen Arbeit in der Stadt nachzugehen, atmete der evangelische Jüngling fröhlich auf und dachte nun allein in stillem Behagen seine Ankuft zu feiern und das Land Indien zu begrüßen.

Feierlich verließ er, nachdem er darin eine erste flüchtige Ordnung geschaffen, sein luftiges Zimmer, das weder Tür noch Fenster, sondern nur leere geräumige Öffnungen in allen Wänden hatte, und ging ins Freie, einen großrandigen Hut mit langem Sonnenschleier auf dem blonden Kopf und einen tüchtigen Stock in der Hand. Beim ersten Schritt in den Garten blickte er mit einem tiefen Atemzug herzlich ringsum und sog mit witternden Sinnen die Lüfte und Düfte, Lichter und Farben des fremden, sagenhaften Landes, das er als ein bescheidener Mitarbeiter erobern helfen sollte und dem er, nach so langer Erwartung und banger Vorfreude, sich nun willig und offen hinzugeben gesonnen war.

Was er um sich sah und verspürte, gefiel ihm alles wohl und kam ihm wie eine tausendfältige strahlende Bestätigung vieler Träume und Ahnungen vor. Dichte hohe Gebüsche standen rund und saftig im heftigen Sonnenlicht und strotzten von großen, wunderlich starkfarbigen Blumen; auf säulenschlanken glatten Stämmen ragten in erstaunlicher Höhe die stillen runden Wipfel der Kokospalmen, eine Fächerpalme stand hinter dem Hause und hielt ihr sonderbar strenges, gleichmäßiges Riesenrad von gewaltigen mannslangen Blättern steif in die Lüfte, am Rand des Weges aber nahm sein naturfreundliches Auge ein kleines lebendiges Wesen wahr, dem er sich vorsichtig näherte. Es war ein kleines, grünes Chamäleon mit einem dreieckigen Kopf und boshaften kleinen Augen. Er beugte sich darüber und fühlte sich wie ein Knabe beglückt, daß er solche Dinge sehen und die unerschöpfliche reiche Natur nun am eigentlichen Quell ihres Reichtums betrachten durfte.

Eine fremdartige Musik weckte ihn aus seiner andächtigen Versunkenheit. Aus der flüsternden Stille der tiefen grünen Baum- und Gartenwildnis brach der rhythmische Lärm metallener Trommeln und Pauken und schneidend helltöniger Blasinstrumente. Erstaunt lauschte der fromme Naturfreund hinüber und machte sich, da nichts zu sehen war, neugierig auf den Weg, die Art und Herkunft dieser barbarisch-festlichen Klänge auszukundschaften. Immer den Tönen folgend, verließ er den Garten, dessen Tor weit offen stand, und verfolgte den hübschen grasigen Fahrweg durch eine freundliche kultivierte Landschaft von Hausgärten, Palmenpflanzungen und lachend hellgrünen Reisfeldern, bis er, um die hohe Hecke eines Parks oder Gartens biegend, in eine dörflich anmutende Gasse von indischen Hütten gelangte. Die kleinen Häuschen waren aus Lehm oder auch nur aus Bambusgestänge erbaut, die Dächer mit trockenen Palmblättern gedeckt, in allen Türöffnungen standen und hockten braune Hindufamilien. Mit Neugierde sah er die Leute an und tat den ersten Blick in das dörflich bescheidene Leben des fremden Naturvolkes, und vom ersten Augenblick an gewann er die braunen Menschen lieb, deren schöne kindliche Augen wie in einer unbewußten und unerlösten tierischen Traurigkeit blickten. Schöne Frauen schauten aus mächtigen Flechten langen, tiefschwarzen Haares hervor, still und rehhaft; sie trugen mitten im Gesicht sowie an den Hand- und Fußgelenken goldenen Schmuck und Ringe an den Fußzehen. Kleine Kinder standen vollkommen nackt und trugen nichts am Leibe als an dünner Bastschnur ein seltsames Amulett aus Silber oder aus Horn.

Indessen hielt er sich nirgends auf, nicht weil es ihn bedrückt hätte, sich von den meisten dieser Menschen mit starrender Neugierde beschaut zu fühlen, sondern weil er sich der eigenen

Schaulust heimlich schämte. Außerdem tönte immer noch die tolle Musik, und nun ganz in der Nähe, und an der Ecke der nächsten Gasse hatte er gefunden, was er suchte. Da stand ein unheimlich sonderbares Gebäude von äußerst phantastischer Form und beängstigender Höhe, ein ungeheures Tor in der Mitte, und indem er daran empor staunte, fand er die ganze riesengroße Fläche des Bauwerks aus lauter steinernen Figuren von fabelhaften Tieren, Menschen und Göttern oder Teufeln zusammengesetzt, die sich zu Hunderten bis an die ferne schmale Spitze des Tempels hinan türmten, ein Wald und wildes Geflecht von Leibern, Gliedern und Köpfen. Dieser erschreckende Steinkoloß, ein großer Hindutempel, leuchtete heftig in den waagrechten Strahlen der späten Abendsonne und erzählte dem verblüfften Fremdling deutlich, daß diese tierhaft sanften, halbnackten Menschen eben doch keineswegs ein paradiesisches Naturvolk waren, sondern seit einigen tausend Jahren schon Gedanken und Götter, Bildnisse und Religionen besaßen.

Die schallende Paukenmusik war soeben verstummt, und es kamen aus dem Tempel viele fromme Inder in weißen und farbigen Gewändern, voran und vornehm abgetrennt eine kleine feierliche Schar von Brahmanen, hochmütig in tausendjährig erstarrter Gelehrsamkeit und Würde. Sie schritten an dem weißen Manne so stolz vorüber wie Edelleute an einem Handwerksburschen, und weder sie noch die bescheideneren Gestalten, die ihnen folgten, sahen so aus, als hätten sie die geringste Neigung, sich von einem zugereisten Fremdling über göttliche und menschliche Dinge des Rechten belehren zu lassen.

Als der Schwarm verlaufen und der Ort stiller geworden war, näherte sich Robert Aghion dem Tempel und begann in verlegener Teilnahme das Figurenwerk der Fassade zu studieren, ließ jedoch bald mit Betrübnis und Schrecken davon wieder ab; denn die groteske Allegoriensprache dieser Bildwerke, deren viele bei aller wahnsinnigen Häßlichkeit doch wertvolle Künstlerarbeit zu sein schienen, verwirrte und ängstigte ihn nicht minder als der Anblick einiger Szenen von schamloser Obszönität, die er naiv zwischen dem Göttergewimmel dargestellt fand.

Während er sich abwandte und nach seinem Rückweg ausblickte, erlosch der Tempel und die Gasse plötzlich; ein kurzes zuckendes Farbenspiel lief über den Himmel, und rasch brach die südliche Nacht herein. Das unheimlich schnelle Eindunkeln, obwohl er es längst kannte, überfiel den jungen Missionar mit einem leichten Schauder. Zugleich mit dem Anbruch der Dämmerung begann aus allen Bäumen und Gebüschen ringsum ein grelles Singen und Lärmen von tausend großen Insekten, und in der Ferne erhob sich das Wut- oder Klagegeschrei eines Tieres mit fremden wilden Tönen. Eilig suchte Aghion seinen Heimweg, fand ihn glücklich wieder und hatte die kleine Strecke Weges noch nicht völlig zurückgelegt, als schon das ganze Land in tiefer Nachtfinsternis und der hohe schwarze Himmel voll von Sternen stand.

Im Hause, wo er nachdenklich und zerstreut ankam und sich dem ersten erleuchteten Raum näherte, empfing ihn Mister Bradley mit den Worten: »So, da sind Sie. Sie sollten aber fürs erste so spät am Abend nicht mehr ausgehen, es ist nicht ohne Gefahr. Übrigens, können Sie gut mit Schießgewehr umgehen?«

»Mit Schießgewehr? Nein, das habe ich nicht gelernt.«

»Dann lernen Sie es bald. . . Wo waren Sie denn heut abend?«

Aghion erzählte voll Eifer. Er fragte begierig, welcherlei Religion jener Tempel angehöre und welcherlei Götter- oder Götzendienst darin getrieben werde, was die vielen Figuren bedeuteten und was die seltsame Musik, ob die schönen stolzen Männer in weißen Kleidern Priester seien und wie denn ihre Götter hießen. Allein hier erlebte er die erste Enttäuschung. Von allem, was er da fragte, wollte sein Ratgeber gar nichts wissen. Er erklärte, daß kein Mensch sich in dem scheußlichen Wirrwarr und Unflat dieser Götzendienste auskenne, daß die Brahmanen eine heillose Bande von Ausbeutern und Faulenzern seien und daß überhaupt diese Inder alle zusammen ein schweinisches Pack von Bettlern und Unholden wären, mit denen ein anständiger Engländer lieber gar nichts zu tun habe.

»Aber«, meinte Aghion zaghaft, »meine Bestimmung ist es doch gerade, diese verirrten Menschen auf den rechten Weg zu führen! Dazu muß ich sie kennen und lieben und alles von ihnen wissen. . .«

»Sie werden bald mehr von ihnen wissen, als Ihnen lieb sein

wird. Natürlich müssen Sie Hindostani und später vielleicht noch andere von diesen infamen Niggersprachen lernen. Aber mit der Liebe werden Sie nicht weit kommen.«

»Oh, die Leute sehen aber doch recht gutartig aus!«

»Finden Sie? Nun, Sie werden ja sehen. Von dem, was Sie mit den Hindus vorhaben, verstehe ich nichts und will nicht darüber urteilen. Unsere Aufgabe ist es, diesem gottlosen Pack langsam ein wenig Kultur und einen schwachen Begriff von Anständigkeit beizubringen; weiter werden wir vielleicht niemals kommen!«

»Unsere Moral, oder was Sie Anständigkeit heißen, ist aber die Moral Christi, mein Herr!«

»Sie meinen die Liebe. Ja, sagen Sie nur einmal einem Hindu, daß Sie ihn lieben. Dann wird er Sie heute anbetteln und Ihnen morgen das Hemd aus dem Schlafzimmer stehlen!«

»Das ist möglich.«

»Das ist sogar ganz sicher, lieber Herr. Sie haben es hier gewissermaßen mit Unmündigen zu tun, die noch keine Ahnung von Ehrlichkeit und Recht haben, nicht mit gutartigen englischen Schulkindern, sondern mit einem Volk von schlauen braunen Lausbuben, denen jede Schändlichkeit einen Hauptspaß macht. Sie werden noch an mich denken!«

Aghion verzichtete traurig auf ein weiteres Fragen und nahm sich vor, nun einmal vor allem fleißig und gehorsam alles zu lernen, was hier zu lernen wäre, dann aber das zu tun, was ihm recht und klug scheinen würde. Doch ob nun der strenge Bradley recht hatte oder nicht, schon seit dem Anblick des ungeheuern Tempels und der unnahbaren stolzen Brahmanen war ihm sein Vorhaben und Amt in diesem Lande unendlich viel schwieriger erschienen, als er je zuvor gedacht hätte.

Am nächsten Morgen wurden die Kisten ins Haus gebracht, in denen der Missionar sein Eigentum aus der Heimat mit sich geführt hatte. Sorglich packte er aus, legte Hemden zu Hemden und Bücher zu Büchern und fand sich durch manche Gegenstände nachdenklich gestimmt. Es fiel ihm ein kleiner Kupferstich in schwarzem Rahmen in die Hände, dessen Glas unterwegs zerbrochen war und der ein Bildnis des Herrn Defoe, des Verfassers des Robinson Crusoe, darstellte, und das alte, ihm von der frühen Kindheit an vertraute Gebetbuch seiner Mutter, alsdann aber als ermunternder Wegweiser in die Zukunft eine Landkarte von Indien, die ihm sein Oheim geschenkt, und zwei stählerne Netzbügel für den Schmetterlingsfang, die er sich selber noch in London hatte machen lassen. Einen von diesen legte er sogleich zum Gebrauch in den nächsten Tagen beiseite.

Am Abend war seine Habe verteilt und verstaut, der kleine Kupferstich hing über seinem Bette, und das ganze Zimmer war in saubere Ordnung gebracht. Die Beine seines Tisches und seiner Bettstatt hatte er, wie es ihm empfohlen worden war, in kleine irdene Näpfe gestellt und die Näpfe mit Wasser gefüllt, zum Schutz gegen die Ameisen. Mister Bradley war den ganzen Tag in Geschäften abwesend, und es war dem jungen Manne sonderbar, vom ehrfürchtigen Diener durch Zeichen zu den Mahlzeiten gelockt und dabei bedient zu werden, ohne daß er ein einziges Wort mit ihm reden konnte.

In der Frühe des folgenden Tages begann Aghions Arbeit. Es erschien und wurde ihm von Bradley vorgestellt der schöne dunkeläugige Jüngling Vyardenya, der sein Lehrmeister in der Hindostani-Sprache werden sollte. Der lächelnde junge Inder sprach nicht übel Englisch und hatte die besten Manieren; nur schreckte er ängstlich zurück, als der arglose Engländer ihm freundlich die Hand zur Begrüßung entgegenstreckte, und vermied auch künftighin jede körperliche Berührung mit dem Weißen, die ihn verunreinigt haben würde, da er einer hohen Kaste angehörte. Er wollte sich auch durchaus niemals auf einen Stuhl setzen, den vor ihm ein Fremder benutzt hatte, sondern brachte jeden Tag zusammengerollt unterm Arm seine eigene hübsche Bastmatte mit, die er auf dem Ziegelboden ausbreitete und auf welcher er mit gekreuzten Beinen edel und aufrecht saß. Sein Schüler, mit dessen Eifer er wohl zufrieden sein konnte, suchte auch diese Kunst von ihm zu lernen und kauerte während seiner Lektionen stets auf einer ähnlichen Matte am Boden, obwohl ihm dabei in der ersten Zeit alle Glieder weh taten, bis er daran gewöhnt wurde. Fleißig und geduldig lernte er Wort für Wort, mit den alltäglichen Begrüßungsformeln beginnend, die ihm der Jüngling unermüdet und lächelnd vorsprach, und stürzte sich jeden Tag mit neuem Mut in den Kampf mit den indischen Girr- und Gaumenlauten, die ihm zu Anfang als ein unartikuliertes Röcheln erschienen waren und die er nun alle zu unterscheiden und nachzuahmen lernte.

So merkwürdig das Hindostani war und so rasch die Vormittagsstunden mit dem höflichen Sprachlehrer vergingen, welcher sich stets benahm wie ein Prinz, der aus Not in einem Bürgerhause Unterricht gibt, so waren doch die Nachmittage und gar die Abende lang genug, um den strebsamen Herrn Aghion die Einsamkeit fühlen zu lassen, in der er lebte. Sein Wirt, zu dem er in einem unklaren Verhältnisse stand und der ihm halb als Gönner, halb als eine Art Vorgesetzter entgegentrat, war wenig zu Hause; er kam meistens gegen Mittag zu Fuß oder zu Pferde aus der Stadt zurück, präsidierte als Hausherr beim Essen, zu dem er manchmal einen englischen Schreiber mitbrachte, und legte sich dann zwei, drei Stunden zum Rauchen und Schlafen auf die Veranda, um gegen Abend nochmals für einige Stunden in sein Kontor oder Magazin zu gehen. Zuweilen mußte er für mehrere Tage verreisen, um Produkte einzukaufen, und sein neuer Hausgenosse hatte wenig dagegen, da er mit dem besten Willen sich dem rauhen und wortkargen Geschäftsmann nicht befreunden konnte. Auch gab es manches in der Lebensführung Mister Bradleys, was dem Missionar nicht gefallen konnte. Unter anderem kam es zuweilen vor, daß Bradley am Feierabend mit jenem Schreiber zusammen bis zur Trunkenheit eine Mischung von Wasser, Rum und Limonadensaft genoß; dazu hatte er in der ersten Zeit den jungen Geistlichen mehrmals eingeladen, aber stets von ihm eine sanfte Absage erhalten.

Bei diesen Umständen war Aghions tägliches Leben nicht gerade kurzweilig. Er hatte versucht, seine ersten schwachen Sprachkenntnisse anzuwenden, indem er an den langen öden Nachmittagen, wo das hölzerne Haus ringsum von der stechenden Hitze belagert lag, sich zur Dienerschaft in die Küche begab und sich mit den Leuten zu unterhalten suchte. Der mohammedanische Koch zwar gab ihm keine Anwort und war so hochmütig, daß er ihn gar nicht zu sehen schien, der Wasserträger aber und der Hausjunge, die beide stundenlang müßig auf ihren Matten hockten und Betel kauten, hatten nichts dagegen, sich an den angestrengten Sprechversuchen des Master zu belustigen.

Eines Tages erschien aber Bradley in der Küchentür, als

gerade die beiden Schlingel sich über einige Irrtümer und Wortverwechslungen des Missionars vor Vergnügen auf die mageren Schenkel klatschten. Bradley sah der Lustbarkeit mit verbissenen Lippen zu, gab blitzschnell dem Boy eine Ohrfeige, dem Wasserträger einen Fußtritt und zog den erschrockenen Aghion stumm mit sich davon. In seinem Zimmer sagte er dann etwas ärgerlich: »Wie oft muß ich Ihnen noch sagen, daß Sie sich nicht mit den Leuten einlassen sollen! Sie verderben mir die Burschen, selbstverständlich in der besten Absicht, und ohnehin geht es nicht an, daß ein Engländer sich vor diesen braunen Schelmen zum Hanswurst macht!«

Er war wieder davongegangen, noch ehe der beleidigte Aghion sich rechtfertigen konnte.

Unter Menschen kam der vereinsamte Missionar nur am Sonntag, wo er regelmäßig zur Kirche ging, auch selbst einmal für den wenig arbeitsamen englischen Pfarrer die Predigt übernahm. Aber er, der daheim vor den Bauern und Wollwebern seiner Gegend mit Liebe gepredigt hatte, fand sich hier vor einer kühlen Gemeinde von reichen Geschäftsleuten, müden, kränklichen Damen und lebenslustigen jungen Angestellen, fremd und ernüchtert. Das kalte kaufmännische oder herrisch abenteuerhafte Wesen dieser Leute, die das reiche Land ausbeuteten und von denen keiner ein gutes Wort für die Eingeborenen hatte, tat ihm weh und verschob allmählich alle seine Begriffe, so daß er, der stets für die Hindus Partei nahm und von den Pflichten der Europäer gegen die eingeborenen Völker sprach, sich lächerlich und unbeliebt machte und als ein Schwärmer und naiver Bursche verachtet wurde.

Wenn er nun über dem Betrachten seiner Lage zuweilen recht betrübt wurde und sich erbarmenswert vorkam, so gab es einen Trost für sein Gemüt, der niemals ganz versagte. Dann rüstete er sich zu einem Ausflug, hängte die Botanisierbüchse um und nahm das Netz zur Hand, das er mit einem langen schlanken Bambusstab versehen hatte. Gerade das, worüber die meisten anderen Engländer sich bitter zu beklagen pflegten, die glühende Sonnenhitze und das ganze indische Klima, war ihm lieb und schien ihm herrlich; denn er hielt sich an Leib und Seele frisch und ließ keine Erschlaffung aufkommen. Für seine Naturstudien und Liebhabereien vollends war dieses Land eine unermeßliche Weide, auf Schritt und Tritt hielten unbekannte Bäume, Blumen, Vögel, Insekten ihn auf, die er mit der Zeit alle namentlich kennen zu lernen beschloß. Seltsame Eidechsen und Skorpione, riesengroße dicke Tausendfüßler und anderes Koboldzeug erschreckte ihn selten mehr, und seit er eine dicke Schlange in der Badekammer mutig mit dem hölzernen Eimer erschlagen hatte, fühlte er seine Bangnis vor unheimlicher Tiergefahr immer mehr dahinschwinden.

Als er zum erstenmal mit seinem Netz nach einem großen prächtigen Schmetterling schlug, als er ihn gefangen sah und mit vorsichtigen Fingern das stolze strahlende Tier an sich nahm, dessen breite starke Flügel alabastern glänzten und mit dem duftigsten Farbenflaum behaucht waren, da schlug ihm das Herz in einer unbändigen Freude, wie er sie nicht mehr empfunden hatte, seit er als Knabe nach langer, atemloser Jagd seinen ersten Schwalbenschwanz erbeutet hatte. Fröhlich gewöhnte er sich an die Unbequemlichkeiten des Dschungels und verzagte nicht, wenn er im wilden Urwald tief in versteckte Schlammgruben einbrach, von heulenden Affenherden verhöhnt und von wütenden Ameisenvölkern überfallen wurde. Nur einmal lag er zitternd und betend hinter einem ungeheuren Gummibaum auf den Knien, während in der Nähe wie ein Gewitter und Erdbeben ein Trupp von Elefanten durchs dichte Gehölz brach. Er gewöhnte sich daran, in seinem luftigen Schlafzimmer frühmorgens vom rasenden Affengebrüll aus dem nahen Walde geweckt zu werden und bei Nacht das heulende Schreien der Schakale zu hören. Seine Augen glänzten hell und wachsam aus dem gemagerten, braun und männlich gewordenen Gesicht.

Auch in der Stadt und noch lieber in den friedlichen gartenartigen Außendörfern sah er sich immer besser um, und die Hinduleute gefielen ihm desto mehr, je mehr er von ihnen sah. Störend und äußerst peinlich war ihm nur die Sitte der unteren Stände, ihre Frauen mit nacktem Oberkörper laufen zu lassen. Nackte Frauenhälse und Arme und Frauenbrüste auf der Gasse zu sehen, daran konnte der Missionar sich schwer gewöhnen, obgleich es häufig sehr hübsch aussah und obwohl diese Nacktheit durch die tiefe Bronzefarbe der sonnenharten Haut und durch die freimütig unbefangene Art, mit der sie von den armen Weiblein getragen wurde, den Anschein der größten Natürlichkeit gewann.

Nächst dieser Anstößigkeit machte nichts ihm so viel zu schaffen und zu denken wie die Rätsel, die ihm das geistige Leben dieser Menschen entgegenhielt. Wohin er blicken mochte, überall war Religion. In London konnte man gewiß am höchsten kirchlichen Feiertag nicht so viel Frömmigkeit wahrnehmen wie hier an jedem Werktag und in jeder Gasse; überall waren Tempel und Bilder, war Gebet und Opfer, waren Umzüge und Zeremonien, Büßer und Priester zu sehen. Aber wer wollte sich jemals in diesem wirren Knäuel von Religionen zurechtfinden? Da waren Brahmanen und Mohammedaner, Feueranbeter und Buddhisten, Diener des Schiwa und des Krischna, Turbanträger und Gläubige mit glattrasierten Köpfen, Schlangenanbeter und Diener heiliger Schildkröten. Wo war der Gott, dem alle diese Verirrten dienten? Wie sah er aus und welcher Kultus von den vielen war der ältere, heiligere, reinere? Das wußte niemand und namentlich den Indern selber war dies vollkommen einerlei; wer von dem Glauben seiner Väter nicht befriedigt war, der ging zu einem anderen über oder zog als Büßer dahin, um eine neue Religion zu finden oder gar zu schaffen. Göttern und Geistern, deren Namen niemand wußte, wurden Speisen in kleinen Schalen geopfert, und alle diese hundert Gottesdienste, Tempel und Priesterschaften lebten vergnügt nebeneinander hin, ohne daß es den Anhängern des einen Glaubens einfiel, die anderen zu hassen oder totzuschlagen, wie es daheim in den Christenländern Sitte war. Vieles sogar sah sich hübsch und lieblich an, Flötenmusik und zarte Blumenopfer, und auf gar vielen frommen Gesichtern wohnte ein Friede und heiter stiller Glanz, den man in den Gesichtern der Engländer vergeblich suchte. Schön und heilig schien ihm auch das von den Hindus streng gehaltene Gebot, kein Tier zu töten, und er schämte sich zuweilen und suchte Rechtfertigung vor sich selbst, wenn er ohne Erbarmen einige schöne Schmetterlinge und Käfer umgebracht und auf Nadeln aufgespießt hatte. Andererseits waren unter diesen selben Völkern, denen jeder Wurm als Geschöpf Gottes heilig galt und die sich innig in Gebeten und Tempeldienst hingaben, Diebstahl und Lüge, falsches Zeugnis und Vertrauensbruch ganz alltägliche Dinge, über die keine Seele sich empörte oder nur wunderte. Je mehr es der wohlmeinende Glaubensbote bedachte, desto mehr schien ihm dieses Volk zum undurchdringlichen Rätsel zu werden, das jeder Logik und Theorie Hohn sprach. Der Diener, mit dem er trotz Bradleys Verbot bald wieder Gespräche pflog und der soeben ein Herz und eine Seele mit ihm zu sein schien, stahl ihm eine Stunde später ein baumwollenes Hemd, und als er ihn mit liebreichem Ernst zur Rede stellte, leugnete er zuerst unter Schwüren, gab dann lächelnd alles zu, zeigte das Hemd her und sagte zutraulich, es habe ja schon ein kleines Loch und so habe er gedacht, der Master werde es gewiß nimmer tragen mögen.

Ein anderes Mal setzte ihn der Wasserträger in Erstaunen. Dieser Mann erhielt seinen Lohn und sein Essen dafür, daß er täglich die Küche und die beiden Badekammern aus der nächsten Zisterne her mit Wasser versorgte. Er tat diese Arbeit stets am frühen Morgen und am Abend, den ganzen übrigen Tag saß er in der Küche oder in der Dienerhütte und kaute entweder Betel oder ein Stückchen Zuckerrohr. Einmal, da der andere Diener ausgegangen war, gab ihm Aghion ein Beinkleid zum Ausbürsten, das von einem Spaziergang her voll von Grassamen hing. Der Mann lachte nur und steckte die Hände auf den Rücken, und als der Missionar unwillig wurde und ihm streng befahl, sofort die kleine Arbeit zu tun, folgte er zwar endlich, tat die Verrichtung aber unter Murren und Tränen, setzte sich dann trostlos in die Küche und schalt und tobte eine Stunde lang wie ein Verzweifelter. Mit unendlicher Mühe und nach Überwindung vieler Mißverständnisse brachte Aghion an den Tag, daß er den Menschen schwer beleidigt habe durch den Befehl zu einer Arbeit, die nicht zu seinem Amte gehörte.

Alle diese kleinen Erfahrungen traten, sich allmählich verdichtend, wie zu einer Glaswand zusammen, die den Missionar von seiner Umgebung abtrennte und in eine immer peinlichere Einsamkeit verwies. Desto heftiger, ja mit einer gewissen verzweifelten Gier lag er seinen Sprachstudien ob, in denen er gute Fortschritte machte und die ihm, wie er sehnlichst hoffte, dies fremde Volk doch noch erschließen sollten. Immer häufiger konnte er es nun wagen, Eingeborene auf der Straße anzureden, er ging ohne Dolmetscher zum Schneider, zum Krämer, zum Schuhmacher. Manchmal gelang es ihm, mit einfachen Leuten ins Geplauder zu kommen, etwa indem er einem Handwerker sein Werk, einer Mutter ihren Säugling freundlich betrachtete und lobte, und aus Worten und Blicken dieser Heidenmenschen, namentlich aber aus ihrem guten, kindlichen, seligen Lachen, sprach ihn oft die Seele des fremden Volkes so klar und brüderlich an, daß für Augenblicke alle Schranken fielen und das Gefühl der Fremdheit sich verlor.

Schließlich meinte er entdeckt zu haben, daß Kinder und einfache Leute vom Lande ihm fast immer zugänglich seien, ja daß alle Schwierigkeiten, alles Mißtrauen und alle Verderbnis der Städter nur von der Berührung mit den europäischen Schiffs- und Handelsleuten herkomme. Von da an wagte er sich, häufig zu Pferde, auf Ausflügen immer weiter ins Land hinein. Er trug kleine Kupfermünzen und manchmal auch Zuckerstücke für die Kinder in der Tasche, und wenn er weit drinnen im hügeligen Lande vor einer bäuerlichen Lehmhütte sein Pferd an eine Palme band, und unter das Schilfdach tretend grüßte und um einen Trunk Wasser oder Kokosmilch bat, so ergab sich fast jedesmal eine harmlose freundliche Bekanntschaft und ein Geplauder, bei dem Männer, Weiber und Kinder über seine noch mangelhafte Kenntnis der Sprache oft im fröhlichsten Erstaunen hellauf lachten, was er gar nicht ungerne sah.

Noch machte er keinerlei Versuche, den Leuten bei solchen Anlässen vom lieben Gott zu erzählen. Es schien ihm das nicht nur nicht eilig, sondern auch überaus heikel und fast unmöglich zu sein, da er für alle die geläufigen Ausdrücke des biblischen Glaubens durchaus keine indischen Worte finden konnte. Außerdem fühlte er kein Recht, sich zum Lehrer dieser Leute aufzuwerfen und sie zu wichtigen Änderungen in ihrem Leben aufzufordern, ehe er dieses Leben genau kannte und fähig war, mit den Hindus einigermaßen auf gleichem Fuße zu leben und zu reden.

Dadurch dehnten seine Studien sich weiter aus. Er suchte Leben, Arbeit und Erwerb der Eingeborenen kennenzulernen, er ließ sich Bäume und Früchte zeigen und benennen, Haustiere und Geräte, er erforschte nach und nach die Geheimnisse des nassen und des trockenen Reisbaues, der Gewinnung des Bastes und der Baumwolle, er betrachtete Hausbau und Töpferei, Strohflechten und Webearbeiten, worin er von der Heimat her Bescheid wußte. Er sah dem Pflügen schlammiger Reisfelder mit rosenroten fetten Wasserbüffeln zu, er lernte die

Arbeit des gezähmten Elefanten kennen und sah zahme Affen für ihre Herren die reifen Kokosnüsse von den hohen Bäumen holen.

Auf einem seiner Ausflüge, in einem friedevollen Tal zwischen hohen grünen Hügeln, überraschte ihn einst ein wilder Gewitterregen, vor welchem er in der nächsten Hütte, die er erreichen konnte, einen Unterstand suchte. Er fand in dem engen Raum zwischen lehmbekleideten Bambuswänden eine kleine Familie versammelt, die den hereintretenden Fremdling mit scheuem Erstaunen begrüßte. Die Hausmutter hatte ihr graues Haar mit Henna feurigrot gefärbt und zeigte, da sie zum Empfang aufs freundlichste lächelte, einen Mund voll ebenso roter Zähne, die ihre Leidenschaft für das Betelkauen verrieten. Ihr Mann war ein großer, ernsthaft blickender Mensch mit langen, noch dunklen Haaren. Er erhob sich vom Boden und nahm eine königlich aufrechte Haltung an, tauschte Begrüßungsworte mit dem Gast und bot ihm alsbald eine frisch geöffnete Kokosnuß an, von deren süßlichem Saft der Engländer einen Schluck genoß. Ein kleiner Knabe, der bei seinem Eintritt still in die Ecke hinter der steinernen Feuerstelle geflohen war, blitzte von dort unter einem Wald von glänzend schwarzen Haaren hervor mit ängstlich neugierigen Augen; auf seiner dunklen Brust schimmerte ein messingenes Amulett, das seinen einzigen Schmuck und seine einzige Kleidung bildete. Einige große Bananenbündel schwebten über der Türe zur Nachreife aufgehängt; in der ganzen Hütte, die all ihr Licht nur durch die offene Türe erhielt, war keine Armut, wohl aber die äußerste Einfachheit und eine hübsche, reinliche Ordnung zu bemerken.

Ein leises, aus allerfernsten Kindheitserinnerungen emporduftendes Heimatgefühl, das den Reisenden so leicht beim Anblick zufriedener Häuslichkeit übernimmt, ein leises Heimatgefühl, das er in dem Bungalow des Herrn Bradley niemals gespürt hatte, kam über den Missionar, und es schien ihm beinahe so, als sei seine Einkehr hier nicht nur die eines vom Regen überfallenen Wanderers, sondern als wehe ihm, der sich in trüben Lebenswirrsalen verlaufen, endlich einmal wieder Sinn und Frohmut eines richtigen, natürlichen, in sich begnügten Lebens entgegen. Auf dem dichten Schilfblätterdach der Hütte rauschte und trommelte leidenschaftlich der wilde Regen und hing vor der Türe dick und blank wie eine Glaswand.

Die Alten unterhielten sich froh und unbefangen mit ihrem ungewöhnlichen Gaste, und als sie am Ende mit Höflichkeit die natürliche Frage stellten, was denn seine Ziele und Absichten in diesem Lande seien, kam er in Verlegenheit und begann von anderem zu reden. Wieder, wie schon oft, wollte es dem bescheidenen Aghion als eine ungeheuerliche Frechheit und Überhebung erscheinen, daß er als Abgesandter eines fernen Volkes hierher gekommen sei mit der Absicht, diesen Menschen ihren Gott und Glauben zu nehmen und einen anderen dafür aufzunötigen. Immer hatte er gedacht, diese Scheu würde sich verlieren, sobald er nur die Hindusprache besser beherrsche; aber heute ward ihm unzweifelhaft klar, daß dies eine Täuschung gewesen war und daß er, je besser er das braune Volk verstand, desto weniger Recht und Lust in sich verspürte, herrisch in das Leben dieses Volkes einzugreifen.

Der Regen ließ nach, und das mit der fetten roten Erde durchsetzte Wasser in der hügeligen Gasse lief davon, Sonnenstrahlen drangen zwischen den naß glänzenden Palmenstämmen hervor und spiegelten sich grell und blendend in den blanken Riesenblättern der Pisangbäume. Der Missionar bedankte sich bei seinen Wirten und machte Miene, sich zu verabschieden, da fiel ein Schatten auf den Boden und der kleine Raum verfinsterte sich. Schnell wandte er sich um und sah durch die Tür eine Gestalt lautlos auf nackten Sohlen hereintreten, eine junge Frau oder ein Mädchen, die bei seinem unerwarteten Anblick erschrak und zu dem Knaben hinter die Feuerstatt floh.

»Heda, sag' dem Herrn guten Tag!« rief ihr der Vater zu, und sie trat schüchtern zwei Schritte vor, kreuzte die Hände vor der Brust und verneigte sich mehrmals. In ihrem dicken tiefschwarzen Haar schimmerten Regentropfen; der Engländer legte freundlich und befangen seine Hand darauf und sprach einen Gruß, und während er das weiche geschmeidige Haar lebendig in seinen Fingern fühlte, hob sie das Gesicht zu ihm auf und lächelte freundlich aus dunkeln wunderschönen Augen. Um den Hals trug sie eine rosenrote Korallenkette und an einem Fußgelenk einen schweren goldenen Ring, sonst nichts als das dicht unter den Brüsten gegürtete rotbraune Untergewand. So stand sie in ihrer einfachen Schönheit vor dem erstaunten Fremden; die schrägen Sonnenstrahlen spiegelten sich matt in ihrem Haar und auf ihren braunen blanken Schultern, blitzend funkelten die kleinen spitzen Zähne aus dem jungen Munde. Robert Aghion sah sie mit Entzücken an und suchte tief in ihre stillen sanften Augen zu blicken, wurde aber schnell verlegen; der feuchte Duft ihrer Haare und der Anblick ihrer nackten Schultern und Brüste verwirrte ihn, so daß er bald vor ihrem unschuldigen Blick die Augen niederschlug. Er griff in die Tasche und holte eine kleine stählerne Schere hervor, mit der er sich Nägel und Bart zu schneiden pflegte und die ihm auch beim Pflanzensammeln diente; die schenkte er dem schönen Mädchen und wußte wohl, daß dies eine recht kostbare Gabe sei. Sie nahm das Ding denn auch befangen und in beglücktem Erstaunen an sich, während die Eltern sich in Dankesworten erschöpften, und als er nun Abschied nahm und ging, da folgte sie ihm bis unter das Vordach der Hütte, ergriff seine linke Hand und küßte sie. Die laue, zärtliche Berührung dieser blumenhaften Lippen rann dem Manne ins Blut, am liebsten hätte er sie auf den Mund geküßt. Statt dessen nahm er ihre beiden Hände in seine Rechte, sah ihr in die Augen und sagte: »Wie alt bist du?«

»Das weiß ich nicht«, gab sie zur Antwort.

»Und wie heißt du denn?«

»Naissa.«

»Leb' wohl, Naissa, und vergiß mich nicht!«

»Naissa vergißt ihren Herrn nicht.«

Er ging von dannen und suchte den Heimweg, tief in Gedanken, und als er spät in der Dunkelheit ankam und in seine Kammer trat, bemerkte er erst jetzt, daß er heute keinen einzigen Schmetterling oder Käfer, nicht Blatt noch Blume von seinem Ausflug mitgebracht hatte. Seine Wohnung aber, das öde Junggesellenhaus mit den herumlungernden Dienern und dem kühlen mürrischen Herrn Bradley war ihm noch nie so unheimlich und trostlos erschienen wie in dieser Abendstunde, da er bei seiner kleinen Öllampe am wackligen Tischlein saß und in der Bibel zu lesen versuchte.

In dieser Nacht, als er nach langer Gedankenunruhe und trotz den singenden Moskiten endlich den Schlaf gefunden hatte, wurde der Missionar von sonderbaren Träumen heimgesucht.

Er wandelte in einem dämmernden Palmenhain, wo gelbe

Sonnenflecke auf dem rotbraunen Boden spielten. Papageien riefen aus der Höhe, Affen turnten tollkühn an den unendlich hohen Baumsäulen, kleine edelsteinblitzende Kolibrivögel leuchteten kostbar auf, Insekten jeder Art gaben durch Töne, Farben oder Bewegungen ihre Lebensfreude kund. Der frohe Missionar spazierte dankbar und beglückt inmitten dieser Pracht; er rief einen seiltanzenden Affen an, und siehe, das flinke Tier kletterte gehorsam zur Erde und stellte sich wie ein Diener mit Gebärden der Ergebenheit vor Aghion auf. Dieser sah ein, daß er in diesem seligen Bezirk der Kreatur zu gebieten habe, und alsbald berief er die Vögel und Schmetterlinge um sich, und sie kamen in großen glänzenden Scharen, er winkte und taktierte mit den Händen, nickte mit dem Kopf, befahl mit Blicken und Zungenschnalzen, und gefügig ordneten sich alle die herrlichen Tiere in der goldigen Luft zu schönen schweben-den Reigen und Festzügen, pfiffen und summten, zirpten und rollten in feinen Chören, suchten und flohen, verfolgten und haschten einander, beschrieben feierliche Kreise und schalk-hafte Spiralen in der Luft. Es war ein glänzendes herrliches Ballett und Konzert und ein wiedergefundenes Paradies, und der Träumer verweilte in dieser harmonischen Zauberwelt, die ihm gehorchte und zu eigen war, mit einer innig ergriffenen und beinahe schmerzlichen Lust; denn in all dem Glück war doch schon ein leises Ahnen oder Wissen enthalten, ein Vor-geschmack von Unverdientheit und Vergänglichkeit, wie ihn ein frommer Missionar ohnehin bei jeder Sinnenlust auf der Zunge haben muß.

Dieser ängstliche Vorgeschmack trog denn auch nicht. Noch schwelgte der entzückte Naturfreund im Anblick einer Affen-quadrille und liebkoste einen ungeheuren blauen Sammetfal-ter, der sich vertraulich auf seine linke Hand gesetzt hatte und sich wie ein Täubchen streicheln ließ, aber schon begannen Schatten der Angst und Auflösung in dem Zauberhain zu flattern und das Gemüt des Träumers zu umhüllen. Einzelne Vögel schrien plötzlich grell und angstvoll auf, unruhige Windstöße erbrausten in den hohen Wipfeln, das frohe warme Sonnenlicht wurde fahl und siech, die Vögel huschten nach allen Seiten davon, und die schönen großen Falter ließen sich in wehrlosem Schrecken vom Winde davonführen. Regen-tropfen klatschten erregt auf den Baumkronen, ein ferner leiser Donner rollte langsam austönend über das Himmelsgewölbe.

Da betrat Mister Bradley den Wald. Der letzte bunte Vogel war entflogen. Hünenhaft groß von Gestalt und finster wie der Geist eines erschlagenen Königs kam Bradley heran, spuckte verächtlich vor dem Missionar aus und begann ihm in verletzenden, höhnischen, feindseligen Worten vorzuwerfen, er sei ein Gauner und Tagedieb, der sich von seinem Londoner Patron für die Bekehrung der Heiden anstellen und bezahlen lasse, statt dessen aber nichts tue als müßiggehen, Käfer fangen und spazieren laufen. Und Aghion mußte in Zerknirschung eingestehen, jener habe recht und er sei all dieser Versäumnis schuldig.

Es erschien nun jener mächtige reiche Patron aus England, Aghions Brotgeber, sowie mehrere englische Geistliche, und diese zusammen mit Bradley trieben und hetzten den Missionar vor sich her durch Busch und Dorn, bis sie auf eine volkreiche Straße und in jene Vorstadt von Bombay kamen, wo der turmhohe groteske Hindutempel stand. Hier flutete eine bunte Menschenmenge aus und ein, nackte Kulis und weißgekleidete stolze Brahmanen, dem Tempel gegenüber aber war eine christliche Kirche errichtet, und über ihrem Portal war Gottvater in Stein gebildet, in Wolken schwebend mit ernstem Vaterauge und fließendem Bart.

Auf die Stufen des Gotteshauses schwang sich der bedrängte Missionar, winkte mit den Armen und begann den Hinduleuten zu predigen. Mit lauter Stimme forderte er sie auf, herzuschauen und zu vergleichen, wie anders der wahre Gott beschaffen sei als ihre armen Fratzengötter mit den vielen Armen und Rüsseln. Mit ausgestrecktem Finger wies er auf das verschlungene Figurenwerk der indischen Tempelfassade, und dann wies er einladend auf das Gottesbild seiner Kirche. Aber wie sehr erschrak er da, als er seiner eigenen Gebärde folgend wieder emporblickte; denn Gottvater hatte sich verändert, er hatte drei Köpfe und sechs Arme bekommen und hatte statt des etwas blöden und machtlosen Ernstes ein feines, überlegen vergnügtes Lächeln in den Gesichtern, genau wie es die feineren unter den indischen Götterbildern nicht selten zeigten. Verzagend sah sich der Prediger nach Bradley, nach dem Patron und der Geistlichkeit um; sie waren aber alle verschwunden, er stand allein und kraftlos auf den Stufen der Kirche, und nun verließ ihn auch Gottvater selbst, denn er winkte mit seinen sechs Armen zu dem Tempel hinüber und lächelte den Hindugöttern mit göttlicher Heiterkeit zu.

Vollständig verlassen, geschändet und verloren stand Aghion auf seiner Kirchentreppe. Er schloß die Augen und blieb aufrecht stehen, jede Hoffnung war in seiner Seele erloschen, und er wartete mit verzweifelter Ruhe darauf, von den Heiden gesteinigt zu werden. Statt dessen aber fühlte er sich, nach einer furchtbaren Pause, von einer starken, doch sanften Hand beiseite geschoben, und als er die Augen aufriß, sah er den steinernen Gottvater groß und ehrwürdig die Stufen herabschreiten, während gegenüber die Götterfiguren des Tempels in ganzen Scharen von ihren Schauplätzen herabstiegen. Sie alle wurden von Gottvater begrüßt, der sodann in den Hindutempel eintrat und mit freundlicher Gebärde die Huldigung der weißgekleideten Brahmanen entgegennahm. Die Heidengötter aber mit ihren Rüsseln, Ringellocken und Schlitzaugen besuchten einmütig die Kirche, fanden alles gut und hübsch und zogen viele Beter nach sich, und so entstand ein Umzug der Götter und Menschen zwischen Kirche und Tempel; Gong und Orgel tönten geschwisterlich ineinander, und stille dunkle Inder brachten auf nüchternen englisch-christlichen Altären Lotosblumen dar.

Mitten im festlichen Gedränge aber schritt mit den glatten, glänzend schwarzen Haaren und den großen kindlichen Augen die schöne Naissa. Sie kam zwischen vielen anderen Gläubigen vom Tempel herübergegangen, stieg die Stufen zur Kirche empor und blieb vor dem Missionare stehen. Sie sah ihm ernst und lieblich in die Augen, nickte ihm zu und bot ihm eine Lotosblüte hin. Er aber, in überwallendem Entzücken, beugt sich über ihr klares stilles Gesicht herab, küßt sie auf die Lippen und schließt sie in seine Arme.

Noch ehe er hatte sehen können, was Naissa dazu sage, erwachte Aghion aus seinem Traum und fand sich müde und erschrocken in tiefer Dunkelheit auf seinem Lager hingestreckt. Eine schmerzliche Verwirrung aller Gefühle und Triebe quälte ihn bis zur Verzweiflung. Der Traum hatte ihm sein eigenes Selbst unverhüllt gezeigt, seine Schwäche und Verzagtheit, den Unglauben an seinen Beruf, seine Verliebtheit in die braune Heidin, seinen unchristlichen Haß gegen Bradley, sein schlechtes Gewissen dem englischen Brotgeber gegenüber. Es war so, es war alles wahr und nicht zu ändern.

Eine Weile lag er traurig und bis zu Tränen erregt im Dunkeln. Er versuchte zu beten und vermochte es nicht, er versuchte sich die Naissa als Teufelin vorzustellen und seine Neigung als verworfen zu erkennen und konnte auch das nicht. Am Ende erhob er sich, einer halbbewußten Regung folgend und noch von den Schatten und Schauern des Traumes umgeben; er verließ sein Zimmer und suchte Bradleys Stube auf, ebensosehr im triebhaften Bedürfnis nach Menschenanblick und Trost wie in der frommen Absicht, sich seiner Abneigung gegen diesen Mann zu schämen und durch Offenheit ihn sich zum Freunde zu machen.

Leise schlich er auf dünnen Bastsohlen die dunkle Veranda entlang bis zum Schlafzimmer Bradleys, dessen leichte Tür aus Bambusgestäbe nur bis zur halben Höhe der Türöffnung reichte und den hohen Raum schwach erleuchtet zeigte; denn jener pflegte, gleich vielen Europäern in Indien, die ganze Nacht hindurch ein kleines Öllicht zu brennen. Behutsam drückte Aghion die dünnen Türflügel nach innen und ging hinein.

Der kleine Öldocht schwelte in einem irdenen Schüsselchen am Boden des Gemachs und warf schwache, ungeheure Schatten an den kahlen Wänden aufwärts. Ein brauner Nachtfalter umsurrte das Licht in kleinen Kreisen. Um die umfangreiche Bettstatt her war der große Moskitoschleier sorgfältig zusammengezogen. Der Missionar nahm die Lichtschale in die Hand, trat ans Bett und öffnete den Schleier eine Spanne weit. Eben wollte er des Schläfers Namen rufen, da sah er mit heftigem Erschrecken, daß Bradley nicht allein sei. Er lag, vom dünnen, seidenen Nachtkleide bedeckt, auf dem Rücken, und sein Gesicht mit dem emporgereckten Kinn sah um nichts zarter oder freundlicher aus als am Tage. Neben ihm aber lag nackt eine zweite Gestalt, eine Frau mit langen schwarzen Haaren. Sie lag auf der Seite und wendete dem Missionar das schlafende Gesicht zu, und er erkannte sie: es war das starke große Mädchen, das jede Woche die Wäsche abzuholen pflegte.

Ohne den Vorhang wieder zu schließen floh Aghion hinaus

und in sein Zimmer zurück. Er versuchte wieder zu schlafen, doch gelang es ihm nicht; das Erlebnis des Tages, der seltsame Traum und endlich der Anblick der nackten Schläferin hatten ihn gewaltig erregt. Zugleich war seine Abneigung gegen Bradley viel stärker geworden, ja er scheute sich vor dem Augenblick des Wiedersehens und der Begrüßung beim Frühstück. Am meisten aber quälte und bedrückte ihn die Frage, ob es nun seine Pflicht sei, dem Hausgenossen wegen seiner Lebensführung Vorwürfe zu machen und seine Besserung zu versuchen. Aghions ganze Natur war dagegen, aber sein Amt schien es von ihm zu fordern, daß er seine Feigheit überwinde und dem Sünder unerschrocken ins Gewissen rede. Er zündete seine Lampe an und las, von den singenden Mücken umschwärmt und gepeinigt, stundenlang im Neuen Testament, ohne doch Sicherheit und Trost zu gewinnen. Beinahe hätte er ganz Indien fluchen mögen oder doch seiner Neugierde und Wanderlust, die ihn hierher und in diese Sackgasse geführt hatte. Nie war ihm die Zukunft so düster erschienen, und nie hatte er sich so wenig zum Bekenner und Märtyrer geschaffen gefühlt wie in dieser Nacht.

Zum Frühstück kam er mit unterhöhlten Augen und müden Zügen, rührte unfroh mit dem Löffel im duftenden Tee und schälte in verdrossener Spielerei lange Zeit an einer Banane herum, bis Herr Bradley erschien. Dieser grüßte kurz und kühl wie sonst, setzte den Boy und den Wasserträger durch laute Befehle in Trab, suchte sich mit langwieriger Umsicht die goldigste Frucht aus dem Bananenbüschel aus und aß dann rasch und herrisch, während im sonnigen Hof der Diener sein Pferd vorführte.

»Ich hätte noch etwas mit Ihnen zu besprechen«, sagte der Missionar, als der andere eben aufbrechen wollte. Argwöhnisch blickte Bradley auf.

»So? Ich habe sehr wenig Zeit. Muß es gerade jetzt sein?«

»Ja, es ist besser. Ich fühle mich verpflichtet, Ihnen zu sagen, daß ich von dem unerlaubten Umgange weiß, den Sie mit einem Hinduweib haben. Sie können sich denken, wie peinlich es mir ist . . .«

»Peinlich!« rief Bradley aufspringend und brach in ein zorniges Gelächter aus. »Herr, Sie sind ein größerer Esel, als ich je gedacht hätte! Was Sie von mir halten, ist mir natürlich durchaus einerlei, daß Sie aber in meinem Hause herumschnüffeln und spionieren, finde ich niederträchtig. Machen wir die Sache kurz! Ich lasse Ihnen Zeit bis Sonntag. Bis dahin suchen Sie sich freundlichst eine neue Unterkunft in der Stadt; denn in diesem Hause werde ich Sie keinen Tag länger dulden!«

Aghion hatte eine barsche Abfertigung, nicht aber diese Antwort erwartet. Doch ließ er sich nicht einschüchtern.

»Es wird mir ein Vergnügen sein«, sagte er mit guter Haltung, »Sie von meiner lästigen Einquartierung zu befreien. Guten Morgen, Herr Bradley!«

Er ging weg, und Bradley sah ihm aufmerksam nach, halb betroffen, halb belustigt. Dann strich er sich den harten Schnurrbart, rümpfte die Lippen, pfiff seinem Hunde und stieg die Holztreppe zum Hof hinab, um in die Stadt zu reiten.

Beiden Männern war die kurze gewitterhafte Aussprache und Klärung der Lage im Herzen willkommen. Aghion allerdings sah sich unerwartet vor Sorgen und Entschlüsse gestellt, die ihm bis vor einer Stunde noch in angenehmer Ferne geschwebt hatten. Aber je ernstlicher er seine Angelegenheiten bedachte und je deutlicher es ihm wurde, daß der Streit mit Bradley eine Nebensache, die Lösung seines ganzen verworrenen Zustandes aber nun eine unerbittliche Notwendigkeit geworden sei, desto klarer und wohler wurde ihm in den Gedanken. Das Leben in diesem Hause, das Brachliegen seiner Kräfte, ungestillte Begierden und tote Stunden waren ihm zu einer Qual geworden, die seine einfältige Natur ohnehin nicht lange mehr ertragen hätte, und so ward es ihm leicht, sich des Endes einer halben Gefangenschaft zu freuen, komme danach, was da wolle.

Es war noch früh am Morgen, und eine Ecke des Gartens, sein Lieblingsplatz, lag noch kühl im halben Schatten. Hier hingen die Zweige verwilderter Gebüsche über einen ganz kleinen, gemauerten Weiher nieder, der einst als Badestelle angelegt, aber verwahrlost und nun von einem Völkchen gelber Schildkröten bewohnt war. Hierher trug er seinen Bambusstuhl, legte sich nieder und sah den schweigsamen Tieren zu, welche träg und wohlig im lauen grünen Wasser schwammen und still aus klugen kleinen Augen blickten. Jenseits im Wirtschaftshofe kauerte in seinem Winkel der unbeschäftigte Stalljunge und sang; sein eintöniges näselndes Lied klang wie

Wellenspiel herüber und zerfloß in der warmen Luft, und unversehens überfiel nach der schlaflosen erregten Nacht den Liegenden die Müdigkeit, er schloß die Augen, ließ die Arme sinken und schlief ein.

Als ein Mückenstich ihn erweckte, sah er mit Beschämung, daß er fast den ganzen Vormittag verschlafen hatte. Aber er fühlte sich nun frisch und ungetrübt und ging jetzt ungesäumt daran, seine Gedanken und Wünsche zu ordnen und die Wirrnis seines Lebens sachte auseinander zu falten. Da wurde ihm unzweifelhaft klar, was unbewußt seit langem ihn gelähmt und seine Träume beängstigt hatte, daß nämlich seine Reise nach Indien zwar durchaus gut und klug gewesen war, daß aber zum Missionar ihm der richtige innere Beruf und Antrieb fehle. Er war bescheiden genug, darin eine Niederlage und einen betrübenden Mangel zu sehen; aber zur Verzweiflung war kein Grund vorhanden. Vielmehr schien ihm jetzt, da er entschlossen war, sich eine angemessenere Arbeit zu suchen, das reiche Indien erst recht eine gute Zuflucht und Heimat zu sein. Mochte es traurig sein, daß alle diese Eingeborenen sich falschen Göttern verschrieben hatten – sein Beruf war es nicht, das zu ändern. Sein Beruf war, dieses Land für sich zu erobern und für sich und andere das Beste daraus zu holen, indem er sein Auge, seine Kenntnisse, seine zur Tat gewillte Jugend darbrachte und überall bereit stand, wo eine Arbeit für ihn sich böte.

Noch am Abend desselben Tages wurde er, nach einer Besprechung, die kaum eine Stunde gedauert hatte, von einem in Bombay wohnhaften Herrn Sturrock als Sekretär und Aufseher für eine benachbarte Kaffeepflanzung angestellt. Einen Brief an seinen bisherigen Brotgeber, worin Aghion sein Tun erklärte und sich zum späteren Ersatz des Empfangenen verpflichtete, versprach Sturrock nach London zu besorgen. Als der neue Aufseher in seine Wohnung zurückkehrte, fand er Bradley in Hemdärmeln allein beim Abendessen sitzen. Er teilte ihm, noch ehe er neben ihm Platz nahm, das Geschehene mit.

Bradley nickte mit vollem Munde, goß etwas Whisky in sein Trinkwasser und sagte fast freundlich: »Sitzen Sie und bedienen Sie sich, der Fisch ist schon kalt. Nun sind wir ja eine Art von Kollegen. Na, ich wünsche Ihnen Gutes. Kaffee bauen ist leichter als Hindus bekehren, das ist gewiß, und möglicherweise ist es ebenso wertvoll. Ich hätte Ihnen nicht soviel Vernunft zugetraut, Aghion!«

Die Pflanzung, die er beziehen sollte, lag zwei Tagereisen weit landeinwärts, und übermorgen sollte Aghion in Begleitung einer Kulitruppe dorthin aufbrechen; so blieb ihm zum Besorgen seiner Angelegenheiten nur ein einziger Tag. Zu Bradleys Verwunderung erbat er sich für morgen ein Reitpferd, doch enthielt sich jener aller Fragen, und die beiden Männer saßen, nachdem sie die von tausend Insekten umflügelte Lampe hatten wegtragen lassen, in dem lauen, schwarzen indischen Abend einander gegenüber und fühlten sich einander näher als in all diesen vielen Monaten eines gezwungenen Zusammenlebens.

»Sagen Sie«, fing Aghion nach einem langen Schweigen an, »Sie haben sicher von Anfang an nicht an meine Missionspläne geglaubt?«

»O doch«, gab Bradley ruhig zurück. »Daß es Ihnen damit Ernst war, konnte ich ja sehen.«

»Aber Sie konnten gewiß auch sehen, wie wenig ich zu dem paßte, was ich hier tun und vorstellen sollte! Warum haben Sie mir das nie gesagt?«

»Ich war von niemand dazu angestellt. Ich liebe es nicht, wenn mir jemand in meine Sachen hineinredet; so tue ich das auch bei anderen nicht. Außerdem habe ich hier in Indien schon die verrücktesten Dinge unternehmen und gelingen sehen. Das Bekehren war Ihr Beruf, nicht meiner. Und jetzt haben Sie ganz von selber einige Ihrer Irrtümer eingesehen! So wird es Ihnen auch noch mit anderen gehen . . .«

»Mit welchen zum Beispiel?«

»Zum Beispiel in dem, was Sie heut morgen mir an den Kopf geworfen haben.«

»Oh, wegen des Mädchens!«

»Gewiß. Sie sind Geistlicher gewesen; trotzdem werden Sie zugeben, daß ein gesunder Mann nicht jahrelang leben und arbeiten und gesund bleiben kann, ohne gelegentlich eine Frau bei sich zu haben. Mein Gott, darum brauchen Sie doch nicht rot zu werden! Nun sehen Sie: als Weißer in Indien, der sich nicht gleich eine Frau mit aus England herübergebracht hat, hat man wenig Auswahl. Es gibt keine englischen Mädchen hier. Die hier geboren werden, die schickt man schon als Kinder nach Europa heim. Es bleibt nur die Wahl zwischen den Matrosendirnen und den Hindufrauen, und die sind mir lieber. Was finden Sie daran schlimm?«

»Oh, hier verstehen wir uns, Herr Bradley! Ich finde, wie es die Bibel und unsere Kirche vorschreibt, jede uneheliche Verbindung schlimm und unrecht!«

»Wenn man aber nichts anderes haben kann?«

»Warum sollte man nicht können? Wenn ein Mann ein Mädchen wirklich lieb hat, so soll er es heiraten.«

»Aber doch nicht ein Hindumädchen?«

»Warum nicht?«

»Aghion, Sie sind weitherziger als ich! Ich will mir lieber einen Finger abbeißen als eine Farbige heiraten, verstehen Sie? Und so werden Sie später auch einmal denken!«

»O bitte, das hoffe ich nicht. Da wir so weit sind, kann ich es Ihnen ja sagen: Ich liebe ein Hindumädchen, und es ist meine Absicht, sie zu meiner Frau zu machen.«

Bradleys Gesicht wurde ernsthaft. »Tun Sie das nicht!« sagte er fast bittend.

»Doch, ich werde es tun«, fuhr Aghion begeistert fort. »Ich werde mich mit dem Mädchen verloben und sie dann so lange erziehen und unterrichten, bis sie die christliche Taufe erhalten kann; dann lassen wir uns in der englischen Kirche trauen.«

»Wie heißt sie denn?« fragte Bradley nachdenklich.

»Naissa.«

»Und ihr Vater?«

»Das weiß ich nicht.«

»Na, bis zur Taufe hat es ja noch Zeit; überlegen Sie sich das lieber noch einmal! Natürlich kann sich unsereiner in ein indisches Mädel verlieben, sie sind oft hübsch genug. Sie sollen auch treu sein und zahme Frauen abgeben. Aber ich kann sie doch immer nur wie eine Art Tierchen ansehen, wie lustige Ziegen oder schöne Rehe, nicht wie meinesgleichen.«

»Ist das nicht ein Vorurteil? Alle Menschen sind Brüder, und die Inder sind ein altes edles Volk.«

»Ja, das müssen Sie besser wissen, Aghion. Was mich betrifft, ich habe sehr viel Achtung vor Vorurteilen.«

Er stand auf, sagte gute Nacht und ging in sein Schlafzimmer, in dem er gestern die hübsche große Wäscheträgerin bei sich gehabt hatte. »Wie eine Art Tierchen« hatte er gesagt, und Aghion lehnte sich nachträglich in Gedanken dagegen auf.

Früh am andern Tage, noch ehe Bradley zum Frühstück gekommen war, ließ Aghion das Reitpferd vorführen und ritt davon, während noch in den wirren Baumwipfeln die Affen ihr Morgengeschrei verübten. Und noch stand die Sonne nicht hoch, als er schon in der Nähe jener Hütte, wo er die hübsche Naissa kennen gelernt hatte, sein Tier anband und zu Fuß sich der Behausung näherte. Auf der Türschwelle saß nackt der kleine Sohn und spielte mit einer jungen Ziege, von der er sich lachend immer wieder vor die Brust stoßen ließ.

Eben als der Besucher vom Wege abbiegen wollte, um in die Hütte zu treten, stieg über den kauernden Jungen hinweg vom Innern der Hütte her ein junges Mädchen, das er sofort als Naissa erkannte. Sie trat auf die Gasse, einen hohen irdenen Wasserkrug leer in der losen Rechten tragend, und ging, ohne ihn zu beachten, vor Aghion her, der ihr mit Entzücken folgte. Bald hatte er sie eingeholt und rief ihr einen Gruß zu. Sie hob den Kopf, indem sie das Grußwort leise erwiderte, und sah aus den schönen braungoldenen Augen kühl auf den Mann, als kenne sie ihn nicht und als er ihre Hand ergriff, zog sie sie erschrocken zurück und lief mit beschleunigten Schritten weiter. Er begleitete sie bis zu dem gemauerten Wasserbehälter, wo das Wasser einer schwachen Quelle dünn und sparsam über moosig-alte Steine rann; er wollte ihr helfen, den Krug zu füllen und emporzuziehen, aber sie wehrte ihn schweigend ab und machte ein trotziges Gesicht. Er war über soviel Sprödigkeit erstaunt und enttäuscht, und nun suchte er aus seiner Tasche das Geschenk hervor, das er für sie mitgebracht hatte, und es tat ihm nun doch ein wenig weh, zu sehen, wie sie alsbald die Abwehr vergaß und nach dem Dinge griff, das er ihr anbot. Es war eine emaillierte kleine Dose mit hübschen Blumenbildchen darauf, und die innere Seite des runden Deckels bestand aus einem kleinen Spiegel. Er zeigte ihr, wie man ihn öffne und gab ihr das Ding in die Hand.

»Für mich?« fragte sie mit Kinderaugen.

»Für dich!« sagte er, und während sie mit der Dose spielte, streichelte er ihren sammetweichen Arm und ihr langes schwarzes Haar.

Da sie ihm nun Dank sagte und mit unentschlossener Ge-

bärde den vollen Wasserkrug ergriff, versuchte er, ihr etwas
Liebes und Zärtliches zu sagen, was sie jedoch offenbar nur
halb verstand und indem er sich auf Worte besann und unbe-
holfen neben ihr stand, schien ihm plötzlich die Kluft zwischen
ihm und ihr ungeheuer, und er dachte mit Trauer, wie wenig
doch vorhanden sei, das ihn mit ihr verbinde, und wie lange,
lange es dauern mochte, bis sie einmal seine Braut und seine
Freundin sein, seine Sprache verstehen, sein Wesen begreifen,
seine Gedanken teilen könnte.

Mittlerweile hatte sie langsam den Rückweg angetreten, und
er ging neben ihr her, der Hütte entgegen. Der Knabe war mit
der Ziege in einem atemlosen Jagdspiel begriffen; sein
schwarzbrauner Rücken glänzte metallisch in der Sonne, und
sein geblähter Reisbauch ließ die Beine zu dünn erscheinen.
Mit einem Anflug von Befremdung dachte der Engländer
daran, daß, wenn er Naissa heirate, dieses Naturkind sein
Schwager sein würde. Um sich diesen Vorstellungen zu entziehen, sah er das Mädchen wieder an. Er betrachtete ihr entzückend feines, großäugiges Gesicht mit dem kühlen kindlichen Munde und mußte denken, ob es ihm wohl glücken
werde, heute noch von diesen Lippen den ersten Kuß zu erhalten.

Aus diesem lieblichen Gedanken schreckte ihn eine Erscheinung, die plötzlich aus der Hütte trat und wie ein Spuk vor
seinen ungläubigen Augen stand. Es erschien im Türrahmen,
schritt über die Schwelle und stand vor ihm eine zweite Naissa,
ein Spiegelbild der ersten, und das Spiegelbild lächelte ihm zu
und grüßte ihn, griff in ihr Hüfttuch und zog etwas hervor, das
sie triumphierend über ihrem Haupte schwang, das blank in
der Sonne glitzerte und das er nach einer Weile denn auch
erkannte. Es war die kleine Schere, die er kürzlich Naissa
geschenkt hatte, und das Mädchen, dem er heute die Spiegel-
dose gegeben, in dessen schöne Augen er geblickt und dessen
Arm er gestreichelt hatte, war gar nicht Naissa, sondern deren
Schwester, und wie die beiden Mädchen nebeneinander standen, noch immer kaum voneinander zu unterscheiden, da kam
sich der verliebte Aghion unsäglich betrogen und irregegangen
vor. Zwei Rehe konnten einander nicht ähnlicher sein, und
wenn man ihm in diesem Augenblick freigestellt hätte, eine
von ihnen zu wählen und mit sich zu nehmen und für immer zu

behalten, er hätte nicht gewußt, welche von beiden es war, die er liebte. Wohl konnte er allmählich erkennen, daß die wirkliche Naissa die ältere und ein wenig kleinere sei; aber seine Liebe, deren er vor Augenblicken noch so sicher zu sein gemeint hatte, war ebenso auseinander gebrochen und zu zwei Hälften zerfallen wie das Mädchenbild, das sich vor seinen Augen so unerwartet und unheimlich verdoppelt hatte.

Bradley erfuhr nichts von dieser Begebenheit, er stellte auch keine Fragen, als zu Mittag Aghion heimkehrte und schweigsam beim Essen saß. Und am nächsten Morgen, als Aghions Kulis anrückten und seine Kisten und Säcke aufpackten und wegtrugen und als der Abreisende dem Dableibenden noch einmal Dank sagte und die Hand hinbot, da faßte Bradley die Hand kräftig und sagte: »Gute Reise, mein Junge! Es wird später eine Zeit kommen, wo Sie vor Sehnsucht vergehen werden, statt der süßen Hinduschnauzen wieder einmal einen ehrlichen ledernen Engländerkopf zu sehen! Dann kommen Sie zu mir, und dann werden wir über alles Mögliche einig sein, worüber wir heute noch verschieden denken!«   *(1912)*

Der Waldmensch

Im Anfang der ersten Zeitalter, noch ehe die junge Menschheit sich über die Erde verbreitet hatte, waren die Waldmenschen. Diese lebten eng und scheu in der Dämmerung der tropischen Urwälder, stets im Streit mit ihren Verwandten, den Affen, und über ihrem Tun und Sein stand als einzige Gottheit und einziges Gesetz: der Wald. Der Wald war Heimat, Schutzort, Wiege, Nest und Grab, und außerhalb des Waldes vermochte man sich kein Leben zu denken. Man vermied es, bis an seine Ränder vorzudringen, und wer je durch besondere Schicksale auf Jagd oder Flucht dorthin verschlagen worden war, der erzählte zitternd und geängstigt von der weißen Leere draußen, wo man das furchtbare Nichts im tödlichen Sonnenbrande gleißen sähe. Es lebte ein alter Waldmann, der war vor Jahrzehnten, durch wilde Tiere verfolgt, über den äußersten Rand des Waldes hinaus geflohen und alsbald blind geworden. Er war jetzt eine Art Priester und Heiliger und hieß mata dalam (der das Auge inwendig hat); er hatte das heilige Waldlied gedichtet, das bei großen Gewittern gesungen wurde, und auf ihn hörten die Waldleute. Daß er die Sonne mit Augen gesehen hatte, ohne daran zu sterben, das war sein Ruhm und sein Geheimnis.

Die Waldmenschen waren klein und braun und stark behaart, sie gingen vorgebückt und hatten scheue Wildaugen. Sie konnten wie Menschen und wie Affen gehen und fühlten sich hoch im Geäst des Waldes ebenso sicher wie am Boden. Häuser und Hütten kannten sie noch nicht, wohl aber mancherlei Waffen und Gerätschaften, auch Schmuck. Sie verstanden Bogen, Pfeile, Lanzen und Streitkolben aus harten Hölzern zu machen, Halsbänder aus Bast mit getrockneten Beeren oder Nüssen behängt, auch trugen sie um den Hals oder im Haar ihre Kostbarkeiten: Eberzahn, Tigerkralle, Papageienfeder, Flußmuschel. Mitten durch den unendlichen Wald floß der große Strom, die Waldmenschen wagten sein Ufer aber nur in dunkler Nacht zu betreten, und viele hatten ihn nie gesehen. Die Mutigeren schlichen zuweilen des Nachts aus dem Dickicht hervor, scheu und lauernd, dann sahen sie im schwachen Schimmer die Elefanten baden, blickten durch die überhängenden Baumwipfel und sahen erschrocken im Netzwerk der vielarmigen Mangrovenbäume die glänzenden Sterne hängen. Die Sonne sahen sie niemals, und es galt schon für äußerst gefährlich, ihr Spiegelbild im Sommer zu erblicken.

Zu jenem Stamme der Waldleute, welchen der blinde mata dalam vorstand, gehörte auch der Jüngling Kubu, und er war der Führer und Vertreter der Jungen und Unzufriedenen. Es gab nämlich Unzufriedene, seit mata dalam älter und herrschsüchtiger geworden war. Bisher war es sein Vorrecht gewesen, daß er, der Blinde, von den andern mit Speise versorgt wurde, auch fragte man ihn um den Rat und sang sein Waldlied. Allmählich aber führte er allerlei neue und lästige Bräuche ein, welche ihm, wie er sagte, von der Gottheit des Waldes im Traum waren geoffenbart worden. Ein paar Junge und Zweifler aber behaupteten, der Alte sei ein Betrüger und suche nur seinen eigenen Vorteil.

Das Neuste, was mata dalam eingeführt hatte, war eine Neumondfeier, wobei er in der Mitte eines Kreises saß und die Rindentrommel schlug. Die anderen Waldleute aber mußten so lange im Kreise tanzen und das Lied golo elah dazu singen, bis sie todmüde waren und in die Knie sanken. Dann mußte ein jeder sich das linke Ohr mit einem Dorn durchbohren, und die jungen Weiber mußten zu dem Priester geführt werden, und er durchbohrte einer jeden das Ohr mit einem Dorn.

Dieser Sitte hatte sich Kubu samt einigen seiner Altersgenossen entzogen, und ihr Bestreben war, auch die jungen Mädchen zum Widerstand zu überreden. Einmal hatten sie Aussicht, zu siegen und die Macht des Priesters zu brechen. Der Alte nämlich hielt wieder Neumondfest und durchbohrte den Weibchen das linke Ohr. Eine kräftige Junge aber schrie dabei furchtbar und leistete Widerstand, und darüber passierte es dem Blinden, daß er ihr mit dem Dorn ins Auge stach, und das Auge lief aus. Jetzt schrie das Mädchen so verzweifelt, daß alle herbeiliefen, und als man sah, was geschehen war, schwieg man betroffen und unwillig. Als aber die Jungen sich triumphierend darein mischten und als der Kubu den Priester an der Schulter zu packen wagte, da stand der Alte vor seiner Trommel auf und sagte mit krähend höhnischer Stimme einen so grauenhaften Fluch, daß alle entsetzt zurückflohen und dem Jüngling selber das Herz vor Entsetzen gefror. Der alte Priester sagte Worte, deren genauen Sinn niemand verstehen konnte, deren Art und Ton aber wild und grausig an die gefürchteten heiligen Worte der Gottesdienste anklang. Und er verfluchte des Jünglings Augen, die er dem Geier zum Fraße zusprach, und verfluchte seine Eingeweide, von welchen er prophezeite, sie werden eines Tages im freien Felde in der Sonne rösten. Dann aber befahl der Priester, der im Augenblick mehr Macht hatte als jemals, das junge Mädchen nochmals zu sich und stieß ihr den Dorn auch ins zweite Auge, und jedermann sah es mit Entsetzen, und niemand wagte zu atmen.

»Du wirst draußen sterben«, hatte der Alte dem Kubu geflucht, und seither mied man den Jüngling als einen Hoffnungslosen. »Draußen« – das hieß: außerhalb der Heimat, außerhalb des dämmernden Waldes! »Draußen«, das bedeutete Schrecken, Sonnenbrand und glühende, tödliche Leere.

Entsetzt war Kubu weit hinweg geflohen, und als er sah, daß jedermann vor ihm zurückwich, da verbarg er sich in einem hohlen Stamme und gab sich verloren. Tage und Nächte lag er, wechselnd zwischen Todesangst und Trotz, und ungewiß, ob nun die Leute seines Stammes kommen würden, ihn zu erschlagen, oder ob die Sonne selbst durch den Wald brechen, ihn belagern und erjagen und erlegen werde. Es kam aber weder Pfeil noch Lanze, weder Sonne noch Blitzstrahl, es kam nichts als eine tiefe Erschlaffung und die brüllende Stimme des Hungers.

Da stand Kubu wieder auf und kroch aus dem Baume, nüchtern und beinahe mit einem Gefühl von Enttäuschung.

»Es ist nichts mit dem Fluch des Priesters«, dachte er verwundert, und dann suchte er sich Speise, und als er gegessen hatte und wieder das Leben durch seine Glieder kreisen fühlte, da kam Stolz und Haß in seine Seele zurück. Jetzt wollte er nicht mehr zu den Seinen zurückkehren. Jetzt wollte er ein Einsamer und Ausgestoßener sein, einer, den man haßte und dem der Priester, das blinde Vieh, ohnmächtige Verfluchungen nachrief. Er wollte allein sein und allein bleiben, zuvor aber wollte er seine Rache nehmen.

Und er ging und sann. Er dachte über alles nach, was ihm jemals Zweifel erweckt hatte und als Trug erschienen war, und vor allem über die Trommel des Priesters und seine Feste, und je mehr er dachte und je länger er allein war, desto klarer konnte er sehen: ja, es war Trug, es war alles nur Trug und Lüge. Und da er schon so weit war, dachte er noch weiter und richtete sein wachsam gewordenes Mißtrauen vollends auf alles, was als wahr und heilig galt. Wie stand es zum Beispiel mit dem Waldgotte und mit dem heiligen Waldliede? Oh, auch damit war es nichts, auch das war Schwindel! Und ein heimliches Entsetzen überwindend, stimmte er das Waldlied an, höhnisch mit verächtlicher Stimme und alle Worte verdrehend, und er rief dreimal den Namen der Waldgottheit, den außer dem Priester niemand bei Todesstrafe nennen durfte, und es blieb alles ruhig, und kein Sturm brach los, und kein Blitz zuckte nieder!

Manche Tage und Wochen irrte der Vereinsamte so umher, Falten über den Augen und mit stechendem Blick. Er ging auch, was noch niemand gewagt hatte, bei Vollmond an das Ufer des Stromes. Dort blickte er erst dem Spiegelbild des Mondes und dann dem Vollmond selber und allen Sternen lang und kühn in die Augen, und es geschah ihm kein Leid. Ganze Mondnächte saß er am Ufer, schwelgte im verbotenen Lichtrausch und pflegte seine Gedanken. Viele kühne und schreckliche Pläne stiegen in seiner Seele auf. Der Mond ist mein Freund, dachte er, und der Stern ist mein Freund, aber der alte Blinde ist mein Feind. Also ist das »Draußen« vielleicht besser als unser Drinnen, und vielleicht ist die ganze Heiligkeit des Waldes auch nur ein Gerede! Und er kam, um Generationen vor allen Menschen voraus, eines Nachts auf die verwegene und fabelhafte Idee, man könne ganz wohl einige Baumäste mit Bast zusammenbinden, sich darauf setzen und den Strom hinunterschwimmen. Seine Augen funkelten, und sein Herz schlug gewaltig. Aber es war nichts damit; der Strom war voll von Krokodilen.

Dann gab es also keinen anderen Weg in die Zukunft als den, den Wald an seinem Rande zu verlassen, falls es überhaupt ein Ende des Waldes gab, und sich alsdann der glühenden Leere, dem bösen »Draußen« anzuvertrauen. Jenes Ungeheuer, die Sonne, mußte aufgesucht und bestanden werden. Denn – wer weiß? – am Ende war auch die uralte Lehre von der Furchtbarkeit der Sonne nur so eine Lüge!

Dieser Gedanke, der letzte in einer kühnen, fiebrig wilden Reihe, machte den Kubu erzittern. Das hatte in allen Weltaltern noch niemals ein Waldmensch gewagt, freiwillig den Wald zu verlassen und sich der schrecklichen Sonne auszusetzen. Und wieder ging er Tage um Tage, seinen Gedanken tragend. Und endlich faßte er Mut. Er schlich mit Zittern am hellen Mittag gegen den Fluß, näherte sich lauernd dem glitzernden Ufer und suchte mit bangen Augen das Bildnis der Sonne im Wasser. Der Glanz schmerzte heftig in den geblendeten Augen, er mußte sie rasch wieder schließen, aber nach einer Weile wagte er es wieder und dann nochmals, und es gelang. Es war möglich, es war zu ertragen, und es machte sogar froh und mutig. Kubu hatte Vertrauen zur Sonne gefaßt. Er liebte sie, auch wenn sie ihn töten sollte, und er haßte den alten, finstern, faulen Wald, wo die Priester quäkten und wo er, der Junge und Mutige, verfemt und ausgestoßen worden war.

Jetzt war sein Entschluß reif geworden, und er pflückte die Tat wie eine süße Frucht. Mit einem neuen, zügigen Hammer aus Eisenholz, dem er einen ganz dünnen und leichten Stiel gegeben hatte, ging er in der nächsten Morgenfrühe dem mata dalam nach, fand seine Spur und fand ihn selbst, schlug ihm den Hammer auf den Kopf und sah seine Seele aus dem gekrümmten Maul entfliehen. Er legte ihm seine Waffe auf die Brust, damit man wisse, durch wen der Alte gestorben sei, und auf die glatte Fläche des Hammers hatte er mit einer Muschelscherbe mühsam eine Schilderung geritzt, einen Kreis mit mehreren geraden Strahlen: das Bildnis der Sonne.

Mutig trat er seine Wanderschaft nach dem fernen »Draußen« an und ging vom Morgen bis zur Nacht in gerader Richtung und schlief nachts im Gezweige und setzte in der Frühe sein Wandern fort, viele Tage lang, über Bäche und schwarze Sümpfe, und schließlich über ansteigendes Land und moosige Steinbänke, wie er sie nie gesehen hatte, und endlich steiler hinan, von Schluchten aufgehalten, ins Gebirge hinein, immer durch den ewigen Wald, so daß er am Ende zweifelhaft und traurig wurde und den Gedanken erwog, vielleicht möchte es doch den Geschöpfen des Waldes von einem Gotte verboten sein, ihre Heimat zu verlassen.

Und da kam er eines Abends, nachdem er seit langem immerzu gestiegen und in immer höhere, trocknere, leichtere Lüfte gekommen war, unversehens an ein Ende. Der Wald hörte auf, aber mit ihm auch der Erdboden, es stürzte hier der

Wald ins Leere der Luft hinab, als wäre an dieser Stelle die Welt entzweigebrochen. Zu sehen war nichts als eine ferne schwache Röte und oben einige Sterne, denn die Nacht hatte schon begonnen.

Kubu setzte sich an den Rand der Welt und band sich an den Schlingpflanzen fest, daß er nicht hinunterfalle. In Grauen und wilder Erregung verbrachte er kauernd die Nacht, ohne ein Auge zu schließen, und beim ersten Grauen der Frühe sprang er ungeduldig auf seine Füße und wartete, über das Leere gebeugt, auf den Tag.

Gelbe Streifen schönen Lichtes erglommen in der Ferne, und der Himmel schien in Erwartung zu zittern, wie Kubu zitterte, der noch niemals das Werden des Tages im weiten Luftraum gesehen hatte. Und gelbe Lichtbündel flammten auf, und plötzlich sprang jenseits der ungeheuren Weltenschlucht die Sonne groß und rot in den Himmel. Sie sprang empor aus einem endlosen grauen Nichts, welches alsbald blauschwarz wurde: das Meer.

Und vor dem zitternden Waldmann lag entschleiert das »Draußen«. Vor seinen Füßen stürzte der Berg hinab bis in unkenntliche rauchende Tiefen, gegenüber sprang rosig und juwelenhaft ein Felsgebirge empor, zur Seite lag fern und riesig das dunkle Meer, und die Küste lief weiß und schaumig mit kleinen nickenden Bäumen darum her. Und über dies alles, über diese tausend neuen, fremden gewaltigen Formen zog die Sonne herauf und wälzte einen glühenden Strom von Licht über die Welt, die in lachenden Farben entbrannte.

Kubu vermochte nicht, der Sonne ins Gesicht zu sehen. Aber er sah ihr Licht in farbigen Fluten um die Berge und Felsen und Küsten und fernen blauen Iseln strömen, und er sank nieder und neigte sein Gesicht zur Erde vor den Göttern dieser strahlenden Welt. Ach, wer war er, Kubu?! Er war ein kleines, schmutziges Tier, das sein ganzes dumpfes Leben im dämmerigen Sumpfloch des dicken Waldes hingebracht hatte, scheu und finster und niederträchtigen Winkelgottheiten untertan. Aber hier war die Welt, und ihr oberster Gott war die Sonne, und der lange schmähliche Traum seines Waldlebens lag dahinten und begann schon jetzt in seiner Seele zu erlöschen wie das fahle Bild des toten Priesters. Auf Händen und Füßen kletterte Kubu den steilen Abgrund hinab, dem Licht und dem

Meere entgegen, und über seine Seele zitterte in flüchtigem Glücksrausch die traumhafte Ahnung einer hellen, von der Sonne regierten Erde, auf welcher helle, befreite Wesen im Lichte lebten und niemand untertan wären als der Sonne.

(1914)

HERMANN HESSE

INDISCHER
LEBENSLAUF

Titelblatt eines Einzeldrucks dieses Lebenslaufs
aus dem »Glasperlenspiel«

Indischer Lebenslauf

Einer der von Vishnu, vielmehr dem als Rama menschgewordenen Teile von Vishnu, in einer seiner wilden Dämonenschlachten mit dem Sichelmondpfeil getöteten Dämonenfürsten war in Menschengestalt wieder in den Kreislauf der Gestaltungen eingetreten, hieß Ravana und lebte als kriegerischer Fürst an der großen Ganga. Dieser war Dasas Vater. Dasas Mutter starb frühe, und kaum hatte deren Nachfolgerin, ein schönes und ehrgeiziges Weib, dem Fürsten einen Sohn geboren, so war ihr der kleine Dasa im Wege; statt seiner, des Erstgeborenen, dachte sie ihren eigenen Sohn Nala einst zum Herrscher weihen zu sehen, und so wußte sie Dasa seinem Vater zu entfremden und war gesonnen, ihn bei der ersten guten Gelegenheit aus dem Wege zu räumen. Einem von Ravanas Hofbrahmanen jedoch, Vasudeva dem Opferkundigen, blieb ihre Absicht nicht verborgen, und der Kluge verstand sie zu vereiteln. Ihm tat der Knabe leid, auch schien ihm der kleine Prinz von seiner Mutter eine Anlage zur Frömmigkeit und ein Gefühl für das Recht geerbt zu haben. Er hatte ein Auge auf Dasa, daß ihm nichts geschähe, und wartete nur auf eine Gelegenheit, ihn der Stiefmutter zu entziehen.

Es besaß nun der Rajah Ravana eine Herde dem Brahma geweihter Kühe, welche heilig gehalten und von deren Milch und Butter dem Gott häufige Opfer gebracht wurden. Ihnen waren im Lande die besten Weiden vorbehalten. Es kam eines Tages einer der Hirten dieser dem Brahma geweihten Kühe, um eine Fracht Butter abzuliefern und zu melden, daß in der Gegend, wo bisher die Herde geweidet, eine kommende Dürre sich anzeige, so daß sie, die Hirten, einig geworden seien, sie weiter fort gegen das Gebirge hin zu führen, wo es auch in der trockensten Zeit an Quellen und frischem Futter nicht mangeln werde. Diesen Hirten, den er seit langem kannte, zog der Brahmane ins Vertrauen, es war ein freundlicher und treuer Mensch, und als am nächsten Tage der kleine Dasa, Ravanas Sohn, verschwunden war und nicht mehr gefunden werden konnte, waren Vasudeva und der Hirte die einzigen, welche um das Geheimnis seines Verschwindens wußten. Der Knabe Dasa aber war von dem Hirten mit in die Hügel genommen worden, dort trafen sie auf die langsam wandernde Herde, und Dasa schloß sich ihr und den Hirten gerne und freundlich an, wuchs als ein Hirtenknabe auf, half hüten und treiben, lernte melken, spielte mit den Kälbern und lag unter den Blumen, trank süße Milch und hatte Kuhmist an den nackten Füßen. Ihm gefiel das wohl, er lernte die Hirten und Kühe und ihr Leben kennen, lernte den Wald kennen und seine Bäume und Früchte, liebte den Mango, die Waldfeige und den Varingabaum, fischte die süße Lotoswurzel aus grünen Waldteichen, trug an Festtagen einen Kranz aus den roten Blüten der Waldflamme, lernte vor den Tieren der Wildnis auf der Hut zu sein, den Tiger zu meiden, sich mit dem klugen Mungo und dem heiteren Igel zu befreunden, in dämmriger Schutzhütte die Regenzeiten zu überdauern; da spielten die Knaben Kinderspiele, sangen Verse oder flochten Körbe und Schilfmatten. Dasa vergaß seine vorige Heimat und sein voriges Leben nicht ganz, doch war es ihm bald ein Traum geworden.

Und eines Tages, die Herde hatte eine andere Gegend bezogen, ging Dasa in den Wald, denn er war willens, Honig zu suchen. Wunderbar lieb war ihm der Wald, seit er ihn kannte, und dieser hier schien überdies ein besonders schöner Wald zu sein, durch Laub und Geäst wie goldne Schlangen wand sich das Tageslicht, und wie die Laute sich, die Vogelrufe, das Wipfelgeflüster, die Stimmen der Affen zu einem holden, sanft leuchtenden Geflecht verschlangen und kreuzten, dem des Lichtes im Gehölze so ähnlich, so kamen, verbanden und trennten sich wieder die Gerüche, die Düfte von Blüten, Hölzern, Blättern, Wassern, Moosen, Tieren, Früchten, Erde und Moder, herbe und süße, wilde und innige, weckende und schläfernde, muntre und beklommene. Zuzeiten rauschte in unsichtbarer Waldschlucht ein Gewässer auf, zuzeiten tanzte über weißen Dolden ein grünsamtener Falter mit schwarzen und gelben Flecken, zuzeiten krachte ein Ast tief im blauschattigen Gehölz, und schwer sank Laub in Laub, oder es röhrte ein Wild im Finstern oder schalt eine zänkische Äffin mit den Ihren. Dasa vergaß die Honigsuche, und indem er einige bunt blitzende Zwergvögel belauschte, sah er zwischen hohen Farnen, welche wie ein dichter kleiner Wald im großen Walde standen, eine Spur sich verlieren, etwas wie einen Weg, einen dünnen, winzigen Fußsteig, und indem er lautlos und vorsichtig eindrang und den Pfad verfolgte, entdeckte er unter einem vielstämmigen Baume eine kleine Hütte, eine Art von spitzem Zelt, aus Farnen gebaut und geflochten, und neben der Hütte an der Erde sitzend in aufrechter Haltung einen regungslosen Mann, der hatte die Hände zwischen den gekreuzten Füßen ruhen, und unter dem weißen Haar und der breiten Stirn schauten stille, blicklose Augen zur Erde gesenkt, offen, doch nach innen sehend. Dasa begriff, daß dies ein heiliger Mann und Yogin sei, es war nicht der erste, den er sah, sie waren ehrwürdige und von den Göttern bevorzugte Männer, es war gut, ihnen Gaben zu spenden und Ehrfurcht zu erweisen. Aber dieser hier, der vor seiner so schön und wohl verborgenen Farnhütte in aufrechter Haltung mit still hängenden Armen saß und der Versenkung pflegte, gefiel dem Knaben mehr und schien ihm seltsamer und ehrwürdiger als die, die er sonst gesehen hatte. Es umgab diesen Mann, der wie schwebend saß und entrückten Blickes doch alles zu sehen und zu wissen schien, eine Aura von Heiligkeit, ein Bannkreis der Würde, eine Woge und Flamme gesammelter Glut und Yoga-Kraft, welche der Knabe nicht zu durchschreiten oder mit einem Gruß oder Ruf zu durchbrechen gewagt hätte. Die Würde und Größe seiner Gestalt, das Licht von innen her, in welchem sein Antlitz strahlte, die Sammlung und eherne Unanfechtbarkeit in seinen Zügen sandten Wellen und Strahlen aus, in deren Mitte er thronte wie ein Mond, und die angehäufte Geisteskraft, der still gesammelte Wille in seiner Erscheinung spann einen solchen Zauberkreis um ihn, daß man wohl spürte: dieser Mann vermöchte mit einem bloßen Wunsch und Gedanken, ohne auch nur den Blick zu erheben, einen zu töten und wieder ins Leben zurückzurufen.

Regungsloser als ein Baum, der doch mit Laub und Zweigen atmend sich bewegt, regungslos wie ein steinernes Götterbild saß der Yogin an seinem Orte, und ebenso regungslos verharrte vom Augenblick an, in dem er ihn wahrgenommen, der Knabe, am Boden festgebannt, in Fesseln geschlagen und zauberisch angezogen von dem Bilde. Er stand und starrte den Meister an, sah einen Fleck Sonnenlicht auf seiner Schulter, einen Fleck Sonnenlicht auf einer seiner ruhenden Hände liegen, sah die Lichtflecken langsam wandern und neue entstehen und begann im Stehen und Staunen zu begreifen, daß die

Sonnenlichter nichts mit diesem Mann zu tun hätten, noch die Vogelgesänge und Affenstimmen aus dem Walde ringsum, noch die braune Waldbiene, die sich ins Gesicht des Versunkenen setzte, an seiner Haut roch, eine Strecke weit über die Wange kroch und sich wieder erhob und von dannen flog, noch das ganze vielfältige Leben des Waldes. Dies alles, spürte Dasa, alles, was die Augen sehen, die Ohren hören, was schön oder häßlich, was lieblich oder furchterregend ist, dies alles stand in keiner Beziehung zu dem heiligen Mann, Regen würde ihn nicht kälten noch verdrießen, Feuer ihn nicht brennen können, die ganze Welt um ihn her war ihm Oberfläche und bedeutungslos geworden. Es lief die Ahnung davon, daß in der Tat vielleicht die ganze Welt nur Spiel und Oberfläche, nur Windhauch und Wellengekräusel über unbekannten Tiefen sein könnte, nicht als Gedanke, sondern als körperlicher Schauer und leichter Schwindel über den zuschauenden Hirtenprinzen hin, als eine Empfindung von Grauen und Gefahr und zugleich von Angezogenwerden in sehnlicher Begierde. Denn, so fühlte er, der Yogin war durch die Oberfläche der Welt, durch die Oberflächenwelt hinabgesunken in den Grund des Seienden, ins Geheimnis aller Dinge, er hatte das Zaubernetz der Sinne, die Spiele des Lichtes, der Geräusche, der Farben, der Empfindungen durchbrochen und von sich gestreift und weilte festgewurzelt im Wesentlichen und Wandellosen. Der Knabe, obwohl einst von Brahmanen erzogen und mit manchem Strahl geistigen Lichtes beschenkt, verstand dieses nicht mit dem Verstande und hätte mit Worten nichts darüber zu sagen gewußt, aber er spürte es, wie man zur gesegneten Stunde die Nähe des Göttlichen spürt, er spürte es als Schauer der Ehrfurcht und der Bewunderung für diesen Mann, spürte es als Liebe zu ihm und als Sehnsucht nach einem Leben, wie dieser in der Versenkung Sitzende es zu leben schien. Und so stand Dasa, auf wunderliche Weise durch den Alten an seine Herkunft, an Fürsten- und Königtum erinnert und im Herzen berührt, am Rande der Farnwildnis, ließ die Vögel fliegen und die Bäume ihre sanftrauschenden Gespräche führen, ließ den Wald Wald und die ferne Herde Herde sein, ergab sich dem Zauber und blickte auf den meditierenden Einsiedler, eingefangen von der unbegreiflichen Stille und Unberührbarkeit seiner Gestalt, von der lichten Ruhe seines Antlitzes, von der Kraft und Sammlung seiner Haltung, der vollkommenen Hingabe seines Dienstes.

Nachher hätte er nicht sagen können, ob es zwei oder drei Stunden, oder ob es Tage waren, die er bei jener Hütte verbracht hatte. Als der Zauber ihn wieder entließ, als er sich lautlos den Pfad zwischen den Farnkräutern zurückschlich, den Weg aus dem Walde suchte und schließlich wieder bei den offenen Weidegründen und der Herde anlagte, tat er es, ohne zu wissen, was er tue, noch war seine Seele bezaubert, und er erwachte erst, als einer der Hirten ihn anrief. Dieser empfing ihn mit lauten Scheltworten wegen seines langen Fortbleibens, aber als Dasa ihn groß und verwundert anschaute, als verstehe er die Worte nicht, schwieg der Hirt alsbald, über den so ungewohnten fremden Blick des Knaben und seine feierliche Haltung erstaunt. Nach einer Weile aber fragte er: »Wo bist du denn gewesen, Lieber? Hast du etwa einen Gott gesehen oder bist einem Dämon begegnet?«

»Ich war im Walde«, sagte Dasa, »es zog mich dorthin, ich wollte Honig suchen. Aber dann vergaß ich es, denn ich sah dort einen Mann, einen Einsiedler, der saß da und war in Nachdenken versunken oder in Gebet, und als ich ihn sah und wie sein Gesicht leuchtete, mußte ich stehenbleiben und ihn ansehen, eine lange Zeit. Ich möchte am Abend hingehen und ihm Gaben bringen, er ist ein heiliger Mann.«

»Tu es«, sagte der Hirt, »bring ihm Milch und süße Butter; man soll sie ehren und soll ihnen geben, den Heiligen.«

»Aber wie soll ich ihn anreden?«

»Du brauchst ihn nicht anzureden, Dasa, bücke dich nur vor ihm und stelle die Gaben vor ihm nieder, mehr ist nicht vonnöten.«

So tat er denn. Er brauchte eine Weile, bis er den Ort wiederfand. Der Platz vor der Hütte war leer, und in die Hütte selbst einzutreten, wagte er nicht, so stellte er seine Gaben vor dem Eingang der Hütte auf den Boden und entfernte sich.

Solange nun die Hirten mit den Kühen in der Nähe des Ortes blieben, brachte er jeden Abend Spenden dorthin, und auch am Tage ging er einmal wieder hin, fand den Ehrwürdigen der Versenkung pflegen und widerstand auch dieses Mal der Verlockung nicht, als beseligter Zuschauer einen Strahl von der Kraft und der Glückseligkeit des Heiligen zu empfangen. Und auch nachdem man die Gegend verlassen und Dasa die Herde auf neue Weidegründe zu treiben geholfen hatte, konnte er das Erlebnis im Walde noch lange Zeit nicht vergessen, und wie es die Art von Knaben ist, gab er zuweilen, wenn er allein war, sich dem Traume hin, sich selbst als einen Einsiedler und Yogakundigen zu sehen. Indessen begann mit der Zeit die Erinnerung und das Traumbild blasser zu werden, um so mehr, da Dasa nun rasch zu einem kräftigen Jüngling heranwuchs und sich den Spielen und Kämpfen mit seinesgleichen mit freudigem Eifer hingab. Doch blieb ein Schimmer und eine leise Ahnung in seiner Seele zurück, als könnte das Prinzentum und Fürstentum, das ihm verlorengegangen war, ihm einst ersetzt werden durch die Würde und Macht des Yogitums.

Eines Tages, da sie sich in der Nähe der Stadt befanden, brachte einer der Hirten von dort die Nachricht, daß daselbst ein gewaltiges Fest bevorstehe: der alte Fürst Ravana, von seiner einstigen Kraft verlassen und hinfällig geworden, hatte einen Tag festgesetzt, an welchem sein Sohn Nala seine Nachfolge antreten und zum Fürsten ausgerufen werden sollte. Dieses Fest wünschte Dasa zu besuchen, um die Stadt einmal zu sehen, an welche aus der Kindheit her kaum noch eine leise Spur von Erinnerung in seiner Seele lebte, um die Musik zu hören, den Festzug und die Wettkämpfe der Adligen anzuschauen und auch einmal jener unbekannten Welt der Stadtmenschen und der Großen ansichtig zu werden, die in den Sagen und Märchen so oft geschildert wurde und von der er, auch dies war nur eine Sage oder ein Märchen oder noch weniger, wußte, daß sie einst, in einer Vorzeit, auch seine eigene Welt gewesen sei. Es war den Hirten Befehl zugegangen, für die Opfer des Festtages eine Last Butter an den Hof zu liefern, und Dasa gehörte zu seiner Freude zu den dreien, welche der Oberhirt für diesen Auftrag bestimmte.

Um die Butter abzuliefern, trafen sie am Vorabend bei Hofe ein, und der Brahmane Vasudeva nahm sie ihnen ab, denn er war es, der dem Opferdienste vorstand, doch erkannte er den Jüngling nicht. Mit großer Begierde nahmen alsdann die drei Hirten an dem Feste teil, sahen schon früh am Morgen unter des Brahmanen Leitung die Opfer beginnen und die goldglänzende Butter in Mengen von den Flammen gepackt und in himmelauflodernde Flamme verwandelt werden, hochauf ins

Unendliche schlug das Geflacker und der fettgetränkte Rauch, den dreimal zehn Göttern angenehm. Sie sahen im Festzuge die Elefanten mit vergoldeten Dächern über den Plattformen, auf welchen die Reiter saßen, sahen den blumengeschmückten Königswagen und den jungen Rajah Nala und hörten die gewaltig schallende Paukenmusik. Es war alles sehr großartig und prangend und auch ein wenig lächerlich, wenigstens erschien es dem jungen Dasa so; er war betäubt und entzückt, ja berauscht von dem Lärm, von den Wagen und geschmückten Pferden, von all der Pracht und prahlerischen Verschwendung, war sehr entzückt von den Tänzerinnen, die dem Fürstenwagen voraustanzten, mit Gliedern schlank und zäh wie Lotosstengel, war erstaunt über die Größe und Schönheit der Stadt, und betrachtete dennoch und trotz alledem, mitten in der Berauschung und Freude, alles ein wenig mit dem nüchternen Sinn des Hirten, der den Städter im Grunde verachtet. Daran, daß eigentlich er selbst der Erstgeborene war, daß hier vor seinen Augen sein Stiefbruder Nala, an welchen ihm keine Erinnerung geblieben war, gesalbt, geweiht und gefeiert werde, daß eigentlich er selbst, Dasa, an dessen Stelle im blumengeschmückten Wagen hätte fahren sollen, dachte er nicht. Dagegen mißfiel ihm allerdings dieser junge Nala durchaus, er schien ihm dumm und böse zu sein in seiner Verwöhntheit und unerträglich eitel in seiner geschwollenen Selbstanbetung, gern hätte er diesem den Fürsten spielenden Jüngling einen Streich gespielt und eine Lehre erteilt, doch war dazu keine Gelegenheit, und rasch vergaß er es wieder über dem vielen, was zu sehen, zu hören, zu lachen, zu genießen war. Die Stadtfrauen waren hübsch und hatten kecke, aufregende Blicke, Bewegungen und Redensarten, die drei Hirten bekamen manches Wort zu hören, das ihnen noch lange in den Ohren klang. Die Worte wurden zwar mit einem Beiklang von Spott gerufen, denn es geht dem Städter mit dem Hirten ebenso wie dem Hirten mit dem Städter: einer verachtet den andern; aber trotzdem gefielen die schönen, starken, mit Milch und Käse genährten, das ganze Jahr fast immer unter freiem Himmel lebenden Jünglinge den Stadtfrauen sehr.

Als Dasa von diesem Fest zurückkehrte, war er ein Mann geworden, stellte den Mädchen nach und mußte manchen schweren Faust- und Ringkampf mit anderen Jünglingen bestehen. Da kamen sie wieder einmal in eine andere Gegend, eine Gegend mit flachen Weiden und manchen stehenden Wassern, die in Binsen und Bambus standen. Hier sah er ein Mädchen, Pravati mit Namen, und wurde von einer unsinnigen Liebe zu diesem schönen Weibe ergriffen. Sie war die Tochter eines Pächters, und Dasas Verliebtheit war so groß, daß er alles andere vergaß und hinwarf, um sie zu erlangen. Als die Hirten nach einiger Zeit die Gegend wieder verließen, hörte er nicht auf ihre Mahnungen und Ratschläge, sondern nahm Abschied von ihnen und vom Hirtenleben, das er so sehr geliebt hatte, wurde seßhaft und brachte es dazu, daß er Pravati zur Frau bekam. Er bestellte des Schwiegervaters Hirsefelder und Reisfelder, half in der Mühle und im Holz, baute seinem Weib eine Hütte aus Bambus und Lehm und hielt es darin verschlossen. Es muß eine gewaltige Macht sein, welche einen jungen Mann dazu bewegen kann, auf seine bisherigen Freuden und Kameraden und Gewohnheiten zu verzichten, sein Leben zu ändern und unter Fremden die nicht beneidenswerte Rolle des Schwiegersohnes zu übernehmen. So groß war die Schönheit Pravatis, so groß und verlockend war die Verheißung inniger Liebeslust, die von ihrem Gesicht und ihrer Gestalt ausstrahlte, daß Dasa für alles andre erblindet und sich diesem Weibe völlig hingab, und in der Tat empfand er in ihren Armen ein großes Glück. Von manchen Göttern und Heiligen erzählt man Geschichten, daß sie, von einer entzückenden Frau bezaubert, dieselbe tage-, monde- und jahrelang umarmt hielten und mit ihr verschmolzen blieben, ganz in Lust versunken, jeder anderen Verrichtung vergessend. So hätte auch Dasa sich sein Los und seine Liebe gewünscht. Indessen war ihm anderes beschieden, und sein Glück währte nicht lange. Es währte etwa ein Jahr, und auch diese Zeit war nicht von lauter Glück ausgefüllt, es blieb noch Raum für mancherlei, für lästige Ansprüche des Schwiegervaters, für Sticheleien von seiten der Schwäger, für Launen der jungen Frau. Sooft er aber zu ihr sich aufs Lager begab, war dies alles vergessen und zu nichts geworden, so zauberhaft zog ihr Lächeln ihn an, so süß war es ihm, ihre schlanken Glieder zu streicheln, so mit tausend Blüten, Düften und Schatten blühte der Garten der Wollust an ihrem jungen Leibe.

Noch war das Glück kein ganzes Jahr alt geworden, da kam

eines Tages Unruhe und Lärm in die Gegend. Es erschienen berittene Boten und meldeten den jungen Rajah an, es erschien mit Mannen, Pferden und Troß der junge Rajah selbst, Nala, um in der Gegend der Jagd obzuliegen, es wurden da und dort Zelte aufgeschlagen, man hörte Rosse schnauben und Hörner blasen. Dasa kümmerte sich nicht darum, er arbeitete im Felde, besorgte die Mühle und wich den Jägern und Hofleuten aus. Als er aber an einem dieser Tage in seine Hütte heimkehrte und sein Weib nicht darin fand, dem er jeden Ausgang in dieser Zeit aufs strengste verboten hatte, da spürte er einen Stich im Herzen und ahnte, daß sich Unglück über seinem Haupt an- sammle. Er eilte zum Schwiegervater, auch da war Pravati nicht, und niemand wollte sie gesehen haben. Der bange Druck auf seinem Herzen wuchs. Er suchte den Kohlgarten, die Felder ab, er war einen Tag und zwei Tage zwischen seiner Hütte und der des Schwiegervaters unterwegs, lauerte im Acker, stieg in den Brunnen hinab, betete, rief ihren Namen, lockte, fluchte, suchte Fußspuren. Der jüngste seiner Schwäger, ein Knabe noch, verriet ihm endlich, Pravati sei beim Rajah, sie wohne in seinem Zelt, man habe sie auf seinem Pferd reiten sehen. Dasa umlauerte das Zeltlager Nalas, unsichtbar, er hatte die Schleu- der bei sich, die er einst als Hirt gebraucht hatte. Sooft das Fürstenzelt, bei Tag oder Nacht, einen Augenblick unbewacht schien, pirschte er sich heran, aber jedesmal tauchten alsbald Wachen auf, und er mußte fliehen. Von einem Baume, in dessen Gezweig verborgen er auf das Lager niederblickte, sah er den Rajah, dessen Gesicht ihm schon von jenem Fest in der Stadt her bekannt und widerwärtig war, sah ihn zu Pferd steigen und ausreiten, und als er nach Stunden wiederkam, vom Pferd stieg und das Zelttuch zurückschlug, war es ein junges Weib, das Dasa im Zeltschatten sich bewegen und den Heimkehrenden begrüßen sah, und es fehlte wenig, so wäre er vom Baum gefallen, als er in diesem jungen Weibe Pravati, seine Frau, erkannte. Er hatte jetzt Gewißheit, und der Druck um sein Herz wurde stärker. War das Glück seiner Liebe mit Pravati groß gewesen, nicht minder groß, ja größer war nun das Leid, die Wut, das Gefühl von Verlust und Beleidigung. So ist es, wenn ein Mensch sein Liebesvermögen auf einen einzigen Gegenstand gesammelt hat; mit dessen Verlust stürzt ihm alles zusammen, und er steht arm zwischen Trümmern.

Einen Tag und eine Nacht irrte Dasa in den Gehölzen der Gegend umher, aus jeder kurzen Rast trieb den Ermüdeten das Elend seines Herzens wieder empor, er mußte laufen und sich rühren, es war ihm, als müsse er laufen und wandern bis an der Welt Ende und bis ans Ende seines Lebens, das seinen Wert und Glanz verloren hatte. Dennoch lief er nicht ins Weite und Unbekannte, sondern hielt sich immerzu in der Nähe seines Unglücks, umkreiste seine Hütte, die Mühle, die Äcker, das fürstliche Jagdzelt. Am Ende barg er sich wieder in den Bäumen überm Zelt, hockte und lauerte bitter und glühend wie ein hungerndes Raubtier im laubigen Versteck, bis der Augenblick kam, auf den er seine letzten Kräfte gespannt hielt, bis der Rajah vors Zelt trat. Da ließ er sich leise vom Ast gleiten, holte aus, schwang die Schleuder und traf mit dem Feldstein den Verhaßten in die Stirn, daß er hinstürzte und regungslos auf dem Rücken lag. Niemand schien zugegen; durch den Sturm von Wollust und Rachegenuß, der Dasas Sinne durchbrauste, drang einen Augenblick erschreckend und wunderlich eine tiefe Stille. Und noch ehe es um den Erschlagenen laut wurde und von Dienern zu wimmeln begann, war er im Gehölz und in der talwärts anschließenden Bambuswildnis verschwunden.

Während er vom Baum gesprungen war, während er im Rausch der Tat seine Schleuder gewirbelt und den Tod entsendet hatte, war ihm so gewesen, als lösche er auch sein eigenes Leben damit aus, als entließe er die letzte Kraft und werfe sich, mit dem tötenden Steine fliegend, selber in den Abgrund der Vernichtung, einverstanden mit dem Untergang, wenn nur der gehaßte Feind einen Augenblick vor ihm fiele. Nun aber, da der Tat jener unerwartete Augenblick der Stille antwortete, zog Lebensgier, von der er noch eben nichts gewußt, ihn vom offenen Abgrund zurück, nahm Urtrieb sich seiner Sinne und Glieder an, hieß ihn Wald und Bambusdickicht aufsuchen, befahl ihm zu fliehen und unsichtbar zu werden. Erst als er eine Zuflucht erreicht und der ersten Gefahr sich entzogen hatte, kam er zum Bewußtsein dessen, was mit ihm geschah. Indem er tief erschöpft zusammensank und um Atem rang, und indem in der Entkräftung der Tatrausch sich verlor und der Ernüchterung Raum gab, empfand er zuerst eine Enttäuschung und einen Widerwillen darüber, sich am Leben und entkommen zu sehen. Aber kaum hatte sein Atem sich beruhigt und der Schwindel der Erschöpfung sich gelegt, so wich dieses flaue und widrige Gefühl einem Trotz und Lebenswillen, und es kehrte nochmals die wilde Freude über seine Tat in sein Herz zurück.

Es wurde in Bälde lebendig in seiner Nähe, die Suche und Jagd nach dem Totschläger hatte begonnen, sie dauerte den ganzen Tag, und er entging ihr nur dadurch, daß er lautlos im Versteck verharrte, das der Tiger wegen niemand allzu tief durchwaten mochte. Er schlief ein weniges, lag wieder lauernd, kroch weiter, rastete aufs neue, war am dritten Tag nach der Tat schon jenseis der Hügelkette und wanderte unaufhaltsam weiter ins höhere Gebirge hinein.

Das heimatlose Leben führte ihn da- und dorthin, es machte ihn härter und gleichgültiger, auch klüger und resignierter, doch träumte er nachts immer wieder von Pravati und seinem einstmaligen Glück, oder was er nun so nannte, träumte viele Male auch von seiner Verfolgung und Flucht, schreckliche und herzbeklemmende Träume wie etwa diesen: daß er durch die Wälder fliehe, hinter sich mit Trommeln und Jagdhörnern die Verfolger, und daß er durch Wald und Sumpf, durch Dörnicht und über brechende morsche Brücken hinweg etwas trage, eine Last, einen Packen, etwas Eingewickeltes, Verhülltes, Unbekanntes, wovon er nur wußte, es sei kostbar und dürfe unter keinen Umständen aus den Händen gegeben werden, etwas Wertvolles und Gefährdetes, einen Schatz, etwas Gestohlenes vielleicht, gewickelt in ein Tuch, einen farbigen Stoff mit einem braunroten und blauen Muster, wie es das Festkleid Pravatis gehabt hatte – daß er also, mit diesem Packen, Raub oder Schatz beladen, unter Gefahren und Mühsalen fliehe und schleiche, unter tiefhängenden Ästen und überhängenden Felsen gebückt hindurch, an Schlangen vorbei und über schwindelnd schmale Stege über Flüssen voll von Krokodilen, daß er schließlich gehetzt und erschöpft stehenbleibe, daß er an den Knoten nestle, mit denen sein Packen verschnürt war, daß er sie einen um den andern löse und das Tuch entbreite, und daß der Schatz, den er nun herausnahm und in schaudernden Händen hielt, sein eigener Kopf sei.

Er lebte verborgen und auf Wanderung, die Menschen nicht eigentlich mehr fliehend, doch eher meidend. Und eines Tages führte die Wanderung ihn durch eine grasreiche Hügelgegend, die mutete ihn schön und heiter an und schien ihn zu begrüßen, als müsse er sie kennen: bald war es ein Wiesengrund, mit sanftwehender Grasblüte, bald war es eine Gruppe von Salweiden, die er erkannte und die ihn an die heitere und unschuldige Zeit gemahnte, da er von Liebe und Eifersucht, von Haß und Rache noch nichts gewußt hatte. Es war das Weideland, in dem er einst mit seinen Kameraden die Herde gehütet hatte, es war die heiterste Zeit seiner Jugend gewesen, aus fernen Tiefen der Unwiederbringlichkeit blickte sie zu ihm herüber. Eine süße Traurigkeit in seinem Herzen gab den Stimmen Antwort, die ihn hier begrüßten, dem fächelnden Wind im silbern wehenden Weidenbaume, dem frohen raschen Marschlied der kleinen Bäche, dem Gesang der Vögel und dem tiefen goldnen Brausen der Hummeln. Wie Zuflucht und Heimat klang und duftete es hier, noch nie hatte er, des schweifenden Hirtenlebens gewohnt, eine Gegend so als ihm zugehörig und heimatlich empfunden.

Von diesen Stimmen in seiner Seele begleitet und geführt, mit Gefühlen ähnlich denen eines Heimgekehrten, wandelte er durch das freundliche Land, seit schrecklichen Monaten zum erstenmal nicht als ein Fremdling, als ein Verfolgter, Flüchtiger und dem Tod Verschriebener, sondern bereiten Herzens, an nichts denkend, nichts begehrend, ganz der stillheitern Gegenwart und Nähe ergeben, empfangend, dankbar und ein wenig über sich selbst und über diesen neuen, ungewohnten, zum erstenmal und mit Entzücken erlebten Seelenzustand verwundert, über diese wunschlose Aufgeschlossenheit, diese Heiterkeit ohne Spannung, diese aufmerksame und dankbare Art betrachtenden Genießens. Es zog ihn über die grünen Weiden hin zum Walde, unter die Bäume, in die mit kleinen Sonnenflecken bestreute Dämmerung, und hier verstärkte sich jenes Gefühl von Wiederkehr und Heimat und führte ihn Wege, die seine Füße von selbst zu finden schienen, bis er durch eine Farnwildnis, einen dichten Kleinwald inmitten des großen Waldes, zu einer winzigen Hütte gelangte, und vor der Hütte an der Erde daß der regungslose Yogin, den er einst belauscht und dem er Milch gebracht hatte.

Wie erwachend blieb Dasa stehen. Hier war alles, wie es einst gewesen war, hier war keine Zeit vergangen, war nicht gemordet und gelitten worden; hier stand, so schien es, die Zeit und das Leben fest wie Kristall, gestillt und verewigt. Er betrachtete den Alten, und es kehrte in sein Herz jene Bewunderung, Liebe und Sehnsucht zurück, die er einst bei seinem ersten Anblick empfunden hatte. Er betrachtete die Hütte und dachte bei sich, daß es wohl nötig wäre, sie vor dem Anbruch der nächsten Regenzeit etwas auszubessern. Dann wagte er ein paar vorsichtige Schritte, trat ins Innere der Hütte und spähte, was sie enthalte; es war nicht viel, es war beinahe nichts: ein Lager aus Laub, eine Kürbisschale mit etwas Wasser darin und ein leerer Bastbeutel. Den Beutel nahm er und ging mit ihm davon, suchte im Walde nach Speise, brachte Früchte und süßes Baummark mit, dann ging er mit der Schale und füllte sie mit frischem Wasser. Nun war getan, was hier getan werden konnte. So wenig brauchte einer, um zu leben. Dasa kauerte sich auf die Erde und versank in Träumerei. Er war zufrieden mit diesem schweigenden Ruhen und Träumen im Walde, er war zufrieden mit sich selbst, mit der Stimme in seinem Innern, die ihn hierher geführt hatte, wo er schon als Jüngling einst etwas wie Friede, Glück und Heimat gespürt hatte.

So blieb er denn bei dem Schweigsamen. Er erneuerte dessen Laubstreu, suchte Speise für sie beide, besserte dann die alte Hütte aus und begann mit dem Bau einer zweiten, die er in geringer Entfernung für sich selber errichtete. Der Alte schien ihn zu dulden, doch war nicht eigentlich zu erkennen, ob er ihn überhaupt wahrgenommen habe. Wenn er aus seiner Versenkung aufstand, war es nur, um in die Hütte schlafen zu gehen, um einen Bissen zu essen oder einen kurzen Gang in den Wald zu tun. Dasa lebte neben dem Ehrwürdigen wie ein Diener in der Nähe eines Großen, oder eher noch wie ein kleines Haustier, ein zahmer Vogel oder etwa ein Mungo neben Menschen hinlebt, dienstbar und kaum bemerkt. Da er eine lange Zeit flüchtig und verborgen gelebt hatte, unsicher, schlechten Gewissens und stets auf Verfolgung gefaßt, tat das ruhige Leben, die mühelose Arbeit und die Nachbarschaft eines Menschen, der seiner gar nicht zu achten schien, für eine Weile sehr wohl, er schlief ohne Angstträume und vergaß für halbe und ganze Tage das, was geschehen war. An die Zukunft dachte er nicht, und wenn eine Sehnsucht oder ein Wunsch ihn erfüllte, so war es der, hier zu bleiben und von dem Yogin in das Geheimnis eines einsiedlerischen Lebens aufgenommen und eingeweiht, selber ein Yogin und des Yogitums und seiner stolzen Unbekümmertheit teilhaftig zu werden. Er hatte begonnen, des öfteren die Haltung des Ehrwürdigen nachzuahmen, gleich ihm mit gekreuzten Beinen regungslos zu sitzen, gleich ihm in eine unbekannte und überwirkliche Welt zu blicken und für das, was ihn umgab, unempfindlich zu werden. Dabei war er meistens recht bald ermüdet, hatte steife Glieder und Schmerzen im Rücken bekommen, war von Mücken belästigt oder von wunderlichen Empfindungen auf der Haut, von Jucken und Reizungen überfallen worden, welche ihn zwangen, sich wieder zu rühren, sich zu kratzen und am Ende wieder aufzustehen. Einige Male aber hatte er auch anderes empfunden, nämlich ein Leerwerden, Leichtwerden und Schweben, wie es einem etwa in manchen Träumen gelingt, wo man die Erde nur je und je ganz leicht berührt und sich sanft von ihr abstößt, um wieder gleich einer Wollflocke zu schweben. In diesen Augenblicken war ihm eine Ahnung davon aufgegangen, wie es sein müßte, dauernd zu schweben, wie da der eigene Leib und die eigene Seele ihre Schwere ablegen und im Atem eines größeren, reineren, sonnenhaften Lebens mitschwingen müßten, erhoben und aufgesogen von einem Jenseits, einem Zeitlosen und Unwandelbaren. Doch waren es Augenblicke und Ahnungen geblieben. Und er dachte, wenn er enttäuscht aus solchen Augenblicken ins Altgewohnte zurückfiel, er müßte es dahin bringen, daß der Meister sein Lehrer würde, daß er ihn in seine Übungen und geheimen Künste einführte und auch ihn zu einem Yogin machte. Doch wie sollte das geschehen? Es schien nicht so, als werde der Alte ihn jemals mit seinen Augen wahrnehmen, als könnten jemals zwischen ihnen Worte gewechselt werden. Der Alte schien, wie er jenseits von Tag und Stunde, von Wald und Hütte war, auch jenseits der Worte zu sein.

Und doch sprach er eines Tages ein Wort. Es kam jetzt eine Zeit, in welcher Dasa Nacht für Nacht wieder träumte, verwirrend süß oft und oft verwirrend gräßlich, entweder von seinem Weibe Pravati oder von den Schrecken des Flüchtlingslebens. Und bei Tage machte er keine Fortschritte, hielt das Sitzen und Sich-Üben nicht lange aus, mußte an Weiber und Liebe denken, trieb sich viel im Walde herum. Es mochte die Witterung daran schuld sein, es waren schwüle Tage mit heißen

Windstößen. Und nun war wieder solch ein schlechter Tag, die Mücken schwirrten, Dasa hatte in der Nacht wieder einen schweren, Angst und Druck hinterlassenden Traum gehabt, dessen Inhalt er zwar nicht mehr wußte, der ihm nun im Wachen aber wie ein kläglicher und eigentlich unerlaubter und tief beschämender Rückfall in frühere Zustände und Lebensstufen erschien. Den ganzen Tag schlich und hockte er finster und unruhig um die Hütte herum, spielte mit dieser und jener Arbeit, setzte sich auch mehrmals zur Versenkungsübung nieder, aber dann überfiel ihn jedesmal sofort eine fiebrige Unrast, es zuckte ihm in den Gliedern, krabbelte ihm wie Ameisen in den Füßen, brannte ihn im Nacken, er hielt es kaum für Augenblicke aus und blickte scheu und beschämt zum Alten hinüber, der in vollkommener Stellung hockte und dessen Gesicht mit nach innen gewendeten Augen in unantastbar stiller Heiterkeit schwebte wie ein Blumenhaupt.

Als nun an diesem Tage der Yogin sich erhob und zu seiner Hütte wendete, trat ihm Dasa, der lange auf den Augenblick gelauert hatte, in den Weg und mit dem Mut des Geängstigten sprach er ihn an: »Ehrwürdiger«, sprach er, »verzeih, daß ich in deine Ruhe eingedrungen bin. Ich suche Frieden, ich suche Ruhe, ich möchte leben wie du und werden wie du. Sieh, ich bin noch jung, aber ich habe schon viel Leid kosten müssen, grausam hat das Schicksal mit mir gespielt. Ich war zum Fürsten geboren und wurde zu den Hirten verstoßen, ich wurde ein Hirt, wuchs heran, froh und kräftig wie ein junges Rind, unschuldig im Herzen. Dann gingen mir die Augen für die Frauen auf, und als ich die Schönste zu Gesicht bekam, habe ich mein Leben in ihren Dienst gestellt, ich wäre gestorben, wenn ich sie nicht bekommen hätte. Ich verließ meine Gefährten, die Hirten, ich warb um Pravati, ich bekam sie, ich wurde Schwiegersohn und diente, hart mußte ich arbeiten, aber Pravati war mein und liebte mich, oder ich glaubte doch, sie liebe mich, jeden Abend kehrte ich in ihre Arme zurück, lag an ihrem Herzen. Sieh, da kommt der Rajah in die Gegend, derselbe, dessentwegen ich einst als Kind vertrieben worden war, der kam und hat mir Pravati weggenommen, ich mußte sie in seinen Armen sehen. Es war der größte Schmerz, den ich erfahren habe, er hat mich und mein Leben ganz verwandelt. Ich habe den Rajah erschlagen, ich habe getötet, und habe das

Leben des Verbrechers und Verfolgten geführt, alles war hinter mir her, keine Stunde war ich meines Lebens sicher, bis ich hierher geriet. Ich bin ein törichter Mensch, Ehrwürdiger, ich bin ein Totschläger, vielleicht wird man mich noch fangen und vierteilen. Ich mag dieses schreckliche Leben nicht mehr ertragen, ich möchte seiner ledig werden.«

Der Yogin hatte dem Ausbruch ruhig mit niedergeschlagenen Augen zugehört. Jetzt schlug er sie auf und richtete seinen Blick auf Dasas Gesicht, einen hellen, durchdringenden, beinah unerträglichen festen, gesammelten und lichten Blick, und während er Dasas Gesicht betrachtete und seiner hastigen Erzählung nachdachte, verzog sein Mund sich langsam zu einem Lächeln und zu einem Lachen, mit lautlosem Lachen schüttelte er den Kopf und sagte lachend: »Maya! Maya!«

Ganz verwirrt und beschämt blieb Dasa stehen, der andere erging sich vor dem Imbiß ein wenig auf dem schmalen Pfad in den Farnen, gemessen und taktfest wandelte er auf und nieder, nach einigen hundert Schritten kam er zurück und ging in seine Hütte, und sein Gesicht war wieder wie immer, anderswohin gekehrt als zur Welt der Erscheinungen. Was war doch dies für ein Lachen gewesen, das dem armen Dasa aus diesem allezeit gleich unbewegten Antlitz geantwortet hatte! Lange hatte er daran zu sinnen. War es wohlwollend oder höhnend gewesen, dieses schreckliche Lachen im Augenblick von Dasas verzweifeltem Geständnis und Flehen, tröstlich oder verurteilend, göttlich oder dämonisch? War es nur das zynische Meckern des Alters gewesen, das nichts mehr ernst zu nehmen vermag, oder die Belustigung des Weisen über fremde Torheit? War es eine Ablehnung, ein Abschied, ein Fortschicken? Oder wollte es ein Rat sein, eine Aufforderung an Dasa, es ihm nachzutun und selber mitzulachen? Er konnte es nicht enträtseln. Noch spät in die Nacht hinein sann er diesem Gelächter nach, zu welchem sein Leben, sein Glück und Elend für diesen Alten geworden zu sein schien, seine Gedanken kauten an diesem Gelächter herum wie an einer harten Wurzel, die aber doch nach irgend etwas schmeckt und duftet. Und eben so kaute und sann und mühte er sich an diesem Wort, das der Alte so hell ausgerufen hatte, so heiter und unbegreiflich vergnügt hatte er es hervorgelacht: »Maya, Maya!« Was das Wort ungefähr meinte, wußte er halb, halb ahnte er es, und auch die

Art, wie der Lachende es ausgerufen hatte, schien einen Sinn erraten zu lassen. Maya, das war Dasas Leben, Dasas Jugend, Dasas Glück und bitteres Elend, Maya war die schöne Pravati, Maya war die Liebe und ihre Lust, Maya das ganze Leben. Dasas Leben und aller Menschen Leben, alles war in dieses alten Yogin Augen Maya, war etwas wie eine Kinderei, ein Schauspiel, ein Theater, eine Einbildung, ein Nichts in bunter Haut, eine Seifenblase, war etwas, worüber man mit einem gewissen Entzücken lachen und was man zugleich verachten, keinesfalls aber ernst nehmen konnte.

War nun aber für den alten Yogin Dasas Leben mit jenem Gelächter und dem Wort Maya erledigt und abgetan, für Dasa selbst war es nicht so, und so sehr er wünschen mochte, selber ein lachender Yogin zu sein und in seinem eigenen Leben nichts als Maya zu erkennen, es war doch seit diesen unruhigen Tagen und Nächten alles wieder in ihm wach und lebendig, was er nach der Erschöpfung der Flüchtlingszeit eine Weile hier in seiner Zuflucht beinahe vergessen zu haben schien. Äußerst gering erschien ihm die Hoffnung, daß er je die Yoga-kunst wirklich erlernen oder gar es dem Alten würde gleichtun können. Dann aber – was hatte dann sein Verweilen in diesem Wald noch für einen Sinn? Es war eine Zuflucht gewesen, er hatte hier ein wenig aufgeatmet und Kräfte gesammelt, war ein wenig zur Besinnung gekommen, auch dies war von Wert, es war schon viel. Und vielleicht war inzwischen draußen im Lande die Jagd nach dem Fürstenmörder aufgegeben worden, und er konnte ohne große Gefahr weiterwandern. Dies be-schloß er zu tun, andern Tages wollte er aufbrechen, die Welt war groß, er konnte nicht immer hier im Schlupfwinkel blei-ben. Der Entschluß gab ihm eine gewisse Ruhe.

Er hatte in der ersten Morgenfrühe aufbrechen wollen, aber als er nach einem langen Schlafe erwachte, war die Sonne schon am Himmel und hatte der Yogin schon seine Versen-kung begonnen, und ohne Abschied mochte Dasa nicht gehen, auch hatte er noch ein Anliegen an ihn. So wartete er Stunde um Stunde, bis der Mann sich erhob, die Glieder reckte und auf und ab zu gehen begann. Da stellte er sich ihm in den Weg, machte Verbeugungen und ließ nicht nach, bis der Yogamei-ster seinen Blick fragend auf ihn richtete. »Meister«, sprach er demütig, »ich ziehe meines Weges weiter, ich werde deine

Ruhe nicht mehr stören. Aber noch dies eine Mal erlaube mir, Hochehrwürdiger, ein Bitte. Als ich dir mein Leben erzählte, hast du gelacht und hast ›Maya‹ gerufen. Ich flehe dich an, laß mich etwas mehr über Maya wissen.«

Der Yogin wandte sich der Hütte zu, sein Blick befahl Dasa, ihm zu folgen. Der Alte griff nach der Wasserschale, reichte sie Dasa hin und hieß ihn seine Hände waschen. Gehorsam tat es Dasa. Dann goß der Meister den Wasserrest aus der Kürbisschale ins Farnkraut, hielt dem Jungen die leere Schüssel hin und befahl ihm, frisches Wasser zu holen. Dasa gehorchte und lief, und Abschiedsgefühle zuckten ihm im Herzen, da er zum letztenmal diesen kleinen Fußpfad zur Quelle ging, zum letztenmal die leichte Schale mit dem glatten, abgegriffenen Rande hinübertrug zu dem kleinen Wasserspiegel, in dem die Hirschzungen, die Wölbungen der Baumkronen und in versprengten lichten Punkten das süße Himmelsblau abgebildet standen, der nun beim Darüberbeugen zum letztenmal auch sein eigenes Gesicht in bräunlichem Dämmer abbildete. Er tauchte die Schale ins Wasser, gedankenvoll und langsam, er fühlte Unsicherheit und konnte nicht ins klare darüber kommen, warum er so Wunderliches empfinde, und warum es ihm, da er doch zu wandern entschlossen war, weh getan habe, daß der Alte ihn nicht eingeladen hatte, noch zu bleiben, vielleicht für immer zu bleiben.

Er kauerte am Rand der Quelle, nahm einen Schluck Wasser, erhob sich vorsichtig mit der Schale, um nichts zu verschütten, und wollte den kurzen Rückweg antreten, da wurde sein Ohr von einem Ton erreicht, der ihn entzückte und entsetzte, von einer Stimme, die er in manchen seiner Träume gehört und an die er manche wache Stunde in bitterster Sehnsucht gedacht hatte. Süß klang sie, süß, kindlich und verliebt lockte sie durch die Dämmerung des Waldes, daß ihm vor Schreck und Lust das Herz schauerte. Es war Pravatis, seiner Frau Stimme. »Dasa«, lockte sie. Ungläubig blickte er um sich, die Wasserschale noch in Händen, und siehe, zwischen den Stämmen tauchte sie auf, schlank und elastisch auf hohen Beinen, Pravati, die Geliebte, Unvergeßliche, Treulose. Er ließ die Schale fallen und lief ihr entgegen. Lächelnd und etwas verschämt stand sie vor ihm, aus den großen Rehaugen aufblickend, und nun aus der Nähe sah er auch, daß sie auf rotledernen Sandalen stand und sehr schöne und reiche Kleider am Leibe trug, einen Goldreifen am Arm und blitzende, farbige, kostbare Steine im schwarzen Haar. Er zuckte zurück. War sie denn noch immer eine Fürstendirne? Hatte er diesen Nala denn nicht erschlagen? Lief sie noch mit seinen Geschenken herum? Wie konnte sie, mit diesen Spangen und Steinen geschmückt, vor ihn treten und seinen Namen rufen?

Sie war aber schöner als je, und ehe er sie zur Rede stellen konnte, mußte er sie doch in die Arme nehmen, die Stirn in ihr Haar senken, ihr Gesicht zu sich empor biegen und ihren Mund küssen, und während er es tat, spürte er, daß alles zu ihm zurückgekehrt und wieder sein war, was er je besessen, das Glück, die Liebe, die Wollust, die Lebenslust, die Leidenschaft. Schon war er in all seinen Gedanken weit ab von diesem Walde und dem alten Einsiedler entfernt, schon war Wald, Einsiedelei, Meditation und Yoga zu nichts geworden und vergessen; auch an des Alten Wasserschale, die er ihm hätte bringen sollen, dachte er nicht mehr. Sie blieb bei der Quelle liegen, als er mit Pravati dem Rande des Waldes zustrebte. Und in aller Eile begann sie ihm zu erzählen, wie sie hierhergekommen und wie alles gegangen sei.

Erstaunlich war, was sie erzählte, erstaunlich, entzückend und märchenhaft, wie in ein Märchen lief Dasa in sein neues Leben hinein. Es war nicht nur Pravati wieder sein, es war nicht nur jener verhaßte Nala tot und die Verfolgung des Mörders längst eingestellt, es war außerdem Dasa, der zum Hirten gewordene einstige Fürstensohn, in der Stadt zum rechtmäßigen Erben und Fürsten erklärt worden, ein alter Hirt und ein alter Brahmane hatten die fast vergessene Geschichte von seiner Aussetzung wieder in Erinnerung und in aller Mund gebracht, und derselbe Mann, den man als den Mörder Nalas eine Weile überall gesucht hatte, um ihn zu foltern und umzubringen, wurde jetzt im ganzen Land noch viel eifriger gesucht, um zum Rajah eingesetzt zu werden und feierlich in die Stadt und den Palast seines Vaters einzuziehen. Es war wie ein Traum, und was dem Überraschten am besten gefiel, war der schöne Glücksfall, daß von allen den umherziehenden Sendboten gerade Pravati es gewesen war, die ihn gefunden und zuerst begrüßt hatte. Am Waldrande fand er Zelte stehen, es roch nach Rauch und Wildbret. Pravati wurde von ihrer Gefolgschaft laut begrüßt, und eine große Festlichkeit nahm alsbald ihren Anfang, als sie Dasa, ihren Gatten, zu erkennen gab. Ein Mann war da, der war Dasas Kamerad bei den Hirten gewesen, und er war es, der Pravati und das Gefolge hierher geführt hatte, an einen der Orte seines früheren Lebens. Der Mann lachte vor Vergnügen, als er Dasa erkannte, er lief auf ihn zu und hätte ihm wohl einen freundschaftlichen Schlag auf die Schulter gegeben oder ihn umarmt, aber jetzt war ja sein Kamerad ein Rajah geworden, mitten im Lauf hielt er wie gelähmt inne, schritt dann langsamer und ehrerbietig weiter und grüßte mit tiefer Verbeugung. Dasa hob ihn auf, umarmte ihn, nannte ihn zärtlich mit Namen und fragte, wie er ihn beschenken könne. Der Hirt wünschte sich ein Kuhkalb, und es wurden ihm deren drei zugesandt aus des Rajahs bester Zucht. Und es wurden dem neuen Fürsten immer neue Leute vorgeführt, Beamte, Oberjäger, Hofbrahmanen, er nahm ihre Begrüßungen entgegen, ein Mahl wurde aufgetragen, Musik von Trommeln, Zupfgeigen und Nasenflöten erscholl, und all diese Festlichkeit und Pracht erschien Dasa wie ein Traum; er konnte nicht richtig daran glauben, wirklich war für ihn vorerst nur Pravati, sein junges Weib, das er in seinen Armen hielt.

In kleinen Tagereisen näherte sich der Zug der Stadt, Läufer waren vorausgeschickt und verbreiteten die frohe Botschaft, daß der junge Rajah aufgefunden und im Anzuge begriffen sei, und als die Stadt sichtbar wurde, war sie schon voll vom Schall der Gongs und Trommeln, und es kam feierlich und weißgekleidet der Zug der Brahmanen ihm entgegen, an seiner Spitze der Nachfolger jenes Vasudeva, welcher einst, vor wohl zwanzig Jahren, Dasa zu den Hirten gesandt hatte und erst vor kurzem gestorben war. Sie begrüßten ihn, sangen Hymnen und hatten vor dem Palast, zu dem sie ihn führten, einige große Opferfeuer entzündet. Dasa wurde in sein Haus gebracht, neue Begrüßungen und Huldigungen, Segens- und Willkommenssprüche empfingen ihn auch hier. Draußen feierte die Stadt bis in die Nacht ein Freudenfest.

Von zwei Brahmanen jeden Tag unterrichtet, lernte er in kurzer Zeit, was an Wissenschaften unentbehrlich schien, wohnte den Opfern bei, sprach Recht und übte sich in den ritterlichen und kriegerischen Künsten. Der Brahmane Gopala führte ihn in die Politik ein; er erzählte ihm, wie es um ihn, um sein Haus und dessen Rechte, um die Ansprüche seiner künftigen Söhne stehe und was für Feinde er habe. Da war nun vor allem die Mutter Nalas zu nennen, sie, welche einstmals den Prinzen Dasa seiner Rechte beraubt und ihm nach dem Leben getrachtet hatte, und welche jetzt in Dasa auch noch den Mörder ihres Sohnes hassen mußte. Sie war geflohen, hatte sich in den Schutz des Nachbarfürsten Govinda begeben und lebte in dessen Palast, und dieser Govinda und sein Haus waren von jeher Feinde und gefährlich, sie waren schon mit Dasas Voreltern im Krieg gelegen und erhoben Anspruch auf gewisse Teile seines Gebietes. Dagegen war der Nachbar im Süden, der Fürst von Gaipali, mit Dasas Vater befreundet gewesen und hatte den umgekommenen Nala nie leiden mögen; ihn zu besuchen, zu beschenken und zur nächsten Jagd einzuladen, war eine wichtige Pflicht.

Frau Pravati war in ihren adligen Stand schon völlig hineingewachsen, sie verstand es, als Fürstin aufzutreten, und sah in ihren schönen Gewändern und mit ihrem Schmuck ganz wunderbar aus, als wäre sie von nicht minder hoher Geburt als ihr Herr und Gatte. In glücklicher Liebe lebten sie Jahr um Jahr, und ihr Glück gab ihnen einen gewissen Glanz und Schimmer wie solchen, welche von den Göttern bevorzugt werden, daß das Volk sie verehrte und liebte. Und als ihm, nachdem er sehr lange vergeblich darauf gewartet hatte, nun Pravati einen schönen Sohn gebar, den er nach seinem eigenen Vater Ravana nannte, war sein Glück vollkommen, und was er besaß an Land und Macht, an Häusern und Ställen, Milchkammern, Rindvieh und Pferden, dem wurde in seinen Augen jetzt eine verdoppelte Bedeutung und Wichtigkeit, ein erhöhter Glanz und Wert zuteil: all dies Besitztum war schön und erfreulich gewesen, um Pravati zu umgeben, zu kleiden, zu schmücken und ihr zu huldigen, und war jetzt noch weit schöner, erfreulicher und wichtiger als Erbe und Zukunftsglück des Sohnes Ravana.

Hatte Pravati ihr Vergnügen hauptsächlich an Festen, Aufzügen, an Pracht und Üppigkeit in Kleidung, Schmuck und großer Dienerschaft, so waren Dasas bevorzugte Freuden die an seinem Garten, wo er seltene und kostbare Bäume und Blumen hatte pflanzen lassen, auch Papageien und andres buntes Gevögel angesiedelt hielt, das zu füttern und mit welchem sich zu unterhalten zu seinen täglichen Gewohnheiten gehörte. Daneben zog die Gelehrsamkeit ihn an, als dankbarer Schüler der Brahmanen lernte er viele Verse und Sprüche, Lese- und Schreibkunst, und hielt einen eigenen Schreiber, der die Zubereitung des Palmblattes zur Schreibrolle verstand und unter dessen zarten Händen eine kleine Bibliothek zu entstehen begann. Hier bei den Büchern, in einem kleinen kostbaren Raume mit Wänden aus edlem Holz, das ganz zu figurenreichen und zum Teil vergoldeten Bildwerken vom Leben der Götter ausgeschnitzt war, ließ er zuweilen eingeladene Brahmanen, die Auslese der Gelehrten und Denker unter den Priestern, miteinander über heilige Gegenstände disputieren, über die Weltschöpfung und die Maya des großen Vishnu, über die heiligen Veden, über die Kraft der Opfer und die noch größere Gewalt der Buße, durch welche ein sterblicher Mensch es dahin bringen konnte, daß die Götter aus Furcht vor ihm erzitterten. Jene Brahmanen, welche am besten geredet, disputiert und argumentiert hatten, erhielten stattliche Geschenke, mancher führte als Preis für eine siegreiche Disputation eine schöne Kuh hinweg, und es hatte zuweilen etwas zugleich Lächerliches und Rührendes, wenn die großen Gelehrten, welche noch eben die Sprüche der Veden aufgesagt und erläutert und sich in allen Himmeln und Weltmeeren ausgekannt hatten, stolz und gebläht mit ihren Ehrengaben abzogen oder ihretwegen etwa auch in eifersüchtigen Zank gerieten.

Überhaupt wollte dem Fürsten Dasa inmitten seiner Reichtümer, seines Glückes, seines Gartens, seiner Bücher zu manchen Zeiten alles und jedes, was zum Leben und Menschenwesen gehört, wunderlich und zweifelhaft erscheinen, rührend zugleich und lächerlich wie jene eitelweisen Brahmanen, hell zugleich und finster, begehrenswert zugleich und verachtenswert. Weidete er seinen Blick an den Lotosblumen auf den Teichen seines Gartens, an den glänzenden Farbenspielen im Gefieder seiner Pfauen, Fasane und Nashornvögel, an den vergoldeten Schnitzereien des Palastes, so konnten diese Dinge ihm manchmal wie göttlich erscheinen, wie durchglüht von ewigem Leben, und andere Male, ja gleichzeitig empfand er in ihnen etwas Unwirkliches, Unzuverlässiges, Fragwürdiges, eine Neigung zu Vergänglichkeit und Auflösung, eine Bereitschaft zum Zurücksinken ins Ungestaltete, ins Chaos. So wie er selbst, der Fürst Dasa, ein Prinz gewesen, ein Hirte geworden, zum Mörder und Vogelfreien hinabgesunken und endlich wieder zum Fürsten emporgestiegen war, unbekannt durch welche Mächte geleitet und veranlaßt, ungewiß des Morgen und Übermorgen, so enthielt das Mayaspiel des Lebens überall zugleich das Hohe und das Gemeine, die Ewigkeit und den Tod, die Größe und das Lächerliche. Sogar sie, die Geliebte, sogar die schöne Pravati war ihm einige Male für Augenblicke entzaubert und lächerlich erschienen, hatte allzu viele Ringe um die Arme, allzuviel Stolz und Triumph in den Augen, allzuviel Bemühen um Würde in ihrem Gang gehabt.

Lieber noch als sein Garten und seine Bücher war ihm Ravana, sein Söhnchen, die Erfüllung seiner Liebe und seines Daseins, Ziel seiner Zärtlichkeit und Sorge, ein zartes schönes Kind, ein echter Prinz, rehäugig wie die Mutter und zur Nachdenklichkeit und Träumerei neigend wie der Vater. Manches Mal, wenn dieser den Kleinen im Garten lang vor einem der Zierbäume stehen oder ihn auf einem Teppich kauern sah, in die Betrachtung eines Steines, eines geschnitzten Spielzeuges oder einer Vogelfeder vertieft, mit etwas emporgezogenen Brauen und stillen, etwas abwesend starren Augen, dann schien ihm, daß dieser Sohn ihm sehr ähnlich sei. Wie sehr er ihn liebte, das erkannte Dasa einst, als er ihn zum erstenmal für ungewisse Zeit verlassen mußte.

Es war eines Tages nämlich ein Eilbote aus jenen Gegenden eingetroffen, wo sein Land an das Land Govindas, des Nachbarn, stieß, und hatte gemeldet, daß Leute des Govinda dort eingebrochen seien, Vieh geraubt und auch eine Anzahl Menschen gefangen und mit hinweg geführt hätten. Unverzüglich hatte Dasa sich bereitgemacht, hatte den Obersten der Leibwache, einige Dutzend Pferde und Leute mitgenommen und sich an die Verfolgung der Räuber gemacht; und damals, als er im Augenblick vor dem Davonreiten sein Söhnchen auf die Arme genommen und geküßt hatte, war die Liebe in seinem Herzen wie ein feuriger Schmerz emporgelodert. Und aus diesem feurigen Schmerz, dessen Gewalt ihn überraschte und wie eine Mahnung aus dem Unbekannten her berührte, war auch während des langen Rittes eine Erkenntnis, ein Verständnis geworden. Im Reiten nämlich beschäftigte ihn das Nachsinnen darüber, aus welcher Ursache er denn zu Rosse sitze und so streng und eilig ins Land hineinsprenge; welche Macht es denn eigentlich sei, die ihn zu solcher Tat und Bemühung zwinge. Er hatte nachgedacht und hatte erkannt, daß es ihm im Grunde seines Herzens nicht wichtig sei und nicht eben weh tue, wenn irgenwo an der Grenze ihm Vieh und Menschen geraubt wurden, daß der Diebstahl und die Beleidigung seiner Fürstenrechte nicht hinreichen würden, ihn zu Zorn und Tat zu entflammen, und daß es ihm gemäßer gewesen wäre, die Nachricht vom Viehraub mit einem mitleidigen Lächeln abzutun. Damit jedoch, das wußte er, hätte er dem Boten, der mit seiner Botschaft bis zur Erschöpfung gerannt war, bitter Unrecht getan, und nicht weniger den Menschen, welche beraubt worden, und jene, welche gefangen, weggeführt und aus ihrer Heimat und ihrem friedlichen Leben in Fremde und Sklaverei verschleppt worden waren. Ja, auch allen seinen anderen Untertanen, welchen kein Haar gekrümmt worden war, hätte er mit einem Verzicht auf kriegerische Rache Unrecht getan, sie hätten es schwer ertragen und nicht begriffen, daß ihr Fürst sein Land nicht besser beschütze, so daß keiner von ihnen, sollte einmal auch ihm Gewalttat geschehen, auf Rache und Hilfe hätte zählen dürfen. Er sah ein, es sei seine Pflicht, diesen Racheritt zu tun. Aber was ist Pflicht? Wie viele Pflichten gibt es, die wir oft und ohne jede Herzensregung verabsäumen! Woran lag es nun, daß diese Rachepflicht keine von den gleichgültigen war, daß er sie nicht verabsäumen konnte, daß er sie nicht nur lässig und mit halbem Herzen vollzog, sondern eifrig und mit Leidenschaft? Kaum war die Frage in ihm aufgestiegen, so hatte sein Herz schon Antwort gegeben, indem es nochmals von jenem Schmerz durchzuckt wurde wie beim Abschied von Ravana, dem Prinzen. Würde der Fürst, so erkannte er jetzt, sich Vieh und Leute rauben lassen, ohne Widerstand zu leisten, so würde Raub und Gewalttat von den Grenzen seines Landes her immer näherrücken, und zuletzt würde der Feind dicht vor ihm selbst stehen und würde ihn dort treffen, wo er des größten und bittersten Schmerzes fähig war: in seinem Sohne! Sie würden ihm den Sohn rauben, den Nachfolger, würden ihn rauben und töten, vielleicht unter Qualen, und dies wäre das Äußerste an Leid, was er je erfahren könnte, noch schlimmer, weit schlimmer als selbst Pravatis Tod. Und darum also ritt er so eifrig dahin und war ein so pflichttreuer Fürst. Er war es nicht aus Empfindlichkeit gegen Verlust an Vieh und Land, nicht aus Güte für seine Untertanen, nicht aus Ehrgeiz für seines Vaters Fürstennamen, er war es aus heftiger, schmerzlicher, unsinniger Liebe zu diesem Kinde, und aus heftiger, unsinniger Furcht vor dem Schmerz, den der Verlust dieses Kindes ihm bereiten würde.

So weit war er auf jenem Ritt mit seinen Einsichten gekommen. Übrigens war es ihm nicht gelungen, die Leute Govindas einzuholen und zu bestrafen, sie waren samt ihrem Raub entkommen, und um seinen festen Willen zu zeigen und seinen Mut zu beweisen, mußte er nun selbst über die Grenze brechen und dem Nachbarn ein Dorf beschädigen, einiges Vieh und einige Sklaven hinwegführen. Manche Tage war er ausgeblieben, auf dem siegreichen Heimritt aber hatte er sich wieder einem tiefen Nachdenken hingegeben und war sehr still und wie traurig nach Hause zurückgekehrt, denn im Nachdenken hatte er erkannt, wie fest und völlig ohne Hoffnung auf Entrinnen er mit seinem ganzen Wesen und Tun in einem tückischen Netz gefangen und eingeschnürt sei. Während seine Neigung zum Denken, sein Bedürfnis nach stiller Betrachtung und nach einem tatlosen und unschuldigen Leben beständig wuchs und wuchs, wuchs von der andern Seite her, aus der Liebe zu Ravana und aus der Angst und Sorge um ihn, um sein Leben und seine Zukunft, ganz ebenso der Zwang zu Tat und Verstrickung, aus der Zärtlichkeit wuchs Streit, aus der Liebe Krieg; schon hatte er, wenn auch nur um gerecht zu sein und zu strafen, eine Herde geraubt, ein Dorf in Todesangst gejagt und arme, unschuldige Menschen gewaltsam fortgeschleppt, und daraus würde natürlich wieder neue Rache und Gewalttat wachsen, und so immer weiter, bis sein ganzes Leben und sein ganzes Land nur noch Krieg und Gewalttat und Waffenlärm sein würde. Diese Einsicht oder Vision war es, die ihn bei jeder Heimkehr so still gemacht und traurig hatte erscheinen lassen.

Und in der Tat gab der feindselige Nachbar keine Ruhe. Er wiederholte seine Einfälle und Raubzüge. Dasa mußte zu Strafe und Gegenwähr ausziehen und mußte, wenn der Feind sich ihm entzog, es dulden, daß seine Soldaten und Jäger dem Nachbarn neue Schäden zufügten. In der Hauptstadt sah man mehr und mehr Berittene und Bewaffnete, in manchen Grenzdörfern lagen jetzt ständig Soldaten zur Bewachung, kriegerische Beratungen und Vorbereitungen machten die Tage unruhig. Dasa vermochte nicht einzusehen, welchen Sinn und Nutzen der ewige Kleinkrieg haben möge, es tat ihm leid um die Leiden der Betroffenen, um das Leben der Getöteten, es tat ihm leid um seinen Garten und seine Bücher, die er mehr und mehr versäumen mußte, um den Frieden seiner Tage und seines Herzens. Er sprach mit Gopala, dem Brahmanen, häufig darüber und einige Male auch mit seiner Gattin Pravati. Man müßte, so sagte er, dahin streben, daß einer der angesehenen Nachbarfürsten als Schiedsrichter angerufen werde und Frieden stifte, und er für sein Teil werde gern darein willigen, etwa durch Nachgiebigkeit und Abtrennung einiger Weiden und Dörfer den Frieden herbeiführen zu helfen. Er war enttäuscht und etwas unwillig, als er sah, daß weder der Brahmane noch Pravati davon etwas wissen wollte.

Mit Pravati führte der Meinungsstreit hierüber zu einer sehr heftigen Auseinandersetzung, ja zu einer Entzweiung. Eindringlich und beschwörend tat er ihr seine Gründe und Gedanken kund, sie aber empfand jedes Wort, als sei es nicht gegen den Krieg und das unnütze Morden, sondern einzig gegen ihre Person gerichtet. Es sei, so belehrte sie ihn in einer glühenden und wortreichen Rede, es sei ja gerade des Feindes Absicht, Dasas Gutmütigkeit und Friedensliebe (um nicht zu sagen, seine Angst vor dem Krieg) zu seinem Vorteil auszunutzen, er werde ihn dazu bringen, Frieden um Frieden zu schließen, und jeden mit kleinen Abtretungen an Gebiet und Volk zu bezahlen, und am Ende werde er keineswegs etwa zufrieden sein, sondern werde, sobald Dasa genügend geschwächt sei, zum offenen Krieg übergehen und ihm auch das Letzte noch rauben. Es gehe hier nicht um Herden und Dörfer, um Vorteile und Nachteile, sondern ums Ganze, es gehe um Bestand oder Vernichtung. Und wenn Dasa nicht wisse, was er seiner Würde, seinem Sohn und seinem Weibe schuldig sei, so müsse sie es ihn lehren. Ihre Augen flammten, ihre Stimme bebte, er hatte sie seit langem nie mehr so schön und leidenschaftlich gesehen, aber er empfand nur Trauer.

Inzwischen gingen die Grenzüberfälle und Friedensbrüche weiter, erst die große Regenzeit setzte ihnen vorläufig ein Ende. An Dasas Hofe aber gab es jetzt zwei Parteien. Die eine, die Friedenspartei, war ganz klein, außer Dasa selbst gehörten ihr nur wenige von den älteren Brahmanen an, gelehrte und in ihre Meditationen versponnene Männer. Die Kriegspartei aber, Pravatis und Gopalas Partei, hatte die Mehrzahl der Priester und alle Offiziere auf ihrer Seite. Man rüstete eifrig und wußte, daß drüben der feindliche Nachbar dasselbe tat. Der Knabe Ravana wurde vom Oberjäger im Bogenschießen unterrichtet, und seine Mutter nahm ihn zu jeder Truppenschau mit.

Manchmal gedachte zu jener Zeit Dasa des Waldes in dem er einst als armer Flüchtling eine Weile gelebt hatte, und des weißhaarigen Alten, der dort als Einsiedler der Versenkung lebte. Manchmal gedachte er seiner und fühlte das Verlangen, ihn aufzusuchen, ihn wiederzusehen und seinen Rat zu hören. Doch wußte er nicht, ob der Alte noch lebe, noch ob er ihn anhören und ihm Rat geben würde, und lebte er auch noch wirklich und gäbe ihm Rat, so würde doch alles seinen Gang gehen und nichts daran zu ändern sein. Versenkung und Weisheit waren gute, waren edle Dinge, aber es schien, sie gediehen nur abseits, am Rande des Lebens, und wer im Strom des Lebens schwamm und mit seinen Wellen kämpfte, dessen Taten und Leiden hatten nichts mit der Weisheit zu tun, sie ergaben sich, waren Verhängnis, mußten getan und erlitten sein. Auch die Götter lebten nicht in ewigem Frieden und ewiger Weisheit, auch sie kannten Gefahr und Furcht, Kampf und Schlacht, er wußte es aus vielen Erzählungen. So ergab sich Dasa, stritt nicht mehr mit Pravati, ritt zur Truppenschau, sah den Krieg kommen, spürte ihn in aufreibenden nächtlichen Träumen voraus, und indem seine Gestalt magerer und sein Gesicht dunkler wurde, sah er das Glück und die Lust seines Lebens hinabwelken und erblassen. Es blieb nur die Liebe zu seinem Knaben, sie wuchs mit der Sorge, wuchs mit den Rüstungen und Truppenübungen, sie war die rote brennende Blume in seinem verödenden Garten. Er wunderte sich darüber, wieviel an Leere und Freudlosigkeit man ertragen, wie sehr man sich an Sorge und Unlust gewöhnen könne, und wunderte sich auch darüber, wie brennend und beherrschend in einem scheinbar leidenschaftslos gewordenen Herzen solch eine ängstliche und sorgenvolle Liebe blühen könne. War sein Leben vielleicht sinnlos, so war es doch nicht ohne Kern und Mitte, es drehte sich um die Liebe zum Sohn. Seinetwegen erhob er sich des Morgens vom Lager und brachte seinen Tag mit Beschäftigungen und Mühewaltungen hin, deren Ziel der Krieg und deren jede ihm zuwider war. Seinetwegen leitete er die Beratungen der Führer mit Geduld und stemmte sich den Beschlüssen der Mehrheit nur so weit entgegen, daß man wenigstens abwartete und sich nicht völlig unbesonnen ins Abenteuer stürzte.

Wie seine Lebensfreude, sein Garten, seine Bücher ihm allmählich fremd und untreu geworden waren, oder er ihnen, so ward ihm fremd und untreu auch die, die so manche Jahre das Glück und die Lust seines Lebens gewesen war. Mit der Politik hatte es begonnen, und damals, als sie ihm jene leidenschaftliche Rede hielt, in der Pravati seine Scheu vor Versündigung und seine Liebe zum Frieden beinah offen als Feigheit verhöhnte und mit geröteten Wangen in glühenden Worten von Fürstenehre, Heldentum und erlittener Schmach redete, damals hatte er betroffen und mit einem Gefühl von Schwindel plötzlich gefühlt und gesehen, wie weit seine Frau sich von ihm entfernt habe oder er von ihr. Und seitdem war die Kluft zwischen ihnen größer geworden und wuchs noch immer, ohne daß eines von ihnen etwas tat, um es zu hindern. Vielmehr: es war Dasa, dem es zugestanden hätte, etwas dergleichen zu tun, denn die Kluft war eigentlich nur ihm sichtbar, und sie wurde in seiner Vorstellung immer mehr zur Kluft aller Klüfte, zum Weltabgrund zwischen Mann und Weib, zwischen Ja und Nein, zwischen Seele und Leib. Wenn er zurück sann, so glaubte er alles völlig klar zu sehen: wie Pravati einst, die zauberisch Schöne, ihn verliebt gemacht und mit ihm gespielt hatte, bis er sich von seinen Kameraden und Freunden, den Hirten, und von seinem bisher so heiteren Hirtenleben schied und ihretwegen in der Fremde und Dienstbarkeit lebte, Schwiegersohn im Hause unguter Leute, die seine Verliebtheit ausnutzten, um ihn für sie arbeiten zu lassen. Dann war jener Nala erschienen, und sein Unglück hatte begonnen. Nala hatte sich seines Weibes bemächtigt, der reiche schmucke Rajah mit seinen schönen Kleidern und Zelten, seinen Pferden und Dienern hatte die arme, keines Prunkes gewöhnte Frau verführt, das konnte ihm ja wenig Mühe gekostet haben. Aber – hätte er sie wohl wirklich so rasch und leicht verführen können, wenn sie im Innersten treu und züchtig gewesen wäre? Nun, der Rajah hatte sie also verführt, oder eben genommen, und hatte ihm den häßlichsten Schmerz angetan, den er bis dahin erlebt hatte. Er aber, Dasa, hatte Rache genommen, erschlagen hatte er den Dieb seines Glücks, das war ein Augenblick hohen Triumphes gewesen. Doch hatte er, kaum war die Tat geschehen, die Flucht antreten müssen; Tage, Wochen und Monate hatte er im Busch und den Binsen gelebt, vogelfrei, keinem Menschen trauend. Und was hatte Pravati in jener Zeit getan? Es war zwischen ihnen niemals viel die Rede davon gewesen. Jedenfalls: ihm nachgeflohen war sie nicht, ihn gesucht und gefunden hatte sie erst dann, als er seiner Geburt wegen zum Fürsten ausgerufen worden war und sie seiner bedurfte, um den Thron zu besteigen und den Palast zu beziehen. Da war sie erschienen, aus dem Walde und der Nachbarschaft des ehrwürdigen Einsiedlers hatte sie ihn hinweggeholt, man hatte ihn mit schönen Kleidern geschmückt und zum Rajah gemacht, und es war alles eitel Glanz und Glück gewesen – aber in Wirklichkeit: was hatte er damals verlassen, und was dafür eingetauscht? Eingetauscht hatte er den Glanz und die Pflichten des Fürsten, Pflichten, die anfangs leicht gewesen und seither immer schwerer und schwerer geworden waren, eingetauscht hatte er den Wiedergewinn der schönen Gattin, die süßen Liebesstunden mit ihr, und dann den Sohn, die Liebe zu ihm und die zunehmende Sorge um sein bedrohtes Leben und Glück, so daß jetzt der Krieg vor den Toren stand. Dies war es, was Pravati ihm zugebracht hatte, als sie ihn damals im Wald bei der Quelle entdeckte. Was aber hatte er dafür verlassen und hingegeben? Verlassen hatte er den Frieden des Waldes, einer frommen Einsamkeit, hingegeben hatte er die Nachbarschaft und das Vorbild eines heiligen Yogin, hingegeben die Hoffnung auf seine Schülerschaft und Nachfolge, auf die tiefe, strahlende, unerschütterliche Seelenruhe des Weisen, die Befreiung aus den Kämpfen und Leidenschaften des Lebens. Verführt von Pravatis Schönheit, bestrickt vom Weib und angesteckt von ihrem Ehrgeiz, hatte er den Weg verlassen, auf welchem allein die Freiheit und der Friede gewonnen wird. So wollte seine Lebensgeschichte ihm heute erscheinen, und in der Tat ließ sie sich ganz leicht so deuten, es bedurfte nur weniger Vertuschungen und Weglassungen, um es so zu sehen. Weggelassen hatte er unter anderen den Umstand, daß er noch keineswegs jenes Einsiedlers Schüler, ja schon im Begriff gewesen war, ihn freiwillig wieder zu verlassen. So verschieben sich die Dinge leicht beim Blick nach rückwärts.

Ganz anders sah Pravati diese Dinge, obwohl sie weit weniger als ihr Gatte sich solchen Gedanken hingab. Über jenen Nala machte sie sich keine Gedanken. Dagegen war, wenn ihre Erinnerung sie nicht trog, sie allein es gewesen, welche Dasas Glück begründet und herbeigeführt, ihn wieder zum Rajah gemacht, ihn mit dem Sohn beschenkt, ihn mit Liebe und Glück überschüttet hatte, um ihn am Ende ihrer Größe nicht gewachsen, ihrer stolzen Pläne unwürdig zu finden. Denn ihr war es klar, daß der kommende Krieg zu nichts anderem führen konnte als zu Govindas Vernichtung und zur Verdoppelung ihrer Macht und ihres Besitzes. Statt sich dessen zu freuen und eifrigst daran mitzuarbeiten, sträubte sich aber Dasa, unfürstlich genug, wie ihr schien, gegen Krieg und Eroberung, und wäre am liebsten tatenlos bei seinen Blumen, Bäumen, Papageien und Büchern alt geworden. Da war Vishwamitra ein anderer Mann, der Oberbefehlshaber der Reiterei und nächst ihr selbst der glühendste Parteigänger und Werber für den baldigen Krieg und Sieg. Jeder Vergleich zwischen den beiden mußte zu seinen Gunsten ausfallen.

Dasa sah es wohl, wie sehr sein Weib sich mit diesem Vishwamitra befreundet hatte, wie sehr sie ihn bewunderte und sich von ihm bewundern ließ, diesem heiteren und tapferen, vielleicht etwas oberflächlichen, vielleicht auch nicht allzu klugen Offizier mit dem kräftigen Lachen, den schönen starken Zähnen und dem gepflegten Barte. Er sah es mit Bitterkeit und zugleich mit Verachtung, mit einer höhnischen Gleichgültigkeit, die er sich selber vortäuschte. Er spionierte nicht und begehrte nicht zu wissen, ob die Freundschaft dieser beiden die Grenzen des Erlaubten und Anständigen innehalte oder nicht. Er sah dieser Verliebtheit Pravatis in den hübschen Reiter, dieser ihrer Gebärde, mit der sie ihm vor dem allzu wenig heldischen Gatten den Vorzug gab, mit derselben äußerlich gleichgültigen, innen aber bitteren Gelassenheit zu, mit welcher er sich gewöhnt hatte, alle Geschehnisse anzusehen. Ob dies nun eine Untreue und ein Verrat war, den die Gattin an ihm zu begehen entschlossen schien, oder nur ein Ausdruck ihrer Geringschätzung für Dasas Gesinnungen, es war einerlei, es war da und entwickelte sich und wuchs heran, wuchs ihm entgegen wie der Krieg und wie das Verhängnis, es gab dagegen kein Mittel und gab davor keine andere Haltung als die des Hinnehmens, des gelassenen Ertragens, das war nun einmal, statt des Angreifens und Eroberns, Dasas Art von Mannes- und von Heldentum.

Mochte nun Pravatis Bewunderung für den Reiterhauptmann oder die seine für sie, sich innerhalb des Gesitteten und Erlaubten halten oder nicht, in jedem Falle war Pravati, das verstand er, weniger schuldig als er selbst. Er, Dasa, der Denker und Zweifler, neigte zwar sehr dazu, die Schuld am Dahinschwinden seines Glückes bei ihr zu suchen oder sie doch mit verantwortlich dafür zu machen, daß er in all das hineingeraten und verstrickt worden war, in die Liebe, in den Ehrgeiz, in die Racheakte und Räubereien, ja er machte das Weib, die Liebe und die Wollust in seinen Gedanken verantwortlich für alles auf Erden, für den ganzen Tanz, die ganze Jagd der Leidenschaften und Begehrungen, des Ehebruchs, des Todes, des Mordes, des Krieges. Aber dabei wußte er sehr wohl, daß Pravati nicht schuldig und Ursache, sondern selbst Opfer sei, daß sie weder ihre Schönheit noch seine Liebe zu ihr selbst gemacht und zu verantworten habe, daß sie nur ein Stäubchen im Sonnenstrahl, eine Welle im Strome war, und daß es allein seine Sache gewesen wäre, dem Weib und der Liebe, dem Glückshunger und Ehrgeiz sich zu entziehen und entweder ein zufriedener Hirt unter Hirten zu bleiben oder auf dem geheimen Wege des Yoga das Unzulängliche in sich zu überwinden. Er hatte es versäumt, er hatte versagt, er war zum Großen nicht berufen oder hatte seiner Berufung nicht Treue gehalten, und sein Weib war am Ende im Recht, wenn sie einen Feigling in ihm sah. Dafür hatte er von ihr diesen Sohn bekommen, diesen schönen, zarten Knaben, um den ihm so bange war und dessen Dasein doch immer noch seinem Leben Sinn und Wert verlieh, ja ein großes Glück war, ein schmerzendes und banges Glück zwar, aber doch eben ein Glück, sein Glück. Dies Glück nun bezahlte er mit dem Weh und der Bitterkeit in seinem Herzen, mit der Bereitschaft zu Krieg und Tod, mit dem Bewußtsein, einem Verhängnis entgegenzugehen. Drüben in seinem Lande saß der Rajah Govinda, beraten und angefacht von der Mutter jenes erschlagenen Nala, jenes Verführers unguten Angedenkens, immer häufiger und frecher wurden Govindas Einbrüche und Herausforderungen; einzig ein Bündnis mit dem mächtigen Rajah von Gaipali hätte Dasa stark genug machen können, um Frieden und nachbarliche Verträge zu erzwingen. Aber dieser Rajah, obschon Dasa wohlgesinnt, war doch mit Govinda verwandt und hatte sich aufs höflichste jedem Versuche, ihn für solches Bündnis zu gewinnen, entzogen. Es gab kein Entweichen, keine Hoffnung auf Vernunft oder Menschlichkeit, das Verhängte kam näher und mußte erlitten werden. Beinahe sehnte nun Dasa selbst sich nach dem Kriege, nach dem Ausbruch der gesammelten Blitze und einer Beschleunigung der Geschehnisse, welchen ja doch nicht mehr vorzubeugen war. Er suchte nochmals den Fürsten von Gaipali auf, tauschte ergebnislos Artigkeiten mit ihm, drang auf Rat und Mäßigung und Geduld, aber er tat es längst ohne Hoffnung; im übrigen rüstete er. Der Meinungskampf im Rat ging jetzt einzig noch darum, ob man einen nächsten Einbruch des Feindes mit dem Einmarsch in dessen Land und mit dem Krieg beantworten oder den feindlichen Hauptangriff erwarten solle, damit immerhin jener vor dem Volk und aller Welt der Schuldige und Friedensbrecher bleibe.

Der Feind, um solche Fragen nicht bekümmert, machte dem Erwägen, Beraten und Zögern ein Ende und schlug eines Tages zu. Er inszenierte einen größeren Raubüberfall, welcher Dasa samt dem Reiterhauptmann und seinen besten Leuten schleunigst an die Grenze lockte, und während sie unterwegs waren, fiel er mit seiner Hauptmacht ins Land und unmittelbar in Dasas Stadt, nahm die Tore und belagerte den Palast. Als Dasa es erfuhr und alsbald umkehrte, wußte er seine Frau und seinen Sohn im bedrohten Palast eingeschlossen, in den Gassen aber blutige Kämpfe im Gang, und das Herz zog sich ihm in grimmigem Weh zusammen, wenn er der Seinen dachte und der Gefahren, in denen sie schwebten. Nun war er kein widerwilliger und vorsichtiger Kriegsherr mehr, er flammte auf in Schmerz und Wut, jagte mit seinen Leuten in wilder Eile heimwärts, fand die Schlacht durch alle Straßen wogen, hieb sich zum Palast durch, stellte den Feind und kämpfte wie ein Rasender, bis er mit der Dämmerung des blutigen Tages erschöpft und mit mehreren Wunden zusammenbrach.

Als er wieder zum Bewußtsein erwachte, fand er sich als

Gefangenen, die Schlacht war verloren, Stadt und Palast waren in den Händen der Feinde. Gebunden wurde er vor Govinda gebracht, er begrüßte ihn spöttisch und führte ihn in ein Gemach; es war jenes Gemach mit den geschnitzten und vergoldeten Wänden und den Schriftrollen. Hier saß auf einem der Teppiche aufrecht und mit versteinertem Gesicht sein Weib Pravati, bewaffnete Wachen hinter ihr, und im Schoße hatte sie den Knaben liegen; wie eine gebrochene Blume lag die zarte Gestalt, tot, das Gesicht grau, das Gewand von Blut durchtränkt. Die Frau wandte sich nicht, als ihr Gatte hereingeführt wurde, sie sah ihn nicht an, sie starrte ohne Ausdruck auf den kleinen Toten; sie erschien Dasa sonderbar verändert, erst nach einer Weile merkte er, daß ihr Haar, das er vor Tagen noch tiefschwarz gekannt hatte, überall grau schimmerte. Schon lange Zeit mochte sie so sitzen, den Knaben auf dem Schoß, erstarrt, das Gesicht eine Maske.

»Ravana!« rief Dasa, »Ravana, mein Kind, meine Blume!« Er kniete nieder, sein Gesicht sank auf das Haupt des Toten; wie ein Betender kniete er vor der stummen Frau und dem Kinde, beide beklagend, beiden huldigend. Er roch den Blut- und Todesgeruch, vermischt mit dem Duft des Blumenöles, mit dem das Haar des Kindes gesalbt war. Mit erfrorenem Blick starrte Pravati auf sie beide hinab.

Es berührte ihn jemand an der Schulter, es war einer von Govindas Hauptleuten, der hieß ihn aufstehen und führte ihn hinweg. Er hatte kein Wort an Pravati gerichtet, sie keines an ihn.

Gebunden legte man ihn auf einen Wagen und brachte ihn nach der Stadt Govindas in einen Kerker, seine Fesseln wurden zum Teil gelöst, ein Soldat brachte einen Wasserkrug und stellte ihn auf den Steinboden, man ließ ihn allein, schloß und verriegelte die Tür. Eine Wunde an seiner Schulter brannte wie Feuer. Er tastete nach dem Wasserkrug und benetzte sich Hände und Gesicht. Auch trinken hätte er mögen, doch unterließ er es; er würde dann, so dachte er, rascher sterben. Wie lange würde das noch dauern, wie lange! Er sehnte sich nach dem Tode, wie seine trockene Kehle sich nach Wasser sehnte. Erst mit dem Tode würde die Folter in seinem Herzen ein Ende nehmen, erst dann würde das Bild der Mutter mit dem toten Sohn in ihm erlöschen. Aber mitten in aller Qual erbarmte sich seiner die Müdigkeit und Schwäche, er sank hin und schlummerte ein.

Indem er aus diesem kurzen Schlummer wieder empordämmerte, wollte er betäubt sich die Augen reiben, konnte es aber nicht; seine Hände waren beide schon beschäftigt, sie hielten etwas fest, und da er sich ermunterte und die Augen aufriß, waren keine Kerkermauern um ihn her, sondern grünes Licht floß hell und kräftig über Blattwerk und Moos, er blinzelte lange, das Licht traf ihn wie ein lautloser, aber heftiger Schlag, ein Gruseln und zuckender Schrecken ging ihm durch Nacken und Rücken, nochmals blinzelte er, verzog wie greinend das Gesicht und riß die Augen weit auf. Er stand in einem Walde und hielt in beiden Händen eine mit Wasser gefüllte Schale, zu seinen Füßen spiegelte braun und grün das Becken einer Quelle, drüben wußte er hinter dem Farndickicht die Hütte stehen und den Yogin warten, der ihn nach Wasser geschickt hatte, jenen, der so wunderlich gelacht und den er gebeten hatte, ihn etwas über Maya wissen zu lassen. Er hatte weder eine Schlacht noch einen Sohn verloren, er war weder Fürst noch Vater gewesen; wohl aber hatte der Yogin seinen Wunsch erfüllt und ihn über Maya belehrt: Palast und Garten, Bücherei und Vogelzucht, Fürstensorgen und Vaterliebe, Krieg und Eifersucht, Liebe zu Pravati und heftiges Mißtrauen gegen sie, alles war Nichts – nein, nicht Nichts, es war Maya gewesen! Dasa stand erschüttert, es liefen ihm Tränen über die Wangen, in seinen Händen zitterte und schwankte die Schale, die er soeben für den Einsiedler gefüllt hatte, es floß Wasser über den Rand und über seine Füße. Ihm war, als habe man ihm ein Glied abgeschnitten, etwas aus seinem Kopfe entfernt, es war Leere in ihm, plötzlich waren ihm gelebte lange Jahre, gehütete Schätze, genossene Freuden, erlittene Schmerzen, erduldete Angst, bis zur Todesnähe gekostete Verzweiflung wieder weggenommen, ausgelöscht und zu nichts geworden – und dennoch nicht zu nichts! Denn die Erinnerung war da, die Bilder waren in ihm geblieben, noch sah er Pravati sitzen, groß und starr, mit dem plötzlich ergrauten Haar, im Schoß lag ihr der Sohn, als habe sie selbst ihn erdrückt, wie eine Beute lag er, und seine Glieder hingen welk über ihre Knie hinab. O wie rasch, wie rasch und schauerlich, wie grausam, wie gründlich war er über Maya belehrt worden! Alles war ihm verschoben worden, viele Jahre voll von Erlebnissen schrumpften in Augenblicke zusammen, geträumt war alles, was eben noch drangvolle Wirklichkeit schien, geträumt war vielleicht alles jenes andre, was früher geschehen war, die Geschichten vom Fürstensohn Dasa, seinem Hirtenleben, seiner Heirat, seiner Rache an Nala, seiner Zuflucht beim Einsiedler; Bilder waren sie, wie man sie an einer geschnitzten Palastwand bewundern mag, wo Blumen, Sterne, Vögel, Affen und Götter zwischen Laubwerk zu sehen waren. Und war das, was er gerade jetzt erlebte und vor Augen hatte, dies Erwachen aus dem Fürsten- und Kriegs- und Kerkertum, dies Stehen bei der Quelle, diese Wasserschüssel, aus der er eben ein wenig verschüttet hatte, samt den Gedanken, die er sich da machte – war alles dies denn nicht am Ende aus demselben Stoff, war es nicht Traum, Blendwerk, Maya? Und was er künftig je noch erleben und mit Augen sehen und mit Händen tasten würde, bis zu seinem einstigen Tode – war es aus anderem Stoff, von anderer Art? Spiel und Schein war es, Schaum und Traum, Maya war es, das ganze schöne und grausige, entzückende und verzweifelte Bilderspiel des Lebens, mit seinen brennenden Wonnen, seinen brennenden Schmerzen.

Dasa stand noch immer wie betäubt und gelähmt. Wieder schwankte in seinen Händen die Schale, und Wasser floß nieder, klatschte kühl auf seine Zehen und verrann. Was sollte er tun? Die Schale wieder füllen, sie zum Yogin zurücktragen, sich von ihm auslachen lassen für alles, was er im Traum erlitten hatte? Es war nicht verlockend. Er ließ die Schale sinken, goß sie aus und warf sie ins Moos. Er setzte sich ins Grüne und begann ernstlich nachzudenken. Er hatte genug und übergenug von dieser Träumerei, von diesem dämonischen Flechtwerk von Erlebnissen, Freuden und Leiden, die einem das Herz erdrückten und das Blut stocken machten und dann plötzlich Maya waren und einen als Narren zurückließen, er hatte genug von allem, er begehrte nicht Frau noch Kind mehr, noch Thron noch Sieg noch Rache, nicht Glück und nicht Klugheit, nicht Macht und nicht Tugend. Er begehrte nichts als Ruhe, nichts als ein Ende, er wünschte nichts anderes, als dieses ewig sich drehende Rad, diese endlose Bilderschau zum Stehen zu bringen und auszulöschen. Er wünschte sich selbst zur Ruhe zu bringen und auszulöschen, so wie er es damals gewünscht hatte, als er in jener letzten Schlacht sich in die Feinde stürzte, um sich schlug und wieder geschlagen ward, Wunden austeilte und empfing, bis er zusammenbrach. Aber was dann? Dann gab es die Pause einer Ohnmacht, oder eines Schlummers, oder eines Todes. Und gleich darauf war man wieder wach, mußte die Ströme des Lebens in sein Herz und die furchtbare, schöne, schauerliche Bilderflut von neuem in seine Augen einlassen, endlos, unentrinnbar, bis zur nächsten Ohnmacht, bis zum nächsten Tode. Der war, vielleicht, eine Pause, eine kurze, winzige Rast, ein Aufatmen, aber dann ging es weiter, und man war wieder eine der tausend Figuren im wilden, berauschten, verzweifelten Tanz des Lebens. Ach, es gab kein Auslöschen, es nahm kein Ende.

Unrast trieb ihn wieder auf die Füße. Wenn es schon in diesem verfluchten Ringeltanz kein Ausruhen gab, wenn schon sein einziger, sehnlicher Wunsch unerfüllbar war, nun, so konnte er ebensogut seine Wasserschale wieder füllen und sie diesem alten Manne bringen, der es ihm befohlen hatte, obwohl er ihm ja eigentlich nichts zu befehlen hatte. Es war ein Dienst, den man von ihm verlangt hatte, es war ein Auftrag, man konnte ihm gehorchen und ihn ausführen, es war besser als zu sitzen und sich Methoden der Selbsttötung auszudenken, es war ja überhaupt Gehorchen und Dienen weit leichter und besser, weit unschuldiger und bekömmlicher als Herrschen und Verantworten, so viel wußte er. Gut, Dasa, nimm also die Schale, fülle sie hübsch mit Wasser und trage sie zu deinem Herrn hinüber!

Als er zur Hütte kam, empfing ihn der Meister mit einem sonderbaren Blick, einem leicht fragenden, halb mitleidigen, halb belustigten Blick des Einverständnisses, einem Blick, wie ihn etwa ein älterer Knabe für einen jüngeren hat, den er aus einem anstrengenden und etwas beschämenden Abenteuer, einer ihm auferlegten Mutprobe, kommen sieht. Dieser Hirtenprinz, dieser ihm zugelaufene arme Kerl, kam zwar bloß von der Quelle, hatte Wasser geholt und war keine Viertelstunde fortgewesen; aber er kam immerhin auch aus einem Kerker, hatte ein Weib, einen Sohn und ein Fürstentum verloren, hatte ein Menschenleben absolviert und einen Blick auf das rollende Rad getan. Vermutlich war ja dieser junge Mensch schon früher einmal oder einige Male geweckt worden und hatte einen Mundvoll Wirklichkeit geatmet, sonst wäre er nicht hierher gekommen und so lange geblieben; jetzt aber schien er richtig geweckt worden zu sein und reif für den Antritt des langen Weges. Es würde manches Jahr brauchen, um diesem jungen Menschen auch nur Haltung und Atmen richtig beizubringen.

Nur mit diesem Blick, der eine Spur von wohlwollender Teilnahme und die Andeutung einer zwischen ihnen entstandenen Beziehung enthielt, der Beziehung zwischen Meister und Schüler – nur mit diesem Blick vollzog der Yogin die Aufnahme des Schülers. Dieser Blick vertrieb die nutzlosen Gedanken aus des Schülers Kopf und nahm ihn in Zucht und Dienst. Mehr ist von Dasas Leben nicht zu erzählen, das übrige vollzog sich jenseits der Bilder und Geschichten. Er hat den Wald nicht mehr verlassen.   *(1937)*

Quellennachweise

Gegenüber von Afrika: (Gedicht) geschrieben am 9. 9. 1911. Erstdruck in »Aus Indien«, Berlin, 1913.

Nachts im Suezkanal: Erstdruck in »Aus Indien«, Berlin, 1913.

Abend auf dem Roten Meer: (Gedicht) geschrieben im Sept. 1911. Erstdruck in »Licht und Schatten«, München 1912/13. Aufgenommen in »Aus Indien«.

Ankunft in Ceylon: (Gedicht) geschrieben im Sept. 1911. Erstdruck in »Aus Indien«, Berlin 1913.

Die Nikobaren: Erstdruck in »Die Schweiz«, Zürich vom 1. 5. 1914. Aufgenommen in H. Hesse, »Kleine Freuden«, Frankfurt a. M. 1977.

Nachts in der Kabine: (Gedicht) geschrieben im Sept. 1911. Erstdruck in »Aus Indien«, Berlin 1913.

Abend in Asien: Erstdruck in »Neues Wiener Tagblatt« vom 11. 7. 1912. Aufgenommen in »Aus Indien«.

Der Hanswurst: Erstdruck in »Die Schweiz«, Zürich 1912. Aufgenommen in »Aus Indien«.

Überfahrt: Erstdruck in »Aus Indien«, Berlin 1913.

Fluß im Urwald: (Gedicht) geschrieben Mitte Okt. 1911. Erstdruck in »Jugend«, München 1912. Aufgenommen in »Aus Indien«.

Pelaiang: Erstdruck in »Aus Indien«, Berlin 1913.

Waldnacht: Erstdruck in »Simplizissimus«, München vom 16. 9. 1912. Aufgenommen in »Aus Indien«, Berlin 1913.

Pelaiang: (Gedicht) Erstdruck in »Neue Monatshefte des Daheim«, Berlin/Leipzig Nr. 49, 1912/13. Aufgenommen in »Aus Indien«.

Nacht auf Deck: Erstdruck in »Aus Indien«, Berlin 1913.

Palembang: Erstdruck in »Aus Indien«, Berlin 1913.

Kein Trost: (Gedicht) Erstdruck in »Aus Indien«, Berlin 1913.

Architektur: Erstdruck in »Aus Indien«, Berlin 1913.

Wassermärchen: Erstdruck in »Aus Indien«, Berlin 1913.

Die Gräber von Palembang: Erstdruck in »Aus Indien«, Berlin 1913.

Sozietät: Erstdruck in »Aus Indien«, Berlin 1913.

Maras: Erstdruck in »Aus Indien«, Berlin 1913.

Im malayischen Archipel: (Gedicht) Erstdruck in »Aus Indien«, Berlin 1913.

Augenlust: Erstdruck in »Neues Wiener Tagblatt« vom 18. 4. 1912. Aufgenommen in »Aus Indien«.

Nachtfest der Chinesen in Singapur: (Gedicht) Erstdruck in »Wissen und Leben«, Zürich vom 15. 5. 1913. Aufgenommen in »Aus Indien«.

Spazierenfahren: Erstdruck in »Neues Wiener Tagblatt« vom 28. 4. 1912. Aufgenommen in »Aus Indien«.

Singapur-Traum: Erstdruck in »Simplizissimus«, München vom 16. 12. 1912. Aufgenommen in »Aus Indien«.

Bei Nacht: (Gedicht) Erstdruck in »Aus Indien«, Berlin 1913.

Indische Schmetterlinge: Erstdruck in »Neues Wiener Tagblatt« vom 4. 2. 1912. Aufgenommen u.d.T. »In Kandy« in H. Hesse, »Die Kunst des Müßiggangs«, Frankfurt a. M. 1973.

Tagebuchblatt aus Kandy: Erstdruck in »Die Schweiz«, Zürich vom 15. 6. 1912. Aufgenommen in »Aus Indien«.

Spaziergang in Kandy: Erstdruck in »Der Tag«, Berlin vom 11. 4. 1912. Aufgenommen in »Aus Indien«.

Pedrotallagalla: Erstdruck in »Westermanns Monatshefte« 1912/13, Nr. 57. Aufgenommen in »Aus Indien«.

Vor Colombo: (Gedicht) Erstdruck in »Aus Indien«, Berlin 1913.

Rückreise: Erstdruck in »Der Merker«, Wien vom Nov. 1912. Aufgenommen in »Aus Indien«.

Reisende Asiaten: Geschrieben 1912. Erstdruck in »Aus Indien«, Berlin 1913.

Drei Briefe: Erstdruck in H. Hesse, Gesammelte Briefe Bd. 1, Frankfurt a. Main 1973.

CHRONOLOGIE DER REISE NACH INDONESIEN: Originalbeitrag für diesen Band.

[Notizen von der Indienreise]: Hier erstmals abgedruckt.

Indische Weisheit: (Buchbesprechung) Erstdruck in »Neue Zürcher Zeitung« vom 18. 12. 1912. Hier erstmals vollständig in Buchform.

Chinesen: Erstdruck in »Die Zeit«, Wien vom 31. 7. 1913. Aufgenommen in H. Hesse, »Kleine Freuden«, Frankfurt a. Main 1977.

Erinnerung an Asien: Erstdruck in »März«, München vom Juni 1914. Aufgenommen in H. Hesse, »Eigensinn«, Frankfurt a. Main 1972.

Meisterwerke orientalischer Literaturen: (Buchbesprechung) Erstdruck in »Der Tag«, Berlin vom 26. 6. 1914. Aufgenommen in »Materialien zu Hesses Siddhartha« Bd. 1, Frankfurt a. Main 1975.

Indische Märchen: (Buchbesprechung) Erstdruck in »Der Bund«, Bern vom 8. 11. 1914. Aufgenommen in H. Hesse »Eine Literaturgeschichte in Rezensionen und Aufsätzen«, Frankfurt a. M. 1970.

Erinnerung an Indien: Geschrieben im März 1917. Erstdruck in »O mein Heimatland«. Schweizerische Kunst- und Literaturchronik, Bern 1918. Aufgenommen in H. Hesse, »Bilderbuch«, Berlin 1926.

Keyserlings Reisetagebuch: (Buchbesprechung) Erstdruck in »Vivos voco«, Bern Leipzig vom Nov. 1920. Aufgenommen in »Materialien zu Hesses Siddhartha«, Bd. 1, Frankfurt a. M. 1975.

Aus einem Tagebuch 1920/21: Auszüge. Erster vollständiger Druck dieses Tagebuchs in »Materialien zu Hesses Siddhartha«, Bd. 1, Frankfurt a. Main 1975.

Aus Brahmanas und Upanishaden: (Buchbesprechung) Erstdruck in »Wissen und Leben«, Zürich vom Sept. 1921. Aufgenommen in H. Hesse, »Eine Literaturgeschichte in Rezensionen und Aufsätzen«, Frankfurt a. M. 1970.

Die Reden Buddhas: (Buchbesprechungen) Erstdruck in »Die neue Rundschau«, Berlin vom Okt. 1921 und »Neue Zürcher Zeitung« vom 18. 6. 1922. Aufgenommen in H. Hesse, »Eine Literaturgeschichte in Rezensionen und Aufsätzen«, Frankfurt a. M. 1970.

Exotische Kunst: Erstdruck in »Die neue Rundschau«, Berlin vom März 1922. Aufgenommen in H. Hesse, »Betrachtungen«, Berlin 1928.

Besuch aus Indien: Erstdruck in »Neue Zürcher Zeitung« vom 6. 11. 1922. Aufgenommen in H. Hesse, »Bilderbuch«, Berlin 1926.

Indisches: (Buchbesprechung) Erstdruck in »National-Zeitung«, Basel (Beilage »Der Basilisk«) vom 28. 1. 1923. Aufgenommen in H. Hesse »Eine Literaturgeschichte in Rezensionen und Aufsätzen«, Frankfurt a. M. 1970.

Hinduismus: (Buchbesprechung) Erstdruck in »Die Neue Rundschau«, Berlin vom Juli 1923. Aufgenommen in H. Hesse, »Eine Literaturgeschichte in Rezensionen und Aufsätzen«, Frankfurt a. M. 1970.

Aus Indien und über Indien: (Buchbesprechung) Erstdruck im »Berliner Tageblatt« vom 24. 9. 1925. Aufgenommen in H. Hesse, »Kleine Freuden«, Frankfurt a. M. 1977.

Sehnsucht nach Indien: Erstdruck im »Berliner Tageblatt« vom 12. 12. 1925. Aufgenommen in H. Hesse, »Kleine Freuden«, Frankfurt a. M. 1977.

Über mein Verhältnis zum geistigen Indien und China: Undatiertes Manuskript aus dem Nachlaß. Erstdruck in »Materialien zu Hesses Siddhartha«, Frankfurt a. Main 1975

Blick nach dem Fernen Osten: Erstdruck als Antwort auf eine Umfrage der »Weltwoche«, Zürich vom 30. 10. 1959 (»Wir und die farbigen Völker«). Aufgenommen in H. Hesse, »Eine

Literaturgeschichte in Rezensionen und Aufsätzen«, Frankfurt a. M. 1970.

Legende vom indischen König: Erstdruck in »Die neue Rundschau«, Berlin vom November 1907. Aufgenommen in H. Hesse, »Legenden«, Frankfurt a. Main 1975

Die Braut: beendet im Februar 1913. Erstdruck in »Neues Wiener Tagblatt« vom 16. 9. 1913. Aufgenommen in H. Hesse, »Die Erzählungen«, Frankfurt a. M. 1973.

Robert Aghion: Geschrieben im Mai 1912. Erstdruck in »Die Schweiz«, Zürich, Januar 1913. Aufgenommen in »Aus Indien«, Berlin 1913.

Der Waldmensch: Erstdruck in »Simplizissimus«, München vom 24. 4. 1917. Aufgenommen in H. Hesse, »Fabulierbuch«, Berlin 1935.

Indischer Lebenslauf: Erstdruck in »Die neue Rundschau«, Berlin vom Juli 1937. Aufgenommen in H. Hesse, »Das Glasperlenspiel«, Zürich 1943.

1877 geboren am 2. Juli in Calw/Württemberg
1892 Flucht aus dem evgl.-theol. Seminar in Maulbronn
1899 »Romantische Lieder«, »Hermann Lauscher«
1904 »Peter Camenzind«, Ehe mit Maria Bernoulli
1906 »Unterm Rad«, Mitherausgeber der antiwilhelmini-
     schen Zeitschrift »März« (München)
1907 »Diesseits«, Erzählungen
1908 »Nachbarn«, Erzählungen
1910 »Gertrud«
1911 Indienreise
1912 »Umwege«, Erzählungen, Hesse verläßt Deutschland
     und übersiedelt nach Bern
1913 »Aus Indien«, Aufzeichnungen von einer indischen
     Reise
1914 »Roßhalde«, bis 1919 im Dienst der »Deutschen
     Kriegsgefangenenfürsorge, Bern«
     Herausgeber der »Deutschen Interniertenzeitung«,
     der »Bücher für deutsche Kriegsgefangene« und des
     »Sonntagsboten für deutsche Kriegsgefangene«
1915 »Knulp«
1919 »Demian«, »Märchen«, »Zarathustras Wiederkehr«
     Gründung und Herausgabe der Zeitschrift
     »Vivos voco«, ›Für neues Deutschtum‹. (Leipzig,
     Bern)
1920 »Klingsors letzter Sommer«, »Wanderung«
1922 »Siddhartha«
1924 Hesse wird Schweizer Staatsbürger
     Ehe mit Ruth Wenger
1925 »Kurgast«
1926 »Bilderbuch«
1927 »Die Nürnberger Reise«, »Der Steppenwolf«
1928 »Betrachtungen«
1929 »Eine Bibliothek der Weltliteratur«
1930 »Narziß und Goldmund«
     Austritt aus der »Preußischen Akademie der
     Künste«, Sektion Sprache und Dichtung
1931 Ehe mit Ninon Dolbin geb. Ausländer
1932 »Die Morgenlandfahrt«
1937 »Gedenkblätter«
1942 »Gedichte«
1943 »Das Glasperlenspiel«

Hermann Hesse
in den suhrkamp taschenbüchern

Lektüre für Minuten. Gedanken aus seinen Büchern und Briefen. Ausgewählt von Volker Michels. Band 7, 226 S.

Unterm Rad. Erzählung. Band 52, 166 S.

Materialien zu Hermann Hesse, »Der Steppenwolf«. Herausgegeben von Volker Michels. Band 53, 418 S.

Das Glasperlenspiel. Band 79, 614 S.

Materialien zu Hermann Hesse, »Das Glasperlenspiel«, Teil I: Texte von Hermann Hesse. Herausgegeben von Volker Michels. Band 80, 386 S.

Die Kunst des Müßiggangs. Kurzprosa aus dem Nachlaß. Herausgegeben von Volker Michels. Band 100, 374 S.

Materialien zu Hermann Hesse, »Das Glasperlenspiel«, Teil II: Texte über das Glasperlenspiel. Herausgegeben von Volker Michels. Band 108, 376 S.

Klein und Wagner. Erzählung. Band 116, 96 S.

Materialien zu Hermann Hesses »Siddhartha«. Erster Band. Herausgegeben von Volker Michels. Band 129, 350 S.

Peter Camenzind. Erzählung. Band 161, 150 S.

Der Steppenwolf. Band 175, 238 S.

Siddhartha. Eine indische Dichtung. Band 182, 122 S.

Demian. Die Geschichte von Emil Sinclairs Jugend. Band 206, 164 S.

Ausgewählte Briefe. Band 211, 580 S.

Die Nürnberger Reise. Band 227, 82 S.

Lektüre für Minuten. Gedanken aus seinen Büchern und Briefen. Neue Folge. Ausgewählt von Volker Michels. Band 240, 208 S.

Eine Literaturgeschichte in Rezensionen und Aufsätzen. Herausgegeben von Volker Michels. Band 252, 586 S.

Narziß und Goldmund. Erzählung. Band 274, 320 S.

Materialien zu Hermann Hesses »Siddhartha«. Zweiter Band. Herausgegeben von Volker Michels. Band 282, 388 S.

Die Märchen. Band 291, 272 S.

Über Hermann Hesse. Erster Band 1904–1962. Herausgegeben von Volker Michels. Band 331, 474 S.

Über Hermann Hesse. Zweiter Band 1963–1977. Herausgegeben von Volker Michels. Band 332, 524 S.

Aus Kinderzeiten. Gesammelte Erzählungen Band 1. 1900 bis 1905. Band 347, 398 S.

Kleine Freuden. Verstreute und kurze Prosa aus dem Nachlaß. Herausgegeben und mit einem Nachwort von Volker Michels. Band 360, 392 S.

Die Verlobung. Gesammelte Erzählungen Band 2. 1906 bis 1908. Band 368, 382 S.

Briefe an Freunde. Rundbriefe 1946–1962. Zusammengestellt von Volker Michels. Band 380, 262 S.

Die Gedichte. Neu eingerichtet und um Gedichte aus dem Nachlaß erweitert von Volker Michels. 2 Bde. Band 381, insges. 832 S.

Kurgast. Aufzeichnungen von einer Badener Kur. Band 383, 110 S.

Der Europäer. Gesammelte Erzählungen Band 3. 1909 bis 1918. Band 384, 370 S.

Innen und Außen. Gesammelte Erzählungen Band 4. 1919 bis 1955. Band 413, 424 S.

Die Welt der Bücher. Betrachtungen und Aufsätze zur Literatur. Band 415, 384 S.

Hermann Hesses weltweite Wirkung. Herausgegeben von Martin Pfeifer. 2 Bde. Bd. 386 u. 506, 355 S., 285 S.

Aus Indien. Band 562, 364 S.

Politik des Gewissens. Vorwort von Robert Jungk. Herausgegeben von Volker Michels. 2 Bde. Band 656, insges. 986 S.

Beschwörungen; Bilderbuch; Briefe; Das Glasperlenspiel;
Der Steppenwolf; Diesseits; Erzählungen; Kleine Welt;
Fabulierbuch; Frühe Prosa; Gedenkblätter; Gertrud;
Knulp; Krieg und Frieden; Kurgast; die Nürnberger
Reise; Märchen; Narziß und Goldmund; Peter Camen-
zind; Prosa aus dem Nachlaß; Roßhalde; Schriften zur
Literatur; Siddhartha; Traumfährte; Unterm Rad.

Briefe
Kindheit und Jugend vor Neunzehnhundert. Hermann
Hesse in Briefen und Lebenszeugnissen 1877–1894
Kindheit und Jugend vor Neuzehnhundert. Hermann Hesse
in Briefen und Lebenszeugnissen 1895–1900
Hermann Hesse, Gesammelte Briefe, 1895–1921. Unter
Mitwirkung von Heiner Hesse
Briefe. 2., erweiterte Ausgabe
Hermann Hesse – Peter Suhrkamp. Briefwechsel 1945 bis
1959
Hermann Hesse – R. J. Humm. Briefwechsel

Über Hermann Hesse
Dank an Hermann Hesse. Reden und Aufsätze
Hermann Hesse – Eine Chronik in Bildern; herausgegeben
von Bernhard Zeller
Hugo Ball: Hermann Hesse. Sein Leben und sein Werk
Emmy Ball-Hennings: Briefe an Hermann Hesse
Adrian Hsia: Hermann Hesse in China
Siegfried Unseld: Hermann Hesse, eine Werkgeschichte
Siegfried Unseld: Begegnungen mit Hermann Hesse
Martin Pfeifer (Hrsg.): Hermann Hesses weltweite Wir-
kung. Internationale Rezeptionsgeschichte. 2 Bde.
Ursula Chi: Die Weisheit Chinas und ›Das Glasperlen-
spiel‹
Theodore Ziolkowski: Der Schriftsteller Hermann Hesse

Sonderausgaben
Hermann Hesse, Die Erzählungen
Hermann Hesse, Weg nach Innen
Hermann Hesse, Schriften zur Literatur. 2 Bde.
Politik des Gewissens. Die politischen Schriften 1914–1962
Hermann Hesse als Maler
Hermann Hesse. Sein Leben in Bildern und Texten

Hermann Hesse, Leben und Werk im Bild. Von Volker Michels
Hermann Hesse, Kindheit des Zauberers. Ein autobiographisches Märchen. Illustriert und mit einer Nachbemerkung von Peter Weiss
Piktors Verwandlungen. Mit einem Nachwort von Volker Michels
Dank an Goethe. Betrachtungen, Rezensionen, Briefe. Mit einem Essay von Reso Karalaschwili
Hermann Lauscher. Illustriert von Gunter Böhmer
Der verbannte Ehemann oder Anton Schievelbeyn's ohnfreywillige Reise. Handgeschrieben und illustriert von Peter Weiss
Die Stadt. Ein Märchen, ins Bild gebracht von Walter Schmögner
Schmetterlinge. Mit einem Nachwort von Volker Michels
Knulp. Illustriert von Karl Walser
Magie der Farben. Herausgegeben und mit einem Nachwort von Volker Michels

Hermann Hesse
Gesammelte Erzählungen
4 Bände in Kassette, DM 32,–

Hermann Hesses sämtliche Erzählungen sind in vier Taschenbuchbänden erschienen:
Band 1 Aus Kinderzeiten, 1900–1905 (st 347)
Band 2 Die Verlobung, 1906–1908 (st 368)
Band 3 Der Europäer, 1909–1918 (st 384)
Band 4 Innen und Außen, 1919–1955 (st 413)
Alle vier Bände zusammen werden in einer Schmuckkassette vorgelegt.
Nicht unerhörte Begebenheiten, sondern das Unerhörte der alltäglichen Begebenheiten kommt hier zu Wort. Denn so vertraut die Schauplätze anmuten, die Konflikte, die dort ausgetragen und festgehalten werden, wachsen weit über das Lokale hinaus. Der Mikrokosmos des scheinbar Provinziellen und Individuellen verweist vom Detail auf das Ganze. Dabei bedeutet die Lektüre dieser Erzählungen nicht Arbeit, sondern Regeneration.

Hermann Hesse auf Schallplatten

Hermann Hesse-Sprechplatte
»Über das Glück« und Gedichte
Gert Westphal liest:
Aus einem Brief des 15jährigen an seine Eltern
Prosa aus »Klingsors letzter Sommer« und Gedichte
Best.-Nr. 9508, DM 22,–

Hermann Hesse liest:
»Über das Alter«, »Zwischen Sommer und Herbst«,
»Über das Wort ›Brot‹ «
Gert Westphal liest Hermann Hesse,
»Autorenabend«, »Die Fremdenstadt im Süden«.
Best.-Nr. 9110, DM 24,–
Suhrkamp Verlag

Sprechplatten der Deutschen Grammophon Gesellschaft

Aus dem »Tractat vom Steppenwolf«,
gesprochen von Helmut Griem
Die Stadt und satirische Gedichte aus dem Nachlaß,
gesprochen von Gert Westphal
Heliodor Bibliothek Nr. 2571009

Aus dem »Kurzgefaßten Lebenslauf«,
gesprochen von Gert Westphal
Haßbriefe und »Brief an einen Kommunisten«,
gesprochen von Peter Lühr
Heliodor Bibliothek Nr. 2571031

Musikplatten nach Texten von Hermann Hesse

Lieder nach Gedichten von Hermann Hesse,
vertont von Othmar Schoeck und Gottfried von Einem,
gesungen von Dietrich Fischer-Dieskau
Deutsche Grammophon Gesellschaft LP 25308777

Hesse Between Music
Ein aktuelles Mosaik von Hesse-Texten mit moderner
Musik von Peter Hamel u. a.
Rezitation von Gert Westphal,
vorgestellt von Joachim Ernst Berendt
dergo-spectrum SM 1015

»Und alle Zeit ward Gegenwart«
Arthur Rubinstein spielt Lieblingskompositionen
von Hermann Hesse (Beethoven, Schumann, Chopin)
RCA-Langspielplatte RL-42352

st 719 Dolf Sternberger
Über den Tod
272 Seiten
»Die Schriften, die in diesem Band gesammelt erscheinen,
sind literarisch von verschiedener Art. Von der akademischen Dissertation, die gerade vor fünfzig Jahren entstanden ist, über die drei Essays bis zu den ›Petites Percep-
tions‹, die dem höheren Lebensalter zugehören, sind sie
jedoch durch die Einheit des Gegenstandes verbunden.
Es ist ein Gegenstand, den wir nicht verstehen können.«

st 721 Stephan Stolze
Innenansicht
Eine bürgerliche Kindheit 1938–1945
Mit einem Vorwort von Sebastian Haffner
192 Seiten
Was Stolze aus seiner Jugendzeit während des Dritten
Reiches erzählt, ist nichts Großes, nichts Außerordent-
liches; es sind die Wellen der geschichtlichen Ereignisse
in einer mitteldeutschen Kleinstadt, die er notiert: das
Verhalten der Eltern, wenn »Sicherungsverwahrte« im
Garten arbeiten; das Geplauder des SS-Mannes am Tee-
tisch; was geschieht und nicht geschieht, als er den Jung-
bannführer zu grüßen versäumt oder als im Lebensmittel-
laden eine Jüdin mit ansteht.

st 722 Ulrich Plenzdorf
Legende vom Glück ohne Ende
366 Seiten
»Eine unwahrscheinliche, ja sogar unglaubliche Geschichte.
Und dabei eine ganz einfache Geschichte, mit stark aus-
geprägten realistischen Zügen, die das Unwahrscheinliche
als möglich erscheinen lassen und selbst das Unglaubliche
glaubhaft machen.«   *Deutschlandfunk*

st 724 Oscar Walter Cisek
Der Strom ohne Ende
Roman
388 Seiten
Cisek führt uns an die vielgeteilte Donau vor ihrer Mündung im Schwarzen Meer und macht die Natur einer noch nicht vom Menschen besiegten Landschaft zum Gegenstand einer durch und durch epischen Dichtung. Selbst die düstersten Leidenschaften bleiben eingebettet in das Wirken der Elemente, in den Kreislauf der Jahreszeiten.

st 725 Weniamin Kawerin
Das doppelte Porträt
Roman
Aus dem Russischen übersetzt und
mit einem Nachwort versehen von Wolfgang Kasack
240 Seiten
Das doppelte Porträt ist die Geschichte von zwei Wissenschaftlern im Jahre 1954, dem Nutznießer und dem Leidtragenden der Stalinzeit. »Was hier erzählt wird, mutet den Leser wie Gegenwart an. Wer sich um Verständnis der heutigen Sowjetunion bemüht, wird in diesem Buch einen Schlüssel finden, nicht den einzigen, aber einen wichtigen.«   *Hessischer Rundfunk*

st 726 György Konrád/Iván Szelényi
Die Intelligenz auf dem Weg zur Klassenmacht
Übersetzt von Hans-Henning Paetzke
408 Seiten
Die Ungarn Konrád und Szelényi haben die zunehmende Bedeutung der Intelligenzschicht – oder -klasse – im »realen Sozialismus« zum Gegenstand einer detaillierten und empirisch fundierten Untersuchung gewählt. Schon immer war die Intelligenz eine Schicht, die aufgrund des bei ihr monopolisierten gesellschaftlichen Wissens im Bündnis mit anderen Macht ausübte.

st 729 Stanisław Lem
Mondnacht
Hör- und Fernsehspiele
Aus dem Polnischen übersetzt von Klaus Staemmler, Charlotte Eckert, Jutta Janke und I. Zimmermann-Göllheim

Phantastische Bibliothek Band 57
272 Seiten
»Lem hat die Gattung der Science-fiction neu abgesteckt und ihr literarische Hochflächen erobert, die auf dem Niveau des philosophischen Traktats liegen, zugleich aber spannend sind wie ein gelungener Kriminalroman.«
Frankfurter Rundschau

st 730 Herbert W. Franke
Schule für Übermenschen
Phantastische Bibliothek Band 58
160 Seiten
Wo liegen die physischen und psychischen Grenzen des Menschen? Sind seine evolutionären Kapazitäten erschöpft oder ist er einer Anpassung an jene besonderen Aufgaben fähig, die die lebensfremden Räume der Tiefsee und des Weltraums mit sich bringen? Das »Institute of Advanced Education« schult die Elite von morgen. Zu den Mitteln gehört körperlicher Drill ebenso wie ein erbarmungsloses Überlebenstraining.

st 731 Joseph Sheridan Le Fanu
Der besessene Baronet
und andere Geistergeschichten
Deutsch von Friedrich Polakovics
Mit einem Nachwort von Jörg Krichbaum
Phantastische Bibliothek Band 59
304 Seiten
Le Fanus Geistergeschichten zeichnen sich durch die Schärfe der psychologischen Beobachtung und den in ihnen zutage tretenden Konflikt zwischen Traum und Wirklichkeit aus.

st 732 Philip K. Dick
LSD-Astronauten
Deutsch von Anneliese Strauss
Phantastische Bibliothek Band 60
272 Seiten
»Ein wenig ist die Lust zur Lektüre von Science-fiction verwandt mit der Lust zur Lektüre von Horrorgeschichten. Offenbar besteht eine Bereitschaft, das, was an Angstphantasie die säkularisierte Menschheit bedrängt, in der

Form der Lektüre sich vorsagen zu lassen, sich einreden zu lassen. Mit therapeutischem Effekt?«

Helmut Heißenbüttel

st 733 Herbert Ehrenberg
Anke Fuchs
Sozialstaat und Freiheit
Von der Zukunft des Sozialstaats
468 Seiten
»Herbert Ehrenberg und Anke Fuchs gelingt es, manche Frage zu beantworten, manche Unstimmigkeit zu widerlegen, Klischees in Zweifel zu ziehen, die Richtung künftiger Reformen darzustellen und das Erfordernis einer eigenständigen Sozialpolitik zu begründen. ... Noch lange wird man mit Gewinn nach diesem Buch greifen können, um etwas über die einschlägigen Teilbereiche der Sozialpolitik nachzulesen.« *Deutschlandfunk*

st 759 Gerlind Reinshagen
Sonntagskinder. Theaterstück und Drehbuch
(zusammen mit Michael Verhoeven)
Mit zahlreichen Abbildungen
216 Seiten
Die halbwüchsige Elsie erleidet das unfaßbare Ereignis des Zweiten Weltkriegs aus dem begrenzten Blickwinkel ihrer Kindheit. In dem bürgerlichen Mittelstandsmilieu einer Apothekerfamilie lügen sich die Honoratioren der mittelgroßen mitteldeutschen Stadt an der Nazizeit vorbei.

st 782 Die besten Bücher
der »Bestenliste« des SWF-Literaturmagazins
empfohlen von Mitgliedern der Jury
Herausgegeben von Jürgen Lodemann
176 Seiten
Die besten Bücher: erstmalig ernstzunehmender Wegweiser durch den Herbstbücherwald des Jahres 1981. Siebenundzwanzig Literaturkritiker stellen die besten Bücher dieses Herbstes vor, und sie begründen ihre Wahl. Im Anhang: Sämtliche Listen seit 1975, die bisherigen Jury-Mitglieder, eine Dokumentation zur Entstehung und Methode der Bestenliste sowie der ›Preis des SWF-Literaturmagazins‹.

Alphabetisches Gesamtverzeichnis der suhrkamp taschenbücher